CARRY ON

L'auteur

Rainbow Rowell écrit des romans dont les personnages sont tantôt adultes, tantôt adolescents. Quel que soit leur âge, tous ont un point commun : ils se cherchent, se plantent parfois. Et tombent amoureux, toujours. Quand elle n'écrit pas, Rainbow Rowell adore lire des comics et discuter à n'en plus finir du sens de la vie. Elle est l'auteur d'*Eleanor & Park*, roman culte publié chez PKJ. Elle vit dans le Nebraska avec son mari et ses deux fils.

Du même auteur

Eleanor & Park

Rainbow Rowell

CARRY ON

Grandeur et décadence
de Simon Snow

Traduit de l'anglais (États-Unis)
par Catherine Nabokov

Titre original :
Carry On
The Rise and Fall
of Simon Snow

Publié pour la première fois en 2015 par St. Martin's Press,
un département de Macmillan

Loi n 49 956 du 16 juillet 1949 sur les publications
destinées à la jeunesse : janvier 2017

ISBN : 978-2-266-27152-3

Pour Laddie et Rosey.
Menez vos batailles
et volez de vos propres ailes.

LIVRE UN

1

SIMON

JE VAIS SEUL À L'ARRÊT DE BUS.

D'habitude, chaque fois que je sors, c'est toute une histoire avec mes papiers. Pendant l'été, rien que pour aller à Tesco, il m'a fallu un chaperon et l'autorisation de la Reine. Mais maintenant, il suffit que je signe le registre de sortie du foyer, et c'est bon, je peux filer. Parce que c'est la rentrée.

— Il va dans une école *spéciale*, explique une des deux secrétaires à l'autre.

Elles sont dans une sorte de bocal en plexiglas, et je dois glisser mes papiers par une fente dans la vitre.

— Une école pour délinquants, ajoute-t-elle en chuchotant.

L'autre femme ne lève même pas les yeux.

C'est toujours la même chose, en septembre ; pourtant je ne suis jamais dans le même foyer.

La première fois que je suis allé à l'école, le Mage est venu me chercher en personne. J'avais onze ans. Mais l'année suivante, il m'a dit que je pouvais me débrouiller tout seul pour aller à Watford. « Tu as tué un dragon. Tu te sortiras très bien d'une longue marche et de quelques bus. »

Je n'avais pas voulu tuer ce dragon. Il ne m'aurait pas fait de mal, je ne crois pas. (J'en rêve encore. Je revois la manière dont

9

le feu l'a consumé de l'intérieur, comme s'il avait avalé de la braise et qu'elle lui dévorait les entrailles.)

À l'arrêt de bus, je mange un Milky Way en attendant. J'ai d'abord un bus, puis un autre. Et enfin un train.

Une fois dans le train, j'essaie de dormir, les pieds posés sur le siège en face et mon sac sur les genoux, mais un homme, trois rangées derrière, n'arrête pas de m'observer. Je sens son regard sur ma nuque.

Un pervers, peut-être. Ou un flic.

À moins que ce soit un chosseur de primes qui a entendu parler d'un des contrats qu'il y a sur moi… (« On dit *chasseur* de primes », ai-je corrigé Pénélope, la première fois qu'on en a combattu un. « Non, *chosseur*, m'a-t-elle répondu. Avec le mot *os* ; c'est ce qu'ils vont récolter s'ils t'attrapent. »)

Je change de wagon et je renonce à dormir. Plus je me rapproche de Watford, plus je suis impatient. Chaque année, j'ai envie de sauter du train et de me jeter un sort pour arriver plus vite à l'école, quitte à tomber dans le coma.

Je pourrais lancer au train : ***Dépêche-toi !*** mais c'est un sort risqué en soi, et comme mes premiers sorts de l'année scolaire sont toujours un peu hasardeux, je préfère m'abstenir. L'été, je suis censé m'entraîner. Travailler des sorts faciles, prévisibles, quand personne ne regarde. Allumer une veilleuse, par exemple. Ou transformer des pommes en oranges.

— Attachez vos boutons ou faites vos lacets, nous suggère chaque année Mlle Possibelf avant les vacances.

La première fois, je me rappelle, je n'avais qu'un seul bouton. Quand je le lui ai dit, elle a regardé mon jean, et j'ai rougi.

— Alors sers-toi de tes pouvoirs pour les tâches ménagères, a-t-elle dit. Fais la vaisselle, nettoie l'argenterie, ce genre de choses.

Je n'ai même pas pris la peine de lui préciser que, l'été, on me sert à manger dans des assiettes en carton, avec des couverts en plastique (uniquement des fourchettes et des cuillères, jamais de couteaux).

Pas pris la peine de m'entraîner, cet été.

Ça me soûle. Et c'est inutile. Franchement, ça n'aide pas. M'exercer ne fait pas de moi un meilleur magicien ; ça me fait juste… *exploser.*

Personne ne comprend pourquoi ma magie fonctionne de cette manière. Pourquoi ça éclate comme une bombe au lieu de se répandre en moi comme un putain de courant – ça, ou autre chose de cool, comme pour les autres.

— Je ne sais pas, a répondu Pénélope le jour où je lui ai demandé comment se manifestait la magie chez elle. Ça me fait une sensation de bien-être à l'intérieur, très intense. Au lieu de résister, je réfléchis à la façon de la développer, ou de l'accueillir. Et tout à coup, c'est là, et aussi longtemps que j'en ai besoin. Tant que je reste concentrée.

Pénélope est toujours concentrée. En plus, elle est hyper forte.

Agatha, non. En tout cas, elle n'est pas aussi forte. Et elle n'aime pas parler de ses pouvoirs. Mais un jour, à Noël, je l'ai maintenue éveillée jusqu'à ce qu'elle soit assommée de fatigue. Elle m'a alors raconté que quand elle lançait un sort, c'était comme si elle contractait un muscle et le gardait tendu.

— Comme un *croisé devant*[1], a-t-elle ajouté. Tu connais ?

J'ai fait non de la tête.

Elle était devant le feu, roulée en boule sur une peau de loup ; on aurait dit un joli petit chat.

— C'est une position de danse. Je me mets en place et je tiens le plus longtemps possible.

Baz m'a expliqué que, pour lui, ça revenait à craquer une allumette. Ou appuyer sur la gâchette.

Il n'avait pas voulu me le dire. On était dans la forêt en train de se battre contre une chimère, en cinquième année. Elle nous

1. En français dans le texte.

avait piégés, et Baz n'était pas assez puissant pour s'en débarrasser tout seul. (Même le Mage n'est pas assez puissant pour combattre tout seul une chimère.)

— Fais-le, Snow ! m'a hurlé Baz. Vas-y. Sers-toi de ta putain d'arme. Maintenant !

— Impossible, ai-je répliqué. Ça ne marche pas comme ça.

— Je te garantis que si.

— Pas d'un seul coup !

— *Essaie.*

— Mais je ne *peux pas*, je te dis !

J'agitais mon épée dans tous les sens – à quinze ans, j'étais déjà pas mauvais –, mais la chimère n'était pas matérialisée. (J'ai trop de chance : la plupart du temps, dès que je commence à manier l'épée, mes ennemis deviennent tous brumeux et flous.)

— Ferme les yeux et craque une allumette, m'a conseillé Baz.

On s'était planqués derrière un rocher, et Baz lançait des sorts sans discontinuer ; il les chantait, presque.

— Quoi ?

— C'est ce que ma mère me répétait, a-t-il expliqué. Craque une allumette dans ton cœur et mets le feu au petit bois.

Avec Baz, c'est toujours une histoire de feu. Ça m'étonne qu'il ne m'ait pas encore calciné. Ou fait griller sur un bûcher.

Déjà, en troisième année, il aimait bien me menacer d'un rite funéraire viking.

— Tu sais ce que c'est, Snow ? Un satané bûcher mortuaire envoyé au-delà des mers. On devrait organiser le tien à Blackpool, comme ça toute ta racaille de copains normaux pourra venir.

— Va te faire voir, j'ai lâché, en lui tournant le dos.

Je n'ai jamais eu un seul ami normal, racaille ou pas.

Dans le monde normal, les gens cherchent surtout à m'éviter. D'après Pénélope, c'est parce qu'ils sentent mon pouvoir et qu'ils l'esquivent, instinctivement. Comme les chiens qui ne regardent pas leur maître droit dans les yeux. (Je ne veux pas dire que je suis le maître de qui que ce soit, évidemment.)

Chez les magiciens, c'est tout le contraire : ils adorent l'odeur des pouvoirs. Parvenir à me rendre détestable me demande beaucoup d'efforts.

Sauf quand c'est Baz. Avec lui, aucun problème. Il est peut-être immunisé contre mon pouvoir, ou il a développé une tolérance à force de me côtoyer (après tout, ça fait sept ans qu'on partage la même chambre).

Quoi qu'il en soit, la nuit où on se battait contre la chimère, il a continué de m'engueuler jusqu'à ce que j'explose.

On s'est réveillés tous les deux, quelques heures plus tard, dans l'obscurité d'une fosse. Le gros rocher derrière lequel on s'abritait n'était plus que poussière, et la chimère, de la vapeur. À moins qu'elle ne soit simplement partie ?

Baz était convaincu que j'avais brûlé ses sourcils mais, pour moi, ils étaient intacts.

Classique.

2

SIMON

L'ÉTÉ, JE CHASSE DE MA TÊTE L'ÉCOLE DE MAGIE de Watford.

À la fin de la première année, j'ai passé toutes les vacances à y penser. À penser à toutes les personnes que j'avais rencontrées – Pénélope, Agatha, le Mage. À penser aux tours et aux terrains. Aux thés. Aux puddings. À la magie.

Au fait que moi, j'étais un magicien.

Je m'en suis rendu malade. J'en rêvais jour et nuit, jusqu'au moment où c'est devenu un songe permanent. Une autre façon de passer le temps.

Comme quand je rêvais que je devenais footballeur, ou que mes parents, mes *vrais* parents, revenaient pour moi…

Mon père serait footballeur, et ma mère, un genre de mannequin chic. Ils m'expliqueraient qu'ils avaient dû m'abandonner parce qu'ils étaient trop jeunes pour s'occuper d'un bébé, et parce que la carrière de footballeur de mon père était plus importante. « Mais tu nous as toujours manqué, Simon, diraient-ils. Nous t'avons cherché. » Et ils m'emmèneraient avec eux dans leur demeure.

Une demeure de footballeur… Un endroit magique…

Mais, à la lumière du jour, ils redevenaient nuls, tous les

15

deux. (Surtout quand tu te réveilles dans une chambre avec sept autres orphelins.)

Ce premier été, j'ai fini par réduire en bouillie le souvenir de Watford. Mais à l'automne, mon ticket de bus et mes papiers ont surgi, avec un mot de la main du Mage lui-même…

Pour de vrai. Tout était bien réel.

L'été suivant, à la fin de ma deuxième année à Watford, j'ai fait la même chose. J'ai complètement sorti la magie de ma tête. Pendant plus de deux mois. J'ai débranché, tout simplement. Ça ne m'a pas manqué. Je n'en rêvais pas.

J'avais décidé d'attendre que le Monde des Mages revienne à moi comme un gros cadeau-surprise de septembre, si ça devait arriver. (Et c'est bel et bien revenu. Et les années suivantes, jusqu'à aujourd'hui.)

Le Mage m'avait dit qu'un jour, peut-être, il me laisserait passer l'été à Watford, voire qu'il m'emmènerait avec lui, s'il allait ailleurs. Il a finalement décrété qu'il valait mieux que je continue d'être avec les Normaux pendant les vacances. Pour rester en contact avec le langage et garder ma vigilance. « La difficulté t'aidera à affûter ta lame, Simon. » Je croyais qu'il parlait de l'épée des Mages, mais j'ai fini par comprendre qu'il s'agissait de moi.

Je suis la lame. L'épée des Mages. Je ne suis pas sûr que ces étés passés dans des foyers pour enfants abandonnés m'aient rendu plus tranchant… Ce qui est certain, en revanche, c'est qu'ils m'ont donné soif de Watford, comme on peut avoir soif de la vie elle-même.

Baz et tous ceux de sa clique, les vieilles familles riches, sont sûrs que personne ne comprend la magie telle qu'ils la comprennent et la pratiquent, eux. Ils sont convaincus d'être les seuls à qui on peut faire confiance dans ce domaine.

Mais personne n'aime la magie *autant que moi*.

Aucun autre magicien, ni ceux qui sont dans ma classe ni leurs parents, ne sait ce que c'est que de vivre *sans* la magie.

Je suis le seul.

La magie, c'est mon oxygène, et je ferai en sorte de ne jamais en être privé.

Quand je n'y suis pas, j'essaie vraiment de ne pas penser à Watford. Mais cet été, c'était impossible.

Après tout ce qui s'était passé pendant l'année, je croyais que le Mage ne prêterait aucune attention à un événement aussi mineur que la fin du trimestre. Depuis quand interrompt-on une guerre pour renvoyer les enfants chez eux pour les vacances d'été ? Surtout que je ne suis plus un enfant. Légalement, j'aurais pu quitter le foyer à seize ans et avoir mon appartement à moi. À Londres, peut-être. (Je peux me le payer : j'ai un sac entier de lutins d'or – un grand, de la taille d'un sac de marin –, qui ne disparaissent que si tu les donnes à un autre magicien.)

Bref, non seulement le Mage a pensé aux vacances, mais il m'a renvoyé dans un nouveau foyer, comme toujours. (Après toutes ces années, je continue d'être un pion sur un échiquier.) Comme si j'étais en sécurité, là-bas. Comme si le Humdrum ne pouvait pas me *convoquer*. C'est pourtant ce qu'il a fait, avec Pénélope et moi, à la fin du trimestre.

Pas de chance, Pénélope me tenait par le bras au moment où j'ai été chopé, donc elle l'a été aussi. Si on a réussi à s'échapper, c'est bien parce qu'elle réfléchit à toute blinde.

— Simon, c'est sérieux, a-t-elle dit ce jour-là, quand on s'est finalement retrouvés dans un train pour Watford.

— Par Siegfried et Roy, Penny… je sais que c'est sérieux. Il a mon numéro. Même moi, je ne l'ai pas, et le Humdrum a réussi à le trouver.

— Comment c'est possible qu'on en sache si peu sur lui ? s'est-elle énervée. Il est tellement…

— Perfide, j'ai suggéré. « Le perfide Humdrum », c'est bien comme ça qu'on l'appelle, non ?

— Arrête de plaisanter, Simon. C'est vraiment sérieux.

— Je sais, Penny.

Quand nous sommes arrivés à Watford, le Mage nous a entendus rentrer et il est venu vérifier que nous n'avions pas été blessés, puis il nous a renvoyés chez nous. Comme ça.

Absurde.

Alors après, évidemment, j'ai passé l'été à penser à Watford. À ce qui était arrivé, à ce qui *pouvait* arriver, à tous les risques… J'ai ressassé ça en boucle. Sans m'attarder sur les bons côtés. Parce que c'est ça qui te manque le plus, les bons côtés, et qui finit par te rendre dingue. J'ai dans ma tête la liste précise des trucs de Watford qui me manquent le plus, mais je m'autorise à y penser seulement quand je suis presque arrivé à l'école. À ce moment-là, je passe en revue chaque point de ma liste. J'y vais doucement, un peu comme quand on entre dans une eau glaciale. Sauf que là, c'est le contraire, l'eau est super agréable, et si j'y vais lentement, c'est pour ne pas être submergé.

J'ai commencé à faire cette liste, celle des choses sympas, quand j'avais onze ans. Depuis, j'aurais sans doute dû rayer quelques trucs, mais c'est plus difficile qu'on ne croit.

De toute façon, ça y est : plus qu'une heure avant d'être à Watford, maintenant. Alors j'appuie mon front sur la vitre du train, et je la fais défiler.

Les choses de Watford qui me manquent le plus

Nᵒ 1 : les scones aux griottes

Je n'en avais jamais mangé avant. Je ne connaissais que les scones aux raisins, et encore, le plus souvent ils étaient nature, et toujours industriels, donc trop cuits. À Watford, si tu veux, tu peux avoir des scones aux griottes pour le petit déjeuner, tous les jours. Et aussi au goûter. On prend le goûter dans le réfectoire, après les cours et avant les ateliers, le foot et les devoirs.

Je goûte toujours avec Pénélope et Agatha, et je suis le seul à manger des scones. « On dîne dans deux heures, Simon ! »

s'énerve régulièrement Agatha. Un jour, Pénélope a essayé de calculer combien de scones j'avais mangés depuis qu'on était à Watford, mais elle a lâché l'affaire avant d'avoir la réponse.

J'y peux rien : s'il y a des scones, je résiste pas. Ils sont incroyablement tendres et légers, et légèrement salés. Parfois, j'en rêve la nuit.

N° 2 : Pénélope

À cette place, avant, c'était « le rôti de bœuf ». Mais il y a quelques années, j'ai décidé de ne laisser qu'un seul truc à manger. Sinon, ma liste ressemblerait à la chanson du film *Oliver !* sur la nourriture, et j'aurais tout le temps des crampes d'estomac.

Peut-être que je devrais remonter Agatha au-dessus de Pénélope ? C'est quand même ma *copine*. Mais Pénélope est apparue avant sur la liste : elle est devenue ma meilleure amie dès que je suis arrivé à l'école. En cours de Formules magiques.

Au début, quand je l'ai rencontrée, je ne savais pas très bien comment me comporter avec cette fille petite, joufflue, à la peau mate et aux cheveux d'un roux éclatant. Elle portait des lunettes pointues, du genre de celles qu'on met quand on veut se déguiser en sorcière pour une soirée costumée, et une grosse bague violette à la main droite. Elle essayait de m'aider pour un devoir et je n'arrêtais pas de la regarder.

— Tu es Simon Snow, m'a-t-elle dit. Ma mère m'a prévenue que tu serais là, cette année. Elle dit que tu es vraiment très fort, plus que moi. Moi, c'est Pénélope Bunce.

— Pénélope ? Tu n'as pas une tête à t'appeler Pénélope.

C'était idiot, comme remarque. (Cette année-là, je ne disais que des choses débiles.)

Elle a plissé le nez.

— Ah bon, et j'ai une tête à m'appeler comment, d'après toi ?

— Je ne sais pas.

Pour de vrai, je ne savais pas. Les filles que j'avais croisées et qui lui ressemblaient s'appelaient Saanvi ou Aditi, et elles n'étaient pas du tout rouquines.

— Saanvi ? ai-je proposé.

— Une fille comme moi peut avoir n'importe quel nom, a répliqué Pénélope.

— Ah… C'est vrai, désolé.

— Et on a le droit de faire ce qu'on veut avec ses cheveux.

Elle est retournée au devoir, en jouant avec sa queue de cheval rousse. (J'ai appris par la suite que ses cheveux avaient viré au roux par accident ; elle avait tenté un nouveau sortilège. Du coup, elle les a gardés de cette couleur pendant toute la première année. L'année suivante, elle était passée au bleu.)

— Ce n'est pas poli de dévisager quelqu'un comme ça, tu sais, a-t-elle repris un peu plus tard. Même ses amis.

— On est amis ? ai-je demandé, surpris.

— Je suis en train de t'aider pour ton devoir, non ?

En effet. Elle venait de me donner un coup de main pour ramener un ballon de foot à la taille d'une bille.

— Je croyais que tu le faisais parce que je suis lent.

— On est tous un peu lents, a-t-elle répondu. Je le fais parce que je t'aime bien.

La mère de Pénélope est indienne et son père anglais. En fait, ils sont anglais tous les deux, sa famille côté indien habite Londres depuis des siècles. Deux mois plus tard, elle m'a avoué que ses parents lui avaient conseillé de m'éviter.

— Ma mère dit que personne ne sait vraiment d'où tu viens et que tu es peut-être dangereux.

— Et pourquoi tu ne l'as pas écoutée ?

— Justement parce que personne ne sait d'où tu viens, et que tu es peut-être dangereux !

— Tu as l'instinct de survie le plus catastrophique du monde.

— J'avais pitié de toi, aussi. Tu tenais ta baguette magique à l'envers.

Chaque été, Penny me manque. Même quand je me force à ne pas y penser. Le Mage dit que personne n'a le droit de m'écrire ou de m'appeler pendant les vacances, mais Penny trouve toujours un moyen de me faire passer des messages. Une fois, elle a envoûté le vieux type qui tient la boutique près de l'école – celui qui oublie tout le temps de mettre son dentier –, et elle a communiqué avec moi à travers lui. C'était cool de l'entendre, mais, en même temps, ça m'a tellement perturbé que je lui ai demandé de ne plus recommencer. Sauf en cas d'urgence, bien sûr.

N° 3 : le terrain de foot

Je ne joue plus aussi souvent qu'avant. Je ne suis pas assez bon pour faire partie de l'équipe de l'école et, en plus, je suis toujours pris dans des plans ou des embrouilles, ou dehors, en mission pour le Mage. (Impossible d'être un goal fiable alors que ce fichu Humdrum peut te convoquer quand ça lui chante.)

J'arrive quand même à jouer un peu. Et le terrain est juste parfait : une pelouse fantastique. Au milieu de toutes ces collines, c'est le seul endroit plat du domaine. Autour, il y a de jolis arbres qui font de l'ombre, tu peux t'asseoir pour regarder les matches.

Baz fait partie de l'équipe de l'école, lui. Évidemment. Cet abruti.

Il est sur le terrain comme il est dans la vie. Fort. Élégant. Impitoyable.

N° 4 : mon uniforme de l'école

Je l'ai mis sur la liste quand j'avais onze ans. Il faut me comprendre : quand on m'a donné cet uniforme, c'était la première fois que je portais des vêtements à ma taille et que je mettais une veste et une cravate. Je me suis senti grand et classe, tout à coup. Jusqu'à ce que Baz débarque dans notre chambre, bien plus grand que moi, et plus classe que tout le monde.

La scolarité, à Watford, dure huit ans. Les première et deuxième année ont une veste rayée bordeaux et vert, un pantalon gris foncé, un pull vert et une cravate rouge. On doit porter un chapeau jusqu'à la sixième année. En fait, c'est un test pour voir si notre **Pas bouger !** est suffisamment costaud pour arriver à garder le chapeau sur la tête. (Penny me lançait toujours un sort pour que je conserve le mien. Si je le faisais moi-même, je risquais de m'endormir sur place.)

Chaque automne, quand je retrouve ma chambre, un nouvel uniforme flambant neuf m'attend. Il est posé sur mon lit, bien repassé, et toujours pile à la bonne taille, que j'aie beaucoup grandi ou pas.

Les huitième année, dont je fais partie maintenant, ont droit à des vestes vertes avec un galon blanc. Plus un pull rouge, si on veut. Les capes aussi sont facultatives. Je n'en ai jamais porté, je me sens débile avec. Penny, elle, aime ça. Elle dit qu'elle se sent comme Stevie Nicks, quand elle la met.

J'aime bien l'uniforme : je n'ai pas à décider comment m'habiller, c'est pratique. Je ne sais pas comment je ferai l'année prochaine, quand j'aurai fini Watford…

J'ai pensé intégrer l'équipe rapprochée du Mage, les Hommes du Mage. Ils portent un uniforme, un costume entre Robin des Bois et James Bond. Mais le Mage dit que ça n'est pas ma voie.

C'est comme ça qu'il me parle. « Ça n'est pas ta voie, Simon. Ton destin est ailleurs. »

Il veut que je me tienne à l'écart des autres. Que je suive un entraînement spécial. Des cours spéciaux. Je pense même qu'il ne m'aurait pas laissé étudier à Watford s'il n'avait pas été à la tête de l'école. Il dit que c'est l'endroit le plus sûr pour moi. Si je demande au Mage comment m'habiller après Watford, il risque de me donner des vêtements de super-héros.

Je n'ai besoin de l'avis de personne pour savoir ce que je mettrai. J'ai dix-huit ans. Je m'habillerai tout seul.

Ou peut-être que Penny me donnera un coup de main.

N° 5 : ma chambre

Je devrais dire « notre » chambre, mais ça n'est pas la partie Baz qui me manque. En première année, on t'attribue une chambre et un colocataire, tu gardes les mêmes jusqu'au bout. Comme ça, pas besoin d'emballer/déballer tes affaires ni d'enlever tes posters du mur.

Partager ma chambre avec quelqu'un qui veut me tuer depuis que j'ai onze ans, c'est… Bah, c'est pourri, clairement.

Peut-être que le Pilori s'est senti mal (pas au sens propre : je ne crois pas que le Pilori ait une conscience) de nous mettre dans la même chambre, Baz et moi, parce qu'il nous a attribué la meilleure piaule de tout Watford. On habite dans le pavillon Mummers, tout au bout du domaine. C'est un bâtiment de trois étages et demi et notre chambre est tout en haut, dans une sorte de tourelle qui surplombe les douves. La tourelle est trop petite pour contenir plus d'une chambre, mais notre chambre est plus grande que toutes les autres. En plus, comme c'était celle d'un professeur, avant, nous avons droit à notre salle de bains privée.

Franchement, ça ne me gêne pas de partager la salle de bains avec Baz. Il y passe presque toute la matinée, mais il est propre. Et comme il ne veut pas que je touche à ses affaires, il ne les laisse pas traîner. Pénélope trouve que notre salle de bains sent le cèdre et la bergamote ; c'est forcément à cause de Baz, parce que ça ne peut pas être moi.

Je dirais bien comment Penny se débrouille pour entrer dans notre chambre – les filles n'ont pas le droit d'aller dans les pavillons des garçons, et réciproquement –, mais je n'ai toujours pas compris son stratagème. Je pense que c'est un truc avec sa bague. Je l'ai vue une fois l'utiliser pour ouvrir une cave cadenassée, donc tout est possible.

N° 6 : le Mage

Pareil : j'ai mis le Mage dans la liste quand j'avais onze ans. Depuis, j'ai été tenté de l'enlever à de nombreuses reprises. Quand j'étais en sixième année, par exemple, et qu'il m'ignorait. Chaque fois que j'essayais de lui parler, il me répondait qu'il était en train de faire quelque chose d'important.

Ça lui arrive encore de me le dire. Je comprends, c'est le directeur. Plus que ça, même : c'est le chef du Conseil des sorciers, ce qui signifie qu'il est en charge de tout le Monde des Mages. Et ça n'est pas mon père, après tout. C'est mon... rien du tout. Il reste quand même ce que j'ai de plus proche en termes de « rien du tout ».

C'est lui qui est venu me trouver dans le monde normal pour m'expliquer, ou tenter de m'expliquer, *qui* j'étais. Il continue à s'occuper de moi, parfois sans même que je m'en rende compte. Et quand il a du temps à me consacrer, pour vraiment me parler, là, je me sens au top. Chaque fois qu'il est dans les parages, je me bats mieux, je réfléchis mieux. Dans ces moments, j'arrive presque à croire ce qu'il m'a toujours répété : que je suis le magicien le plus puissant que le Monde des Mages ait jamais connu. Et que ce pouvoir est une bonne chose, ou le sera un jour, en tout cas. Que je réussirai enfin à me sortir de mon bourbier et que je résoudrai plus de problèmes que je n'en crée.

Et aussi : le Mage est le seul à pouvoir me contacter pendant l'été.

Et il n'oublie jamais mon anniversaire, en juin.

N° 7 : la magie

Pas forcément la mienne. Ma magie est constamment avec moi, et, franchement, je ne peux pas dire que ça soit toujours super confortable.

Ce qui me manque, quand je ne suis pas à Watford, c'est le fait de ne pas baigner dans la magie. Qu'elle ne soit pas là en permanence, une magie simple, quotidienne. Les gens qui jettent des sorts en plein couloir ou pendant les cours. Quelqu'un qui fait tomber une assiette de saucisses de la table comme si elle était tirée par des fils.

Le Monde des Mages n'est pas vraiment un monde à part. Nous n'avons pas de villes ni même de quartiers à nous. Les magiciens ont toujours vécu parmi les humains. D'après la mère de Pénélope, c'est plus sûr ; ça nous évite de trop nous éloigner du reste du monde et du langage. Elle dit que ça a été le cas des fées : elles en avaient assez d'être sans cesse confrontées aux Normaux, alors elles sont parties errer dans les forêts pendant quelques siècles et, résultat, elles n'ont jamais trouvé le chemin du retour.

Par contre, Watford est le seul endroit où les magiciens vivent ensemble, en dehors de leurs familles. Il existe quelques clubs de magiciens où se déroulent de temps en temps des fêtes ou des réunions, mais il n'y a qu'à Watford que nous sommes tout le temps ensemble. C'est d'ailleurs pour ça que, ces deux dernières années, un paquet d'élèves se sont mis en couple. Penny dit que si tu ne rencontres pas ton ou ta partenaire à Watford, tu as de fortes chances de finir tout seul. Ou de te retrouver à trente-deux ans dans des croisières thématiques « Magie anglaise » pour célibataires.

À mon avis, elle n'a aucune raison de s'inquiéter. Elle a un petit ami en Amérique depuis la quatrième année. (Il était venu à Watford comme correspondant, dans le cadre d'un échange.) Micah joue au base-ball et il a un visage tellement symétrique que tu es tenté de lui coller un petit démon dessus. Quand elle est chez elle, ils se parlent sur Skype, et quand elle est à l'école, il lui écrit presque tous les jours.

— Oui, mais il est américain, me répond-elle quand on parle de l'avenir. Ils n'ont pas la même conception du mariage que nous. Il pourrait me plaquer pour une jolie Normale rencontrée à Yale. Maman dit que c'est comme ça qu'on perd notre magie : une hémorragie de pouvoirs à cause de mariages inconsidérés avec des Américains.

Penny cite sa mère autant que moi je cite Penny.

Elles sont toutes les deux paranos. Micah est un type costaud. Il épousera Penny, puis il voudra l'emmener chez lui. C'est plutôt ça qui devrait l'inquiéter.

Peu importe.

La magie. Elle me manque quand je pars.

Quand je suis au milieu des Normaux, je suis seul avec la magie. Elle devient mon fardeau, mon secret.

Tandis qu'à Watford, c'est notre oxygène. Elle me donne l'impression de contribuer à quelque chose de grand, et non d'être exclu.

N° 8 : Ebb et les chèvres

J'ai commencé à aider Ebb, la gardienne des chèvres, quand j'étais en deuxième année. Et pendant une période, traîner avec elle et ses chèvres était une de mes activités préférées. (Ce qui a donné à Baz une bonne occasion de se moquer de moi.) Ebb est la personne la plus gentille de Watford. Plus jeune que les profs. Et étonnamment puissante, pour quelqu'un qui a décidé de consacrer sa vie à s'occuper des chèvres.

— Je ne vois pas le rapport, répète-t-elle chaque fois que je fais une mine étonnée. Ce n'est pas parce qu'on est grand qu'on est obligé de *mettre des poubelles* !

— Tu veux dire mettre des *paniers* au basket-ball ?

(Comme elle vit toute l'année à Watford, Ebb est un peu à côté de la plaque.)

— C'est pareil. Je ne suis pas une guerrière. Je ne vois pas pourquoi je devrais me battre au seul prétexte que je sais donner un coup de poing.

Le Mage affirme que, dès l'instant où nous avons des pouvoirs, nous sommes des guerriers. Il répète que le risque, avec les anciennes habitudes, c'est le laisser-aller ; les magiciens font ce qu'ils ont envie de faire, tranquilles, ils prennent la magie comme un jeu ou un divertissement et oublient qu'il faut la protéger.

Ebb n'a pas besoin de chien pour garder les chèvres, elle ne se sert que de ses pouvoirs. Je l'ai vue imposer un demi-tour à son troupeau entier d'un simple mouvement de la main. Elle a commencé à m'apprendre à les ramener une par une ou à leur faire comprendre qu'elles s'éloignent trop. Une fois, elle m'a même laissé l'aider pour une naissance.

Maintenant, je n'ai plus le temps de traîner avec Ebb. Mais je les garde, elle et les chèvres, sur la liste des choses qui me manquent. Parce que je pense tout le temps à elles.

N° 9 : le bois de Wavering
Celui-là, je devrais l'enlever.
Merde au bois de Wavering.

N° 10 : Agatha
Peut-être que je devrais aussi retirer Agatha de ma liste.

J'approche de Watford. Dans quelques minutes, je serai à la gare. Quelqu'un de l'école viendra me chercher.

J'attends toujours la fin du voyage pour penser à Agatha. D'habitude, je l'évacue de mes pensées tout l'été. Ça m'évite de passer des mois à me répéter qu'elle est trop bien pour être réelle.

Maintenant, je ne sais pas… Peut-être qu'elle est vraiment trop bien pour être réelle. En tout cas pour moi ? Au dernier trimestre, juste avant que Penny et moi on se fasse choper par le Humdrum, j'ai vu Agatha avec Baz dans le bois de Wavering. J'imagine que j'avais déjà senti qu'il y avait un truc entre eux, mais je n'aurais jamais cru qu'elle me trahirait de cette façon, qu'elle franchirait cette ligne.

Je n'ai pas trouvé un moment pour lui parler après l'avoir vue avec Baz. J'étais trop occupé par mon enlèvement par le Humdrum et mon évasion. Ensuite, je n'ai pas pu lui parler de tout l'été, parce que je n'ai pas le droit d'échanger avec qui que ce soit. À présent, je ne sais plus ce qu'elle est pour moi.

Je ne suis même pas sûr qu'elle m'ait manqué.

3

SIMON

QUAND J'ARRIVE À LA GARE, PERSONNE NE M'AT-tend. En tout cas, personne que je connais. Il n'y a qu'un chauffeur de taxi, l'air maussade, qui tient un bout de carton avec *Snow* écrit dessus.

— C'est moi, dis-je.

Il me regarde, méfiant. C'est vrai que je ne ressemble pas à un aristo d'école privée. Surtout quand je ne porte pas l'uniforme. J'ai les cheveux trop courts – je les rase chaque été au début des vacances –, mes baskets sont pourries et je ne tire pas la tronche.

— C'est moi, je répète, un peu sèchement. Vous voulez voir ma carte d'identité ?

Il pousse un soupir et baisse son carton.

— Si tu tiens absolument à ce que je te lâche en pleine brousse, je ne vais pas me bagarrer, lance-t-il.

Je monte à l'arrière et pose mon sac sur la banquette. Le chauffeur démarre et allume la radio. Je ferme les yeux. Je suis souvent malade en voiture, et aujourd'hui ça n'est pas un bon jour. Je suis tendu, je n'ai rien d'autre à manger qu'un Twix et un paquet de chips oignon-fromage.

Mais j'y suis presque, maintenant.

Dernière année à Watford. Dernière fois que j'y reviens à l'automne. J'y retournerai, mais plus avec ce sentiment de rentrer à la maison.

La chanson *Candle in the Wind* passe à la radio et le chauffeur chante en même temps.

C'est aussi le nom d'un sortilège dangereux : **La bougie dans le vent**. À l'école, les garçons disent que tu peux l'utiliser pour toi-même, pour développer ta *résistance*. Mais si tu mets l'accent sur la mauvaise syllabe, tu risques d'allumer un feu impossible à éteindre. Un véritable incendie. Je ne l'ai jamais essayé, alors que le feu, ça me connaît. Mais je ne suis pas très bon avec les sorts à double sens.

La voiture roule dans un nid-de-poule et je suis projeté en avant. Je me retiens au siège devant moi.

— Boucle ta ceinture, s'énerve le chauffeur.

J'obéis, en lançant un coup d'œil par la vitre. Nous sommes déjà sortis de la ville et traversons la campagne. J'essaie de décrisper ma nuque et mes épaules. Le type recommence à chanter, plus fort : « *Never knowing who to turn to*[1] ». Il est à fond dedans. J'ai envie de lui dire de la boucler, lui aussi.

Nouveau nid-de-poule. Cette fois j'ai failli me cogner la tête contre le toit. Nous sommes sur un chemin de terre. Ce n'est pas la route habituelle pour Watford. Je lance un coup d'œil au chauffeur dans le rétroviseur. Quelque chose cloche : il a la peau verte et ses lèvres sont rouges comme de la viande crue. Je le regarde ensuite en chair et en os, assis devant moi : un simple chauffeur de taxi avec des dents de travers, un nez écrasé, et qui chante Elton John. Puis retour au rétroviseur : peau verte, lèvres rouges, une vraie rock star. Un *gobelin* !

Je n'attends pas de savoir ce qu'il mijote, je mets ma main sur ma hanche et je commence à murmurer les incantations pour appeler l'épée des Mages. C'est une arme invisible. Plus

1. « Sans jamais savoir vers qui te tourner ».

30

que ça, même, elle n'existe pas avant que tu aies prononcé la formule magique.

Le gobelin m'a entendu. Nos regards se croisent dans le miroir. Il sourit et glisse sa main dans sa veste.

Si Baz était là, je suis sûr qu'il ferait la liste de tous les sortilèges que je pourrais utiliser à cet instant. Il doit exister un truc en français qui ferait gentiment le travail. Dès que l'épée apparaît dans ma main, je serre les dents et je donne un grand coup devant moi. Je décapite le gobelin et dans le même mouvement j'arrache l'appuie-tête. *Voilà*[1].

Il conduit encore quelques secondes, puis le volant se met à tourner dans tous les sens. Heureusement, il n'y a pas de séparation entre l'avant et l'arrière. Je défais ma ceinture et je me rue sur le siège (à l'endroit où se trouvent le gobelin et sa tête) pour attraper le volant. Son pied doit être sur la pédale : on est sortis du chemin et on accélère.

Je veux nous remettre dans la bonne direction. Sauf que je ne sais pas conduire. Je donne un coup de volant sur la gauche et la voiture percute une barrière en bois. L'airbag me saute au visage et je me retrouve plaqué contre le siège tandis que le véhicule poursuit sa course et rebondit sur quelque chose, probablement la barrière. On part dans les airs.

Je ne pensais pas mourir ainsi…

Avant que je n'imagine une solution pour m'en sortir, le taxi s'écrase. Je suis projeté sur le plancher, après m'être heurté à la vitre puis au siège. Si un jour je raconte cette histoire à Penny, je sauterai le passage où je détache ma ceinture.

Je tends le bras au-dessus de moi et j'attrape la poignée. La portière s'ouvre, je dégringole dans l'herbe. On a atterri dans un champ. Le moteur tourne toujours. Je me relève en grognant et, par la vitre ouverte, je coupe le contact.

---

1. En français dans le texte.

Sacré spectacle, à l'intérieur. Du sang plein l'airbag. Et sur le corps du gobelin.

Et sur moi.

J'ouvre la veste du gobelin, mais je ne trouve qu'un paquet de chewing-gums et un cutter. Ça ne ressemble pas au boulot du Humdrum. Aucun signe de lui dans l'air. Pour en être sûr, j'inspire un bon coup.

Rien. C'est un autre genre de vengeance. Les gobelins m'en veulent depuis que j'ai aidé le Conseil des sorciers à les chasser de l'Essex. J'imagine qu'on a promis le trône au gobelin qui réussirait à se débarrasser de moi. Celui-ci, en tout cas, n'aura pas la couronne. L'épée est plantée dans le siège, à côté de lui. Je la retire et la fais disparaître dans ma hanche. Puis je me souviens que mon sac est resté à l'arrière. Je l'attrape et, avant d'en sortir ma baguette magique, j'essuie mes mains pleines de sang sur mon survêtement gris. Je ne peux pas laisser un bazar pareil et je ne crois pas que ça vaille le coup de garder des preuves.

Je lève ma baguette au-dessus du taxi et je sens aussitôt la magie frissonner sous ma peau.

— Aide-moi, ici et maintenant, dis-je dans un murmure. *Pars immédiatement, satanée tache !*

J'ai vu Penny utiliser ce sortilège pour se débarrasser de choses atroces. Moi, ça nettoie juste un peu les taches de sang de mon survêtement. C'est déjà ça.

La magie continue de se développer dans mon bras, à tel point que mes doigts tremblent. Je lance en pointant le carnage :

— Allez ! *Enlève tout ça !*

Quelques étincelles jaillissent au bout de ma baguette et de mes doigts.

— Merde… Allez !

Je secoue le poignet avant de lever de nouveau ma baguette. Dans l'herbe à côté de moi, la tête du gobelin retrouve sa couleur verte d'origine. Les gobelins sont de beaux démons. (Cela dit, la plupart des démons sont assez canon.)

— J'imagine que tu as englouti le chauffeur de taxi, dis-je en la poussant du pied vers la voiture.

Mon bras est tellement chaud que j'ai l'impression qu'il prend feu.

— *En fumée !*

Un éclair sort de terre et touche mes doigts. La voiture se volatilise. La tête aussi. Puis la barrière. Et enfin la route…

Une heure plus tard, en nage, encore couvert du sang du gobelin et de la poussière de l'airbag, j'aperçois enfin les bâtiments de l'école.

Les Normaux pensent tous que Watford est une pension ultra-sélective. Elle l'est, en effet. Le domaine est resplendissant de magie. Ebb m'a expliqué qu'on ne cessait d'expérimenter de nouveaux pouvoirs. Donc il y a des couches et des couches de protection. Si tu es un Normal, toute cette magie te brûle les yeux.

J'ai atteint le grand portail de fer, couronné par les mots ÉCOLE DE WATFORD, et j'ai posé mes mains sur les barreaux pour qu'ils sentent mon pouvoir. Normalement, ce geste suffit. Les portes s'ouvrent au contact de n'importe quel magicien. Sur la barre transversale, il y a même gravé : LA MAGIE NOUS SÉPARE DU RESTE DU MONDE, NE LAISSONS RIEN NOUS SÉPARER LES UNS DES AUTRES.

« C'est une belle phrase, a dit le Mage devant le Conseil des sorciers quand il a plaidé pour une défense plus ferme. Et une noble intention. Nous ne pouvons toutefois pas nous contenter d'un portail vieux de six cents ans pour assurer notre sécurité. Je n'attends pas des gens qui viennent chez moi qu'ils obéissent à ce qui est brodé sur les coussins de mon canapé. »

J'ai assisté à cette réunion du Conseil, avec Pénélope et Agatha. (Le Mage avait voulu que nous soyons là, pour nous faire prendre conscience des enjeux. « Les enfants ! L'avenir de notre monde ! ») Je n'ai pas écouté tout le débat. Mes pensées vagabondaient, je me demandais où vivait réellement le Mage et si un jour je serais invité là-bas. C'était difficile de l'imaginer avec une maison, sans parler des coussins brodés sur le canapé. Il a un appartement à Watford, mais il s'absente des semaines entières. Quand j'étais plus jeune, je croyais qu'il vivait dans les bois quand il n'était pas là, qu'il se nourrissait de noix et de baies et qu'il dormait dans des terriers de blaireaux.

Chaque année, la sécurité est renforcée, aussi bien à l'entrée de Watford que le long du mur d'enceinte.

De l'autre côté de la grille, un des Hommes du Mage – Premal, le frère de Pénélope – fait le planton. Il doit être super énervé d'être posté là. Les autres membres de la garde rapprochée du Mage sont probablement dans son bureau, en train d'organiser la prochaine attaque, et Premal est coincé là, à contrôler l'entrée des première année. Il avance vers moi.

— Salut, Prem. Ça va ?

— C'est plutôt à moi de te poser la question, répond-il en m'examinant de la tête aux pieds.

Je baisse les yeux sur mon tee-shirt plein de sang.

— Un gobelin.

Il hoche la tête et pointe sa baguette vers moi en murmurant une formule de nettoyage. Il est aussi puissant que Penny. Il peut presque lancer ses sorts à mi-voix.

Je déteste quand les gens m'envoient des sorts de nettoyage. J'ai l'impression d'être un gamin.

— Merci, dis-je quand même.

Il ouvre. Alors que je passe devant lui, il tend le bras pour m'arrêter et lève sa baguette vers mon front.

— Attends. Il y a des mesures spéciales, aujourd'hui. Le Mage dit que le Humdrum se promène dans le coin avec ton visage. Ne bouge pas.

Je tressaille, mais je fais bien attention à ne pas m'écarter de sa baguette.

— Je croyais que ça devait rester secret, les menaces du Humdrum.

— C'est secret, réplique-t-il. Mais les gens comme moi ont besoin d'être au courant pour te protéger.

— Si j'étais le Humdrum, j'aurais pu déjà te manger.

— C'est peut-être ce que le Mage a derrière la tête, lâche Premal. Comme ça, au moins, on serait sûr que c'est lui.

Il baisse sa baguette.

— Nickel. Tu peux y aller.

— Pénélope est arrivée ?

Il hausse les épaules.

— Je ne suis pas le gardien de ma sœur.

Un quart de seconde, j'ai l'impression qu'il dit ça avec une intention, pour jeter un sort, mais il tourne le dos et s'appuie contre le portail.

Il n'y a personne sur la grande pelouse. Je dois être un des premiers élèves arrivés. Je commence à courir, par pur plaisir, dérangeant un groupe d'hirondelles cachées dans l'herbe. Elles volent autour de moi en poussant leur cri, tandis que je continue de courir. Je traverse la pelouse, franchis le pont-levis, longe un mur et passe le deuxième puis le troisième portail.

Watford, avec ses remparts, ses bâtiments, ses cours intérieures et ses jardins, existe depuis le XVIe siècle. Une forteresse dressée au milieu des champs et des bois. La nuit, les ponts-levis sont remontés et plus rien ne franchit les douves et les grilles.

Je n'arrête ma course qu'au dernier étage du pavillon Mummers. Je m'écroule devant la porte et dégaine l'épée des Mages pour me faire une petite entaille dans le pouce. Je l'appuie ensuite sur la pierre. Il y a un sort pour que je puisse entrer dans ma chambre après ces longs mois d'absence, mais le sang, c'est plus rapide, plus sûr, et Baz n'est pas dans le coin pour en sentir l'odeur. Je glisse mon pouce dans ma bouche et je pousse la porte en souriant.

Ma chambre. Dans quelques jours, ce sera de nouveau *notre* chambre, mais pour l'instant, c'est la mienne. Je me dirige vers les fenêtres et j'en ouvre une. L'air frais me paraît encore plus doux, maintenant que je suis à l'intérieur. J'ouvre la seconde fenêtre, mon pouce toujours dans la bouche, et je regarde les particules de poussière voler dans l'air et la lumière, avant de me laisser tomber sur mon lit.

Je m'enfonce dans le vieux matelas garni de plumes, toujours neuf grâce à des sorts. *Merlin.* Merlin et Morgane et Mathusalem, c'est bon d'être de retour. C'est toujours tellement bon. La première fois que je suis revenu à Watford, en deuxième année, je suis allé directement dans mon lit et j'ai pleuré comme un bébé. Je pleurais encore quand Baz est arrivé.

« Pourquoi tu chiales déjà ? a-t-il râlé. Tu me gâches le plaisir de te faire craquer. »

Je ferme les yeux et je respire le plus profondément que je peux.

L'odeur de plumes. De poussière. De lavande.

Celle de l'eau des douves.

Et aussi celle, légèrement âcre, dont Baz prétend que c'est celle des loups-sirènes. (Il ne faut jamais lancer Baz sur les loups-sirènes ; parfois, il se penche par la fenêtre et crache dans les douves, juste pour leur cracher dessus.) S'il était déjà là, j'aurais du mal à sentir autre chose que son savon de snob. J'inspire encore, à la recherche d'un parfum de cèdre.

Un bruit de ferraille résonne derrière la porte. Je me lève d'un bond, la main sur la hanche, appelant l'épée des Mages. C'est la troisième fois que je m'en sers aujourd'hui, je ferais peut-être mieux de ne pas m'inquiéter. L'incantation est le seul sort que je réussis toujours. Peut-être parce qu'il est différent des autres. Il ressemble à une promesse : « Au nom de la justice. Du courage. De la défense du faible. Face au puissant. Par la magie, la sagesse et le bien. »

L'épée des Mages est à moi, mais en fait, elle n'appartient à personne. C'est plutôt toi qui lui appartiens. Elle ne vient que si elle te fait confiance.

Je sens la poignée dans ma main et je lève l'épée à hauteur d'épaule. Au même instant, Pénélope pousse la porte.

Je baisse l'épée.

— Tu n'es pas censée débarquer dans ma chambre, dis-je.

Elle hausse les épaules et s'assoit sur le lit de Baz. Je souris.

— Tu ne devrais même pas être capable de franchir la porte d'entrée.

Elle hausse de nouveau les épaules et glisse l'oreiller de Baz derrière sa tête pour se caler contre le mur.

— Si Baz découvre que tu as touché son lit, il va te tuer.

— Qu'il essaie.

J'ai tourné mon poignet et l'épée a disparu.

— Tu ressembles à un épouvantail, me lance-t-elle.

— Je me suis tapé un gobelin sur la route.

— Ils ne peuvent pas se contenter d'*élire* leur prochain roi ? s'exclame-t-elle d'un ton léger, mais je vois bien qu'elle m'évalue d'un rapide coup d'œil.

La dernière fois qu'elle m'a vu, je n'étais que haillons et sortilèges et tout s'écroulait autour de nous… Nous avions réussi à échapper au Humdrum et à retourner à Watford, et nous avons déboulé dans la chapelle Blanche en plein milieu de la cérémonie de fin d'année – le pauvre Elspeth était en train de recevoir un prix pour ses huit années d'assiduité. Je saignais encore (par mes pores : personne ne comprenait pourquoi) et Penny pleurait. Sa famille était là – toutes les familles étaient là – et sa mère s'est mise à hurler au Mage : « Regardez-les ! C'est votre faute ! » Puis son frère, Premal, s'est interposé et a commencé à crier à son tour. Les gens ont cru que le Humdrum était derrière Penny et moi et ils sont sortis de la chapelle en brandissant leur baguette. C'était le chaos des fêtes de fin d'année, multiplié par cent. Pire que le chaos. On aurait dit l'apocalypse.

Ensuite Pénélope a évacué toute sa famille avec un sort, même Premal. (Probablement jusqu'à leur voiture, pas plus, mais c'était quand même assez violent.)

Je n'ai pas reparlé à Penny depuis cette histoire.

J'ai envie de la prendre dans mes bras et de la serrer fort contre moi, pour être sûr qu'elle est intacte. Mais Penny déteste ce genre de démonstration d'affection, au moins autant que sa mère les aime. « Ne me dis pas bonjour, Simon, a-t-elle lâché un jour. Parce que après nous devrons nous dire au revoir, et je ne supporte pas les au revoir. »

Mon uniforme est posé sur mon lit. Un nouveau pantalon gris. Une nouvelle cravate rayée vert et bordeaux…

Pénélope pousse un gros soupir dans mon dos. Je me retourne et je m'assieds face à elle, en essayant de cacher mon sourire radieux.

Elle fait la tête.

— Qu'est-ce qui te contrarie ? je lui demande.

— Mutine !

Mutine est sa coloc. Penny prétend qu'elle l'échangerait volontiers contre une douzaine de démons et un complot de vampires. Sans hésiter.

— Qu'est-ce qu'elle a fait ?

— Elle est revenue.

— Tu t'attendais à autre chose ?

Penny ajuste l'oreiller de Baz derrière sa tête.

— Chaque année elle est plus hystérique. D'abord, elle a transformé ses cheveux en aigrettes de pissenlit, et ensuite elle s'est mise à pleurer quand le vent a tout emporté.

J'éclate de rire.

— À sa décharge, elle est moitié lutin, dis-je. Et les lutins sont tous un peu hystériques.

— Comme si elle ne le savait pas. Elle s'en sert comme excuse, justement. Une année de plus avec elle, et je vais devenir dingue. Je me sens capable de lui envoyer un sort pour transformer sa tête entière en aigrettes de pissenlit et souffler dessus.

Je me retiens de glousser. C'est trop bon de la revoir.

— C'est ta dernière année, Penny. Tu vas y arriver.

Elle devient sérieuse, tout à coup.

— C'est *notre* dernière année. Devine ce que tu vas faire, l'été prochain.

— Quoi ?

— Traîner avec moi.

Là, je souris carrément.

— Et chasser le Humdrum ? je demande.

— Qu'il aille se faire foutre, lui !

On rit tous les deux. Je fais un peu la grimace parce que le Humdrum me ressemble énormément : c'est moi en version onze ans. (Si Penny ne l'avait pas vu aussi, je serais certain d'avoir halluciné.)

Je frémis.

Penny s'en aperçoit.

— Tu es trop maigre, lance-t-elle.

— C'est le survêtement.

— Change-toi, alors.

Elle l'a déjà fait. Elle porte sa jupe plissée grise et un pull rouge.

— Dépêche-toi, c'est presque l'heure du goûter, ajoute-t-elle.

Je souris de nouveau et je saute du lit. J'attrape un jean et un sweat-shirt bordeaux sur lequel est écrit WATFORD LACROSSE. (Agatha joue au lacrosse.)

Penny me prend le bras quand je passe devant le lit de Baz pour me rendre dans la salle de bains.

— C'est cool de te voir, murmure-t-elle.

Je souris. Encore. À cause de Penny, j'ai des crampes dans les joues.

— N'en fais pas un plat, je réponds.

4

PÉNÉLOPE

TROP MAIGRE. IL EST TROP MAIGRE.

Décharné, même. Carrément.

Simon a toujours l'air mieux après quelques mois à Watford passés à engloutir du rôti de bœuf. (Et du Yorkshire pudding, du thé avec trop de lait, des saucisses grasses, des scones avec du beurre.) Quand il est bien nourri, il est plus large d'épaules et plus large de nez. Trop maigre, il n'a que la peau sur les os.

Chaque automne, j'ai l'habitude de le voir maigre. Mais cette fois, c'est pire.

Il a le visage émacié. Ses yeux sont bordés de rouge et la peau autour est toute rugueuse. Ses mains aussi sont rouges, et quand il serre le poing, ses articulations sont blanches.

Même son sourire est affreux. Trop grand et trop rouge par rapport à son visage.

Je n'arrive pas à le regarder dans les yeux. J'attrape sa manche quand il passe devant moi et je suis contente qu'il continue d'avancer. S'il s'arrêtait, je ne pourrais pas le lâcher. Je le prendrais dans mes bras, je le serrerais contre moi et je nous lancerais des sorts pour nous envoyer le plus loin possible de Watford. On reviendrait quand tout serait terminé.

On laisserait le Mage, les Pitch, le Humdrum et tous les autres se faire la guerre autant qu'ils veulent.

Simon et moi, on pourrait prendre un appartement à Anchorage. Ou à Casablanca. Ou à Prague.

Je lirais et j'écrirais. Il dormirait et il mangerait. Et on vivrait tous les deux jusqu'à nos dix-neuf ans. Peut-être même vingt.

C'est ce que je ferais. Je l'emmènerais loin… si je n'étais pas convaincue qu'il est le seul à pouvoir faire la différence ici.

Parce que si je kidnappais Simon et que je le gardais en sécurité, je ne suis pas sûre qu'il existerait encore un Monde des Mages où nous pourrions revenir.

5

SIMON

NOUS AVONS LE RÉFECTOIRE PRESQUE POUR nous tout seuls.

Pénélope est assise sur la table, ses pieds sur une chaise. (Parce qu'elle aime bien faire comme si elle s'en fichait.)

À l'autre bout de la salle, il y a quelques gamins plus jeunes, des première et des deuxième année, qui prennent leur goûter avec leurs parents. Je les vois, enfants et adultes, se pencher pour me regarder. Dans quelques semaines, les gamins se seront habitués à moi, mais les parents, c'est leur seule chance de m'apercevoir.

La plupart des magiciens savent qui je suis. Ils savaient que je viendrais là avant même que je sois au courant. Il y a une prophétie à mon sujet – plusieurs, en réalité –, à propos d'un magicien super puissant qui arrivera et remettra tout en ordre.

Et viendra celui qui en finira avec nous.
Et celui qui provoquera sa chute.
Laissez régner la plus grande puissance de toutes les puissances,
Pour qu'elle puisse nous sauver tous.

Le Mage Suprême. L'Élu. La Puissance de toutes les Puissances.

Ça continue de me faire bizarre de me dire que je suis censé être ce type. Je ne peux pas non plus le nier. C'est vrai : personne n'a autant de pouvoir que moi. Je n'arrive pas toujours à le contrôler ou à le diriger, mais il est là.

Quand j'ai débarqué à Watford, les gens avaient un peu laissé tomber les anciennes prophéties. Ils se demandaient aussi si le Mage Suprême n'était pas venu puis reparti sans que personne s'en soit rendu compte.

Personne ne s'attendait à ce que l'Élu vienne du monde normal, de chez les humains.

Jamais un mage n'a vu le jour chez les Normaux. Les Normaux n'enfantent pas de mages. C'est impossible.

Pourtant, ça a dû être mon cas, parce que les magiciens n'abandonnent pas leurs enfants. Penny dit qu'il n'y a pas d'orphelinat de magiciens. La magie, c'est trop précieux.

Le Mage ne m'a pas raconté tout ça, quand il est venu me chercher la première fois. Je ne savais pas que j'étais le premier Normal qui ait des pouvoirs et le magicien le plus puissant qui ait jamais existé. Ni que des tas de magiciens – surtout les ennemis du Mage – pensaient qu'il se servait de moi, comme d'une sorte de marionnette, pour faire un tour de passe-passe. Un genre de cheval de Troie de onze ans, en jean baggy et la tête rasée.

Quand je suis arrivé à Watford, certains parmi les Anciennes Familles voulaient que je fasse la tournée des gens qui comptent, pour qu'ils puissent m'examiner. Vérifier la marchandise, en quelque sorte. Mais le Mage a refusé. Il dit que la plupart des magiciens sont tellement préoccupés par leurs petits complots et leurs rivalités qu'ils en oublient la vision d'ensemble. « Tu ne seras le pion de personne, Simon. »

Maintenant, je suis content qu'il se soit montré si protecteur. J'aurais aimé connaître plus de magiciens et avoir davantage l'impression d'appartenir à une communauté, mais je me suis fait mes propres amis, à une époque où nous étions encore jeunes et où on ne nous rebattait pas les oreilles avec mon Grand Destin. On peut dire que mon statut de célébrité est plutôt un obstacle pour ce qui est des nouveaux copains à Watford. Tout le monde sait qu'autour de moi c'est explosif. (Même si personne n'a, *pour l'instant*, explosé. C'est déjà quelque chose.)

J'ignore les regards qu'on me jette des autres tables et j'aide Pénélope à préparer notre goûter.

Nous avons beau être dans une pension privilégiée, avec des ponts-levis, des douves et une chapelle, ici, personne n'est pourri gâté. Nous faisons notre ménage nous-mêmes et, à partir de la quatrième année, notre lessive. Nous avons le droit d'utiliser la magie pour les tâches ménagères, mais moi, en général, je ne le fais pas. La cuisinière, Mme Pritchard, prépare les repas, avec quelques aides en cuisine, et nous assurons le service à tour de rôle. Le week-end, chacun s'occupe de ses repas.

Pénélope attrape une assiette de petits sandwiches au fromage et une montagne de scones chauds pendant que je prends un demi-paquet de beurre. (J'en mets des tonnes sur mes scones, pour qu'il fonde à l'extérieur tout en restant froid à l'intérieur.) Penny me lance un coup d'œil un peu écœuré. Mais je vois aussi que je lui ai manqué.

— Alors, ton été ? je lui demande entre deux bouchées.

— C'était bien. Vraiment cool.

— Ah ouais ?

Les miettes tombent de ma bouche.

— Je suis allée avec mon père à Chicago. Il devait faire de la recherche pour un labo, là-bas, et Micah et moi on l'a aidé.

Dès qu'elle parle de son copain, elle rayonne.

— Micah parle hyper bien l'espagnol. Il m'a appris de nouveaux sorts. Si j'étudie un peu la langue, je pourrai les lancer comme si c'était ma langue maternelle.

— Comment il va ?

Elle rougit et mord dans son sandwich pour se donner le temps de répondre. Cela fait seulement quelques mois que je ne l'ai pas vue, mais elle a l'air différente. Plus adulte.

À Watford, les filles ne sont pas obligées de mettre des jupes, mais Pénélope et Agatha le font volontiers. Penny porte des jupes plissées qui descendent jusqu'aux genoux, généralement avec des chaussettes hautes à motifs de losanges, aux couleurs de l'école. Elle a des chaussures noires à boucles, comme Alice au pays des merveilles.

Avec ses rondeurs, elle paraît plus jeune qu'elle n'est. Elle a des joues rebondies, des jambes potelées et des fossettes sur les genoux. En uniforme, elle fait encore plus gamine.

Elle a tout de même changé pendant l'été. On dirait une femme qui aurait gardé des vêtements de petite fille.

— Micah, ça va, lâche-t-elle enfin en remontant ses cheveux (maintenant bruns) derrière l'oreille. On n'a jamais passé autant de temps ensemble depuis la quatrième année, quand il était ici.

— Donc le frisson est toujours là ?

Elle rigole.

— Oui. Et même, ça semble… réel. Pour la première fois.

Je ne sais pas quoi dire, alors je tente un sourire.

— Euh… tu ferais mieux de fermer la bouche, me dit-elle.

J'obéis.

— Et toi ? me demande-t-elle à son tour.

Je vois bien qu'elle n'attendait que ça : m'interroger. Elle lance un coup d'œil alentour et se penche vers moi pour ajouter :

— Tu peux me raconter ce qui s'est passé ?

— Quand ?

— Cet été.

— Rien, je réponds en haussant les épaules.

Elle recule sur sa chaise avec un soupir.

— Ce n'est pas ma faute si je suis partie en Amérique, Simon. J'ai essayé de rester.

— Non, vraiment, il n'y a rien à raconter. Tu es partie. Tout le monde est parti. Et moi, je suis allé me faire soigner. À Liverpool, cette fois.

— Comment ça, à Liverpool ? Le Mage t'a juste… expédié ? Après tout ce qui est arrivé ?

Elle a l'air perdue. Je ne peux pas lui en vouloir.

Après notre évasion, j'ai cru que le Mage voudrait aussitôt se mettre à la recherche du Humdrum. Nous savions où se trouvait le monstre et, surtout, à quoi il ressemblait ! Depuis que je suis à Watford, j'ai toujours vu le Humdrum attaquer l'école. Il envoie des créatures maléfiques. Il se cache. Il crée des zones mortes dans l'atmosphère magique. Cette fois, nous avions enfin une piste. Je voulais le trouver. Le punir. En finir avec cette bataille interminable aux côtés du Mage.

Pénélope tousse légèrement pour s'éclaircir la gorge. Je me sens un peu largué, et ça doit se voir.

— Tu as parlé à Agatha ? me demande-t-elle.

— Agatha ?

Je tartine un nouveau scone, mais ils ont refroidi et le beurre ne fond plus aussi bien. Penny lève la main droite et la grosse pierre violette qui est à son doigt scintille dans la lumière.

— **_Certains l'aiment chaud !_**

Là, c'est gâcher de la magie. Un truc qu'elle fait tout le temps avec moi. Maintenant le beurre ramollit sur le scone réchauffé, et je le passe d'une main à l'autre pour ne pas me brûler.

— Tu sais très bien qu'Agatha n'a pas le droit de me parler pendant l'été.

— Je pensais qu'elle avait peut-être réussi à se débrouiller. Qu'elle avait trouvé le moyen de s'expliquer.

Je laisse tomber le scone sur l'assiette. Trop bouillant, j'abandonne.

— Elle ne désobéirait pas au Mage. Ni à ses parents.

Penny se contente de me dévisager. Agatha a beau être son amie, Pénélope est bien plus lucide sur elle que je ne le suis. C'est pas mon boulot, de la juger. Moi, mon boulot, c'est d'être son petit copain.

Elle détourne le regard avec un soupir et donne un coup dans la chaise.

— Donc c'est tout ? Aucun progrès ? Juste un été de plus ? Et qu'est-ce qu'on est censés faire, maintenant ?

D'habitude, c'est moi qui donne des coups de pied dans les objets, mais j'ai passé l'été à taper dans les murs, et dans tous ceux qui me regardaient de travers. Alors pour cette fois, je hausse les épaules et réponds :

— On retourne à l'école, j'imagine.

Pas moyen de renvoyer Pénélope dans sa chambre.

Elle m'explique que la petite copine de Mutine est revenue, elle aussi, et qu'elle ne peut pas avoir d'intimité.

— Je t'ai raconté que Mutine s'est fait percer les oreilles, cet été ? Maintenant, elle met des grandes clochettes en haut des oreilles, là où c'est pointu.

Parfois, je trouve que ses remarques sur Mutine sont limite racistes. Je ne me prive pas de le lui dire.

— On voit bien que c'est pas toi qui habites avec un lutin, réplique-t-elle, allongée sur le lit de Baz.

— Je te rappelle que je vis avec un vampire.

— Ce n'est pas confirmé.

— Tu n'es pas sûre que Baz soit un vampire ?

— Je *sais* qu'il en est un, mais ça n'est pas confirmé. On ne l'a jamais vu boire du sang.

Je suis assis sur le rebord de la fenêtre, légèrement penché au-dessus des douves en me tenant au montant de la fenêtre.

— On l'a vu couvert de sang, je te rappelle. On a aussi trouvé des tas de rats morts, vidés de leur sang et avec des marques de canines, dans les catacombes… Je t'ai dit que ses joues sont bien plus grosses les nuits où il fait des cauchemars ? Comme si des dents supplémentaires poussaient dans sa bouche.

— Ce ne sont que des preuves indirectes. De toute manière, je ne comprends toujours pas ce que tu peux craindre d'un vampire qui a des terreurs nocturnes.

— Mais j'habite avec lui ! Je dois être vigilant.

Elle lève les yeux au ciel.

— Baz ne s'en prendra jamais à toi dans ta chambre.

Elle a raison. Il ne peut pas. Un sortilège protège nos chambres de toutes les trahisons : c'est l'Anathème du colocataire. Si Baz essaie de s'en prendre à moi dans notre chambre, il subira un sort qui le renverra directement de l'école. Le père d'Agatha, le Dr Wellbelove, dit que c'est arrivé une fois, quand il était élève : un gamin qui avait frappé son coloc est passé par la fenêtre illico et a atterri de l'autre côté du portail de l'école, qui ne s'est plus jamais rouvert pour lui.

Quand tu es petit, on te prévient : les deux premières années, si tu frappes ou blesses ton colocataire, tes mains se congèlent. En première année, quand j'ai balancé un livre dans la figure de Baz, mes mains sont restées gelées pendant trois jours.

Baz n'a jamais enfreint cette règle.

— Qui sait ce dont il est capable dans son sommeil ? je lâche quand même.

— Tu passes ton temps à le surveiller.

— Vivre avec une créature maléfique, ça rend parano.

— J'échange ton vampire contre mon lutin quand tu veux. Aucun anathème ne protège d'une exaspération mortelle.

Nous sommes retournés dans le réfectoire pour chercher le dîner – des patates douces cuites au four avec des saucisses et des petits pains secs – et nous avons rapporté le tout dans la chambre. On ne peut jamais le faire quand Baz est là, il dénoncerait Penny. C'est comme une petite fête. Rien que nous deux, sans contrainte ni souci. Personne à fuir ou à combattre. Pénélope me répète tout le temps qu'un jour ce sera comme ça, quand nous partagerons un appartement... Mais ça n'arrivera pas. Dès que la guerre sera terminée, elle partira en Amérique. Peut-être même avant.

Et j'habiterai avec Agatha.

On s'en sortira, Agatha et moi. On s'en sort toujours. On va bien ensemble. On se mariera probablement après l'école, comme ses parents. Je sais qu'elle veut une maison dans le pays... Je ne pourrai pas lui offrir un truc pareil, mais elle a de l'argent, et elle obtiendra un boulot qui lui plaira. Et son père m'aidera à trouver du travail, si je lui demande.

J'aime bien l'idée de vivre assez vieux pour être obligé de me questionner sur ce que je vais faire plus tard.

Dès que Pénélope a fini son dîner, elle se frotte les mains.

— Bon..., lâche-t-elle.

Je pousse un grognement.

— Oh... pas déjà.

— Comment ça, « pas déjà » ?

— On ne va pas *déjà* parler de stratégie. On vient à peine d'arriver. Laisse-moi le temps de m'installer.

Elle jette un coup d'œil sur la pièce.

— Qu'est-ce que tu veux installer ? Tu as déjà déballé et rangé tes deux survêtements.

— Je veux savourer la paix et le calme, je réplique en tendant la main vers son assiette pour attraper ses saucisses.

— Il n'y a pas de paix, Simon. Juste le calme, et ça me stresse. Il nous faut un plan.

— Si, il y a la paix. Baz n'est pas encore là, et regarde...

J'agite ma fourchette vers les quatre coins de la pièce.

— ... il n'y a aucune attaque en cours.

— Dit le type qui vient de dégommer un gobelin. Ce n'est pas parce qu'on a décroché pendant deux mois que la guerre s'est arrêtée, Simon.

J'émets un nouveau grognement.

— Tu parles comme le Mage, je marmonne, la bouche pleine.

— Je n'arrive pas à croire qu'il t'a ignoré pendant tout l'été.

— Il doit être trop occupé avec « la guerre ».

Penny pousse un soupir et croise les bras avec un air consterné. Elle attend le jour où je serai raisonnable.

Elle risque d'attendre longtemps.

La guerre.

Je ne vois pas l'intérêt d'en parler pour l'instant. Elle sera là bien assez vite. En plus, ça n'est pas *une* guerre, mais deux ou trois : la guerre civile qui se prépare, les hostilités avec les créatures maléfiques qui ont toujours existé, le machin-chose avec le Humdrum. Et tout ça ne va pas tarder à se pointer à ma porte...

— Bon..., répète-t-elle.

Je dois faire une tête de six pieds de long, parce qu'elle ajoute tout de suite :

— J'imagine que la guerre sera encore là demain.

Je lave son assiette pendant qu'elle s'installe confortablement sur le lit de Baz. Je ne lui fais même plus de remarques. À mon tour, je m'étends sur mon lit et je l'écoute me raconter des histoires d'aéroplanes, de supermarchés américains, et évoquer la gigantesque famille de Micah.

Elle s'endort alors qu'elle est en train de me parler d'une chanson qu'elle a entendue et dont elle pense qu'un jour on en fera un sortilège, même si je ne vois pas à quoi pourrait servir « *Call Me Maybe* ».

— Pénélope ?

Pas de réponse. Je lui balance un oreiller sur les jambes. Les deux lits sont vraiment très proches l'un de l'autre, Baz n'aurait même pas besoin de sortir du sien pour me tuer. Et réciproquement, je suppose.

— Penny ?

— Quoi ? marmonne-t-elle, le visage enfoui dans l'oreiller de Baz.

— Tu dois retourner dans ta chambre.

— Pas envie.

— Obligé. Si le Mage t'attrape ici, il te renvoie.

— Tant mieux. Ça me fera des vacances.

Je me lève et me campe devant elle. Ses cheveux bruns sont étalés sur la taie et ses lunettes sont tombées sur sa joue. Sa chemise remontée laisse voir sa taille, douce et dodue.

Je la pince. Elle fait un bond.

— Allez, je te raccompagne.

Elle rajuste ses lunettes et tire sur sa chemise.

— Non, je ne veux pas que tu comprennes comment je réussis à entrer.

— Tu ne veux pas partager ce secret avec ton meilleur ami ?

— C'est plus drôle de te voir chercher.

J'entrouvre la porte et je jette un œil dehors. Personne. Pas un bruit.

— Parfait, dis-je en ouvrant complètement le battant. Bonne nuit !

Penny passe devant moi.

— Bonne nuit, Simon. À demain.

Je souris. Je ne peux pas m'en empêcher, c'est tellement bon de la retrouver.

— À demain.

Une fois seul, j'enfile le pyjama de l'école. Baz apporte le sien de chez lui, moi je préfère ceux d'ici. Au foyer, je ne mets pas de pyjama, je n'en ai jamais mis. Ça me donne l'impression d'être… vulnérable.

Je me glisse sous les draps en soupirant.

Les nuits à Watford avant l'arrivée de Baz sont les seules où je dors vraiment.

Je ne sais pas quelle heure il est quand je me réveille. La chambre est plongée dans l'obscurité, seul un rayon de lune tombe sur mon lit.

Je crois voir une femme devant ma fenêtre. Au début, je pense que c'est Penny. Ensuite la silhouette se modifie, et me fait penser à Baz.

Puis je décide qu'il ne s'agit que d'un rêve, et je me rendors.

6

LUCY

J'AI TELLEMENT DE CHOSES À TE DIRE.
Mais le temps est compté.
Et ma voix ne porte pas.

7

SIMON

LE SOLEIL EST EN TRAIN DE SE LEVER QUAND j'entends ma porte grincer. Je rabats le drap sur ma tête, et je lance :

— Va-t'en !

Sans espoir. Je sais que Penny ne va pas renoncer si facilement.

En quelques secondes, elle sait me faire oublier à quel point elle m'a manqué.

Quelqu'un toussote un peu.

Je soulève le drap et je vois le Mage, debout sur le pas de la porte. Il a l'air amusé. Au premier regard, parce que, derrière cette apparence détendue, j'aperçois quelque chose de plus sombre.

— Euh… désolé, monsieur, dis-je en me redressant.

— Ne t'inquiète pas, Simon. Tu n'as pas dû m'entendre frapper.

— Non… Donnez-moi une seconde et… je… je m'habille.

— Aucun problème.

Il se dirige vers la fenêtre en passant, autant qu'il peut, loin du lit de Baz. Même le Mage a peur des vampires. Sauf qu'il n'utiliserait pas le mot « peur ». Il dirait plutôt qu'il se méfie ou qu'il est « vigilant ».

— Pardon de ne pas avoir été là hier pour t'accueillir, me dit-il. Comment s'est passée ta première journée ?

Je repousse tout à fait les couvertures et je m'assois au bord du lit.

— Bien. Enfin… pas trop bien, je crois. J'ai pris un taxi à la gare, et le chauffeur était un gobelin.

— Encore un ? lance-t-il en se tournant vers moi, les mains dans le dos. Décidément, ils sont persévérants. Il était seul ?

— Oui, monsieur, il a essayé de m'embarquer.

Il secoue la tête.

— Ils ne pensent jamais à venir à deux. De quel sort t'es-tu servi ?

— J'ai utilisé ma lame, monsieur, dis-je en me mordillant la lèvre.

— Très bien.

— Et *En fumée !* pour nettoyer.

Le Mage hausse les sourcils.

— Excellent, Simon.

Il baisse les yeux sur mon pyjama et mes pieds nus puis relève la tête et étudie mon visage.

— Et sinon, cet été ? Quelque chose à signaler ? Un événement inhabituel ?

— Je vous aurais contacté, monsieur.

(Je peux le faire, si besoin. J'ai son numéro de portable. Je peux aussi envoyer un pigeon.)

Le Mage hoche la tête.

— Bien.

Il me dévisage encore quelques instants, comme s'il me passait aux rayons X, et se tourne de nouveau vers la fenêtre. La lumière du soleil joue dans ses épais cheveux noirs et, pendant quelques secondes, il a plus que jamais l'air d'un aventurier. Il porte son uniforme habituel : un pantalon en toile vert foncé, très serré, des bottes de cuir hautes, une tunique verte, et une épée dans son fourreau tissé, accroché à sa ceinture ouvragée. Contrairement à la mienne, son épée est visible.

La mère de Penny, Mme Bunce, dit que les Mages précédents portaient une cape de cérémonie avec capuche. Et que les autres directeurs portaient des robes et des toques. D'après elle, le Mage a créé son propre uniforme. Elle appelle ça un costume.

Je crois que Mme Bunce est celle qui déteste le plus le Mage (en tout cas parmi ceux qui ne sont pas ses ennemis *déclarés*). La seule fois où j'ai entendu le père de Penny hausser la voix, c'est quand sa femme a commencé à s'énerver contre le Mage. Il a posé sa main sur son bras et lancé : « Mitali… » Elle s'est aussitôt ressaisie : « Je suis désolée, Simon, je sais que le Mage est ton père adoptif… »

Il ne l'est pas réellement. Il ne s'est jamais présenté à moi de cette façon. Il m'a toujours traité en allié, même quand je n'étais qu'un gamin. La toute première fois qu'il m'a amené à Watford, il m'a fait asseoir dans son bureau et m'a parlé longuement. Du perfide Humdrum. De la magie qui manque. Des trous dans l'atmosphère magique, qui sont comme des zones mortes.

J'en étais encore à me convaincre que la magie était bien réelle, et tout à coup il m'annonçait que quelque chose la tuait, la dévorait, et que j'étais le seul à pouvoir y remédier.

« Tu es bien petit pour entendre tout cela, Simon. Onze ans, c'est beaucoup trop jeune. Mais ce ne serait pas juste de te tenir plus longtemps à l'écart. Le perfide Humdrum est le plus grand danger auquel le Monde des Mages ait jamais été confronté. Il est puissant, omniprésent et redoutable. Le combattre, c'est comme lutter contre le sommeil quand tu es dans un état d'épuisement avancé.

« Nous te protégerons, je le jure sur ma vie. Mais tu dois aussi apprendre à te protéger toi-même, Simon. Au plus vite.

« Le Humdrum représente notre plus grande menace. Et tu es notre plus grand espoir. »

J'étais trop scié pour répondre, ou pour poser des questions. Trop jeune, aussi. Je ne voulais qu'une seule chose : voir le Mage exécuter une nouvelle fois son tour, celui où l'immense carte se déroulait toute seule, d'un coup.

J'ai passé cette première année à Watford à me répéter que je rêvais. Et l'année suivante à me dire que je n'étais pas… celui que le Mage croyait que j'étais.

Il a fallu que je me fasse attaquer par des ogres, que je brise un cercle de pierres et que je grandisse de dix bons centimètres avant que la seule question qui vaille ne me traverse l'esprit : Pourquoi moi ?

Pourquoi était-ce *à moi* d'affronter le Humdrum ?

Au fil des ans, le Mage a répondu à cette question de dix façons différentes. Par exemple :

Parce que j'avais été choisi.

Parce que la prophétie m'avait désigné.

Parce que le Humdrum ne me laisserait pas de répit.

Mais aucune de ces réponses n'avait de sens. Pénélope m'a fourni la seule explication un peu logique : « Parce que tu en es capable, Simon. Et que quelqu'un doit le faire. »

Le Mage observe quelque chose par la fenêtre. J'hésite à lui proposer de s'asseoir. J'ai beau me creuser la tête, je ne crois pas l'avoir vu assis une seule fois.

Je remue, le lit grince. Il se tourne vers moi, l'air troublé.

— Monsieur ?

— Oui, Simon ?

— Le Humdrum… vous l'avez trouvé ? Qu'est-ce que j'ai raté ?

Il se tient le menton entre le pouce et l'index, puis fait non de la tête.

— Rien. Nous ne sommes pas près de le trouver, et il y a d'autres problèmes dont je dois m'occuper pour l'instant.

— Qu'est-ce qui peut être plus important que le Humdrum ?

— Pas plus important, Simon, plus *urgent*. Ce sont les Anciennes Familles, elles me mettent à l'épreuve.

Il a serré le poing droit.

— La moitié du pays de Galles a cessé de payer la dîme. Les Pitch ont acheté trois membres du Conseil des sorciers pour qu'ils ne viennent plus aux réunions, nous n'avons donc pas le quorum. Et il y a eu des accrochages sur la route de Londres durant tout l'été.

— Des accrochages ?

— Des pièges, des bagarres… Ce ne sont que des tests, Simon. Les Anciennes Familles seraient capables de prendre les rênes, si j'avais un moment de distraction. Elles détruiraient tout ce que nous avons accompli.

— Elles pensent pouvoir combattre le Humdrum sans nous ?

— Je crois surtout qu'elles ne voient qu'à très court terme. Elles se fichent du Humdrum ou de mettre le Monde des Mages en péril. Tout ce qu'elles veulent, c'est le pouvoir. Maintenant.

— Qu'elles aillent se faire voir, alors. Si le Humdrum s'empare de notre magie, nous n'aurons plus rien à protéger. Ce qu'il faut, c'est se battre contre lui.

— Et c'est ce que nous ferons, quand l'heure sera venue, affirme le Mage. Quand nous saurons comment le vaincre. D'ici là, ma priorité est de veiller à ta sécurité, Simon…

Il croise les bras.

— J'ai discuté avec les membres du Conseil en qui j'ai confiance. Nous pensons que nos efforts pour te protéger se sont peut-être retournés contre nous. Malgré les sortilèges et la surveillance, le Humdrum a réussi à t'atteindre *ici*, à Watford. En juin, il t'a éloigné sans déclencher notre système de sécurité.

Ça me fiche en rogne de l'entendre dire ça. Comme si c'était ma faute, et non la sienne ou celle des sortilèges de protection. Mais ce n'est pas le pire. Le pire, c'est que je suis censé être le seul à pouvoir combattre le Humdrum. Or, quand je me suis enfin retrouvé face à lui, je n'ai rien pu faire à part m'enfuir. Et encore, heureusement que Pénélope était là. Sans elle, je ne suis pas sûr que j'y serais arrivé.

La mâchoire du Mage se contracte. Il a une fossette au milieu de son menton plat, comme une entaille faite de la pointe d'un couteau. J'en suis vert de jalousie.

— Nous avons décidé, continue-t-il lentement, que tu serais plus en sécurité… ailleurs qu'à Watford.

Je ne suis pas certain d'avoir bien entendu.

— Pardon ?

— Le Conseil a sécurisé un lieu pour toi. Avec un professeur particulier. Je ne peux pas entrer dans les détails pour l'instant, mais je t'y emmène moi-même. Nous partons dès que possible, car je dois être revenu avant la nuit.

— Vous voulez que je quitte Watford ? Maintenant ?

Il fronce les sourcils. Le Mage déteste se répéter.

— Oui. Tu n'as pas besoin d'emporter grand-chose. Tes bottes, ton manteau, et les objets que tu souhaites garder.

— Je ne peux pas partir, monsieur. Les cours commencent cette semaine.

Il incline légèrement la tête.

— Tu n'es plus un enfant, Simon. Tu n'as plus rien à apprendre à Watford.

Il a peut-être raison. Je ne suis pas ce qu'on appelle un élève brillant, ni même un élève appliqué, et cette année ne changera pas grand-chose à mon niveau ; mais quand même…

— Je ne peux pas m'en aller. C'est ma dernière année.

Le Mage se gratte la barbe. Ses yeux sont à peine plus grands que des fentes, maintenant.

— C'est impossible, je reprends.

J'essaie de trouver des arguments, mais le seul mot qui me vient à l'esprit, c'est *non*. Non, je ne peux pas quitter Watford. J'ai attendu tout l'été d'être ici. Toute ma vie, même. Soit je suis à Watford, soit j'aimerais y être. Ça va changer, l'année prochaine – obligé –, mais pas *maintenant*.

— Non, dis-je. Je ne peux pas.

— Simon, ce n'est pas une suggestion, réplique le Mage d'une voix sévère. C'est ta vie qui est en jeu. Et le Monde des Mages compte sur toi.

J'ai envie de rectifier : *Baz* ne compte pas sur moi. Aucun des magiciens de la Maison des Pitch ne croit que je suis leur sauveur...

Je serre les dents, si fort que je les entends grincer. Je secoue la tête.

Bras croisés et sourcils froncés, le Mage me regarde de haut, comme si j'étais un gamin qui refuse d'écouter.

— Tu ne t'es pas rendu compte, Simon, que le Humdrum ne t'attaque que lorsque tu es ici ?

— Vous venez seulement de vous en apercevoir, *vous* ?

J'avale ma salive, la gorge nouée. Et j'ajoute, trop tard :

— ... Monsieur.

Il hausse le ton.

— Que t'arrive-t-il, Simon ? Tu n'avais jamais discuté mes décisions, jusqu'à présent.

— Vous ne m'aviez jamais demandé de quitter Watford !

Il se rembrunit, le visage dur.

— Nous sommes en guerre, Simon. Dois-je te le rappeler ?

— Non, monsieur.

— Et en temps de guerre, nous faisons tous des sacrifices.

— Mais nous avons toujours été en guerre depuis que je suis ici. Nous ne pouvons pas nous arrêter de vivre parce que c'est la guerre !

— Vraiment ?

Je vois qu'il commence à perdre son sang-froid, parce qu'il a posé la main sur le pommeau de son épée.

— Regarde-moi, Simon. Me suis-je jamais accordé une vie normale ? Où est ma femme ? Où sont mes enfants ?

Ma maison de campagne, mon fauteuil confortable et mon labrador qui m'apporte mes pantoufles ? Quand est-ce que je prends des vacances ? Quand est-ce que je me repose ? À quel moment je fais autre chose que préparer la bataille suivante ? Nous ne pouvons pas ignorer nos responsabilités, les balayer d'un revers de main, parce que, tout à coup, elles nous ennuient.

Je baisse la tête, comme s'il m'avait donné une gifle.

— Ça ne m'ennuie pas, je marmonne.

— Plus fort.

Je lève la tête.

— Ça ne m'ennuie pas, monsieur.

Je croise son regard.

— Habille-toi. Prépare tes affaires…

Je sens chacun de mes muscles se raidir. Tout se verrouille en moi.

— Non.

Impossible. Je viens juste d'arriver. J'ai passé le pire été de ma vie. Si j'ai tenu bon, c'est parce qu'au bout il y avait Watford. Mais je ne tiendrai pas plus longtemps. Je n'ai pas l'énergie. Mes réserves sont vides. Et le Mage ne voudra même pas me dire où il m'emmène. Et Penny ? Et Agatha ?

Je secoue la tête. J'entends le Mage qui respire profondément. Quand je lève les yeux, il y a un nuage rouge entre nous.

Merde. Non.

Il s'éloigne de quelques pas.

— Simon, dit-il.

Il a sorti sa baguette magique.

— ***Reste tranquille !***

Je cherche ma baguette à la hâte et je commence à énumérer les sorts.

— ***Tiens le coup ! Bouge-toi ! Attention ! Fonce !***

Mais les sorts, c'est la magie, et faire appel à ma magie en ce moment ne peut qu'aggraver la situation. Je la sens bouillonner en moi ; le nuage rouge s'épaissit. Je ferme les yeux, j'essaie de disparaître. De ne penser à rien. Je tombe en arrière sur le lit et ma baguette rebondit sur le sol…

Quand je recouvre mes esprits, le Mage est penché au-dessus de moi, une main sur mon front. Il y a de la fumée, j'ai l'impression qu'elle vient de mes draps.

— Je suis désolé, dis-je dans un souffle. Je ne voulais pas…

— Je sais, répond le Mage.

Il a l'air encore effrayé, mais c'est d'une main presque tendre qu'il écarte les cheveux de mon front et me caresse la joue. Ma gorge se noue.

— S'il vous plaît, je plaide d'une voix pitoyable. Ne m'obligez pas à partir.

Il me fixe droit dans les yeux, son regard me transperce. Je vois qu'il délibère, avant de céder :

— Je vais en parler au Conseil. Peut-être avons-nous un peu de temps.

Au-dessus des lèvres, il a une très fine moustache. Baz et Agatha adorent s'en moquer.

— Mais il n'y a pas que ta sécurité qui nous inquiète, Simon…

Il est toujours penché au-dessus de moi. Je me sens oppressé, comme s'il n'y avait rien d'autre à respirer que de la fumée entre nous.

— Je vais discuter avec le Conseil.

Il me serre l'épaule et se redresse, avant d'ajouter :

— Tu as besoin de l'infirmière ?

— Non, monsieur.

— Tu m'appelles si quelque chose change. Ou si tu remarques quoi que ce soit d'étrange : un signe du Humdrum, n'importe quoi d'inhabituel.

Je hoche la tête.

Le Mage sort de la chambre à grandes enjambées – ce qui veut dire qu'il réfléchit – et ferme la porte derrière lui.

Je roule sur le côté pour vérifier que mon lit n'est pas réellement en train de brûler, puis je plonge dans un sommeil profond.

8

LUCY

LE BROUILLARD EST SI ÉPAIS…

9

SIMON

QUAND JE ME RÉVEILLE, PENNY EST ASSISE À MON bureau, plongée dans la lecture d'un livre aussi épais que son bras. Elle ne doit pas être très concentrée, parce qu'elle se tourne aussitôt vers moi.

— Il est midi passé, m'annonce-t-elle. Tu es devenu une grosse feignasse dans ta famille d'accueil. J'écris une lettre au *Télégraphe*.

Je me redresse en râlant.

— Tu ne peux pas entrer dans ma chambre comme ça, sans frapper. Même si tu as une clé magique.

— Ce n'est pas une clé, et j'ai frappé, figure-toi. Seulement tu dors comme une souche.

Je passe devant elle pour aller dans la salle de bains. Elle ferme son livre et hume l'air.

— Simon, est-ce que tu as… explosé ?

— D'une certaine manière. C'est une longue histoire.

— Tu as été attaqué ?

— Non.

Je ferme la porte derrière moi et j'ajoute, plus fort :

— Je te raconterai plus tard.

Elle va flipper comme une bête quand elle saura que le Mage voulait m'envoyer ailleurs.

69

Je me regarde dans le miroir. J'ai besoin d'une sacrée douche. J'ai les cheveux tout emmêlés d'un côté, aplatis de l'autre et dressés sur le sommet du crâne. Quand je perds le contrôle comme ça, je finis toujours en nage. Je me sens crasseux de partout. J'examine mon menton dans la glace avec l'espoir d'être obligé de me raser. Mais non. Ça ne m'arrive pas souvent. Si je pouvais, je me laisserais pousser une fine moustache comme celle du Mage, et je m'en ficherais complètement que ça énerve Baz.

J'enlève ma chemise et je frotte la croix en or que je porte autour du cou. Rien de religieux : c'est un talisman contre les vampires, transmis depuis des générations dans la famille d'Agatha. Quand le Dr Wellbelove me l'a donnée, elle était noire et terne. Je l'ai astiquée pour lui redonner son éclat. Parfois, je la mordille. (Ce qui n'est sans doute pas la chose à faire avec une relique du Moyen Âge.) Je n'avais pas besoin de la mettre tout l'été, mais une fois qu'on a l'habitude de porter un collier anti-vampires, c'est idiot de l'enlever.

Au foyer, les autres enfants me prennent pour un croyant. (Ils sont aussi persuadés que je fume un paquet de cigarettes par jour, vu que je sens toujours un peu la fumée.)

J'observe de nouveau mon visage. Penny a raison, je suis trop maigre. J'ai les côtes saillantes et on voit les muscles de mon ventre, non pas que j'aie des abdos, mais parce que je n'ai pratiquement rien mangé pendant trois mois. En plus, j'ai des grains de beauté sur tout le corps, on dirait que j'ai la vérole. Même quand je ne suis pas sous-alimenté.

— Je prends une douche !

— Dépêche-toi, sinon on va rater le déjeuner !

Je rentre dans la douche et je comprends qu'elle s'est approchée de la porte lorsqu'elle ajoute :

— Agatha est revenue.

Je tourne le robinet.

— Simon, tu m'as entendue ? Agatha est revenue.

Oui, je l'ai entendue.

Quel est le mode d'emploi pour renouer avec ta petite copine après trois mois d'interruption et quand, la dernière fois que tu l'as vue, elle tenait ton ennemi juré par les mains ? (Les *deux* mains. Et ils étaient face à face. Comme s'ils allaient se mettre à chanter.)

Avant que je la voie dans le bois de Wavering avec Baz, c'était déjà bizarre entre nous, l'an dernier. Elle était distante, silencieuse, et quand j'ai été blessé, au mois de mars (quelqu'un avait trafiqué ma baguette magique), elle a seulement levé les yeux au ciel. Comme si c'était ma faute.

C'est la seule fille avec laquelle je suis sorti. Nous sommes ensemble depuis trois ans, maintenant. Depuis nos quinze ans. Mais j'en pinçais pour elle bien avant. Dès la première fois que je l'ai vue : elle traversait la grande pelouse, et le vent soulevait ses longs cheveux clairs. Quand je l'ai aperçue, je me suis dit que je n'avais jamais rien vu d'aussi beau, mais également que rien ne pouvait atteindre une créature si belle et gracieuse. Elles sont inaccessibles, comme le lion, ou la licorne. Personne ne peut les toucher, parce qu'elles ne sont pas sur la même planète que les autres.

Le simple fait d'être assis à côté d'Agatha me donne l'impression d'être intouchable. Invincible. C'est comme être assis sur le soleil. Alors imagine… *sortir* avec *elle*. C'est comme si tu irradiais en permanence.

Il y a une photo de nous qui date du dernier solstice d'hiver. Elle porte une robe blanche et une couronne de gui, tressée par sa mère, dans ses cheveux dorés. Je suis en blanc, moi aussi. Je me sentais tarte, mais sur la photo, en vrai, je suis pas mal. Debout à côté d'Agatha, dans un costume que son père m'avait prêté, j'ai juste l'air… de ce que je suis censé être.

Le réfectoire est à moitié plein, aujourd'hui. Les cours démarrent demain. Assis ou debout, les gens discutent, se racontent les dernières nouvelles. Pour le déjeuner, il y a des petits pains au jambon et au fromage. Pénélope a pris une coupelle de beurre pour moi, ça me fait sourire. Si je pouvais, j'en mangerais à la petite cuillère. (Je le faisais, la première année, quand je descendais avant tout le monde pour le petit déjeuner.)

Je balaie la salle du regard à la recherche d'Agatha, sans la voir. En dépit de ce qui s'est passé avec Baz dans le bois, je ne peux pas imaginer qu'elle vienne dans le réfectoire sans s'asseoir avec nous.

Les garçons qui habitent la chambre en dessous de la mienne, Rhys et Gareth, sont déjà installés à une table, tout au fond.

— Ça va, Simon ? demande Rhys.

Gareth est en train de brailler pour se faire entendre de quelqu'un qui se trouve vers l'entrée du réfectoire.

— Ça va, les gars ? je réponds.

Rhys fait un léger signe de tête à Penny. Elle ne prend pas le temps de s'intéresser aux élèves, alors ils font pareil. Je n'aimerais pas qu'on m'ignore de cette façon, mais elle a plutôt l'air d'apprécier. Parfois, quand je m'arrête pour saluer quelqu'un, elle me tire par la manche pour me presser.

— Tu as trop d'amis, répète-t-elle.

— Ce n'est pas possible d'avoir trop d'amis. De toute manière, ce ne sont pas tous des *amis*.

— Il n'y a pas tant d'heures que ça dans une journée, Simon. Et pas plus de deux ou trois personnes qui valent le coup qu'on en perde pour elles.

— Rien que dans ta famille proche, il y en a plus que ça, Penny.

— Je sais. C'est un combat permanent.

Une fois, j'ai commencé à faire la liste de tous ceux qui comptent pour moi. Arrivé à sept, elle m'a dit que je devais réduire ma liste ou arrêter immédiatement de me faire des amis.

— Ma mère dit qu'on ne doit pas avoir plus d'amis qu'on ne pourrait en protéger face à une bande de rakshasas affamés.

— Je ne sais pas ce que c'est, les rakshasas, mais ça ne m'inquiète pas. Je suis doué pour la bataille.

J'aime bien avoir des gens autour de moi. Des gens très proches, comme Penny, Agatha, le Mage, Ebb la bergère, Mlle Possibelf et le Dr Wellbelove. Ou juste des copains, comme Rhys et Gareth. Si je suivais les conseils de Penny, je n'aurais même pas assez de monde pour organiser un match de foot.

Elle fait un vague geste de la main aux garçons avant de s'asseoir et de se tourner vers moi pour couper court à tout bavardage. Apparemment, elle a un truc à me dire.

— J'ai vu Agatha avec ses parents, tout à l'heure, dans le Cloître, me confie-t-elle.

Le Cloître, c'est le plus ancien et le plus grand pavillon pour les filles, un bâtiment long et bas. Il n'y a qu'une porte, les fenêtres sont toutes petites et composées de minuscules vitres. (L'école devait être ultra-parano quand elle a autorisé le retour des filles, au XVIIe siècle.)

— Tu as vu qui ? je demande.

— *Agatha.*

— Ah.

— Je peux aller la chercher, si tu veux, propose-t-elle.

— Depuis quand tu joues les messagers pour moi ?

— Je pensais que tu ne voudrais peut-être pas célébrer vos retrouvailles devant tout le monde. Après ce qui s'est passé.

Je hausse les épaules.

— T'inquiète. Entre Agatha et moi, tout va bien.

Penny a l'air étonnée, puis sceptique. Elle finit par abandonner.

— De toute manière, reprend-elle en mordant dans son sandwich, on doit retrouver le Mage, après le déjeuner.

— Pourquoi ?

— Pourquoi ? Tu as décidé de faire l'idiot, aujourd'hui ? Tu t'es dit que je trouverais ça mignon ?

Elle lève les yeux au ciel.

— Nous devons le retrouver pour qu'il nous raconte ce qui s'est passé pendant l'été. Ce qu'il a découvert sur le Humdrum.

— Il n'a rien découvert du tout. Je lui ai déjà parlé.

Elle s'arrête net de manger.

— Quand ?

— Il est venu dans ma chambre, ce matin.

— Et tu comptais me le dire quand ?

Je hausse les épaules et fourre le dernier morceau de mon sandwich dans ma bouche.

— Quand tu m'en aurais laissé la possibilité.

Elle lève de nouveau les yeux au ciel. (Penny fait ça tout le temps.)

— Et il n'avait rien à dire ?

— Pas sur le Humdrum, en tout cas. Il…

Je baisse les yeux sur mon assiette, puis je jette un regard furtif autour de nous.

— … il dit que les Anciennes Familles posent des problèmes.

Elle hoche la tête.

— D'après ma mère, elles cherchent à organiser un vote de défiance contre lui.

— Elles peuvent le faire ?

— Elles peuvent essayer, en tout cas. Et il y a eu des duels tout l'été. Le copain de Premal, Sam, en a livré un contre un des cousins Grimm, après un mariage, et maintenant il est assigné en justice.

— Qui ça ?

— Le Grimm.

— Pour quelle raison ?

— Sorts interdits. Formules prohibées.

— Le Mage pense que je devrais partir, dis-je.

— Partir ? Pour aller où ?

— Il croit que c'est mieux que je quitte Watford.

Elle ouvre des yeux grands comme des soucoupes.

— Mais tu irais où, Simon ?

— Il ne m'a pas dit. Un endroit secret.

— Une cachette ?

— J'imagine.

— Et l'école ?

— Il prétend que ça n'est plus important, maintenant.

Penny proteste. Elle trouve que le Mage sous-estime l'éducation, d'une manière générale. Surtout les classiques. Quand il a abandonné le programme linguistique, elle a envoyé une lettre sévère au bureau des professeurs.

— Et donc ? Qu'est-ce qu'il veut que tu fasses ?

— Partir. Me mettre en sécurité.

Elle croise les bras.

— M'exiler sur une montagne. Avec des ninjas. Comme Batman.

Je ris, mais pas elle. Elle se penche vers moi.

— Tu ne peux pas t'en aller comme ça, Simon. Il ne peut pas te planquer dans un trou perdu pour le restant de ta vie.

— Je ne partirai pas. Je lui ai dit non.

Elle recule, surprise.

— Tu lui as dit *non* ?

— Je… Bah, je ne peux pas quitter Watford. C'est notre dernière année, non ?

— Parfaitement d'accord… Tu lui as dit *non* ?

— Je lui ai dit que je ne voulais pas ! Je n'ai aucune envie de me cacher et d'attendre que le Humdrum me trouve. Ce n'est pas un bon plan.

— Et qu'est-ce qu'il a répondu ?

— Pas grand-chose. Je me suis énervé et j'ai commencé à…

— Je le savais ! Ta chambre sentait le roussi. Waouh ! Tu as explosé *avec le Mage* ?

— Non. J'ai réussi à me retenir.

— Sérieux ? s'exclame-t-elle, impressionnée. Bien joué, Simon.

— Mais je crois qu'il a quand même eu peur.

— Moi aussi, à sa place.

— Penny, je…

— Quoi ?

— Tu crois qu'il a raison ?

— Je viens de te dire que non.

— Mais sur le fait que… je représente un danger pour Watford ? Pour… ?

Je lance un regard vers la table des première année. Ils ont tous sauté le sandwich jambon-fromage pour passer directement au dessert : ils s'empiffrent de grosses parts de roulé à la confiture.

— … Un danger pour tout le monde ?

Elle mord dans son sandwich.

— Bien sûr que non.

— Pénélope !

Elle soupire.

— Tu t'es retenu, avec le Mage, n'est-ce pas ? Est-ce que ça t'est arrivé de blesser quelqu'un d'autre que toi-même ?

— Je produis de la fumée sans m'en rendre compte, je brise des miroirs, Penny… Tu veux que je fasse la liste ? Et puis j'en ai décapité quelques-uns. Sans parler du gobelin d'hier.

— C'est des combats, Simon, ça ne compte pas, lâche-t-elle.

— Je crois que si.

Elle croise de nouveau les bras.

— Ça ne compte pas de la même manière, précise-t-elle.

— Ce n'est pas seulement ça… Je suis une cible, hein ? Le Humdrum ne m'attaque que quand je suis à Watford, et il n'attaque Watford que quand j'y suis.

— Ce n'est pas ta faute, proteste-t-elle.

— Et donc ?

— Tu n'y peux rien.

— Si. Je peux partir.

— *Non.*

— C'est un argument convaincant, Pen.

J'étale du beurre sur mon troisième petit pain. Mes mains tremblent.

— Non, Simon. Tu ne peux pas partir. Tu ne dois pas. Écoute, si tu es une cible, alors c'est moi qui suis le plus en danger. Je suis presque tout le temps avec toi.

— Je sais !

— Non, ce que je veux dire, c'est : regarde-moi, je vais bien.

Je la regarde.

— Je vais bien, Simon. Et Baz aussi, alors qu'il est constamment avec toi.

— Tu oublies toutes les fois où tu as failli y passer, justement parce que tu étais avec moi. Tu te souviens quand même que le Humdrum m'a kidnappé il y a quelques mois, et que tu as été embarquée toi aussi.

— Et heureusement !

Elle me fixe droit dans les yeux ; je m'efforce de soutenir son regard. Parfois, je suis content qu'elle porte des lunettes. Elle a un regard tellement perçant, c'est bien qu'il y ait un filtre.

— J'ai dit non au Mage.

— Et tu as bien fait. Continue comme ça.

Un hurlement interrompt notre discussion.

Une petite fille vient de fondre en larmes.

Je commence aussitôt à murmurer les incantations pour convoquer mon épée. La fillette, une deuxième ou troisième année, traverse la salle en courant. Elle se dirige vers une silhouette qui scintille sur le seuil de la pièce.

— Oh…, lâche Pénélope, émerveillée.

La silhouette s'estompe, puis revient, comme un holo-gramme de la princesse Leia. Dès que la fille arrive devant elle, l'apparition, qui ressemble maintenant à une vieille femme en costume blanc, se met à genoux et la prend dans ses bras. Elles sont blotties l'une contre l'autre, sous la voûte en pierre. Puis la silhouette disparaît complètement. La fille reste debout, trem-blante ; ses amis se précipitent vers elle, surexcités.

— Trop bien ! s'exclame Pénélope.

Elle se tourne vers moi et remarque mon épée.

— Nom de Dieu, Simon, range ça !

Je la garde en main.

— Qu'est-ce que c'était que ce truc ?

— Tu ne sais pas ?

— Pénélope !

— Elle a eu une Visite. La veinarde !

— Comment ça ? dis-je en remettant l'épée dans son four-reau. Quel genre de visite ?

— Le *Voile*, Simon, il se soulève ! Je sais que tu connais. On l'a étudié en Histoire de la magie.

Je fais la moue et me rassois, hésitant à continuer mon repas.

— « Et au Vingtième Tournant, quand l'année déclinera et que le jour et la nuit seront tranquillement assis de chaque côté de la table, le Voile se soulèvera. Et celui qui aura la lumière pourra le franchir et passer de l'autre côté, même s'il ne pourra pas rester. Accueille-le avec bonheur et confiance, pour que sa bouche, même morte, dise la vérité. »

En l'entendant réciter, je comprends qu'il s'agit d'un texte ancien ou un truc du genre.

— Tu ne m'aides pas beaucoup, dis-je.

— Le Voile se soulève, répète-t-elle. Tous les vingt ans, les morts peuvent s'adresser aux vivants s'ils ont quelque chose de vraiment important à leur dire.

— Ah, oui… ça me rappelle quelque chose. Mais je croyais que c'était un mythe.

— Au bout de sept ans d'école, Simon, tu dis encore ce genre de bêtises ? réplique-t-elle.

— Et comment je suis censé être au courant de tout ? Il n'y a pas de livre sur la magie, si ? *Tout ce que vous avez toujours voulu savoir sur la magie : les histoires vraies et toutes les conneries que vous avez toujours crues.*

— J'oublie que tu es le seul magicien qui n'a pas été élevé dans la magie. S'il y en a un qui devrait écrire un livre pareil, c'est bien toi !

— Le père Noël n'existe pas, mais la Petite Souris, si. Avoue qu'il faut deviner pour faire le tri.

— Le Voile est tout ce qu'il y a de plus sérieux, m'explique Penny. C'est lui qui empêche les âmes d'errer dans le monde présent.

— Et là, il se soulève ?

L'envie me démange de dégainer de nouveau mon épée.

— C'est bientôt l'équinoxe d'automne, date à laquelle le jour et la nuit ont la même durée. Quand cela se produit, le Voile s'estompe et se lève, un peu comme le brouillard. Les morts reviennent alors nous dire des choses.

— À nous tous ?

— J'aimerais bien. Ne franchissent le Voile que ceux qui ont des choses importantes à nous confier. Une vérité. Ils reviennent pour témoigner, en quelque sorte.

— Ça file la chair de poule, ton truc…

— La tante de ma mère l'a fait, il y a vingt ans, pour lui parler d'un trésor caché. Du coup, ma mère espère toujours qu'elle va recommencer, pour lui en dire plus.

— Quel genre de trésor ?

— Des livres.

— Évidemment.

Je décide de terminer mon sandwich. Et l'œuf dur de Penny.

— Mais parfois, c'est plus sulfureux, poursuit-elle. Les morts révèlent des trahisons. Des meurtres. En théorie, on a plus de chances de franchir le Voile quand le message sert la justice.

— Comment peut-on le savoir ?

— C'est juste une théorie, répond-elle. Mais si Tante Beryl vient me voir, je lui demanderai un max de choses avant qu'elle ne disparaisse.

Je regarde à l'autre bout de la salle.

— À ton avis, qu'est-ce que la grand-mère de cette fille a pu lui raconter ?

Penny éclate de rire et commence à débarrasser ses couverts.

— Sa recette secrète du caramel, probablement.

— Donc, ces *Visiteurs* ne sont pas des zombies ?

— Non, Simon, ils sont inoffensifs. Sauf si tu crains la vérité.

10

LE MAGE

J'AURAIS DÛ L'OBLIGER À PARTIR. J'AVAIS LES moyens de le convaincre, voire de le forcer.

Même s'il n'est plus un enfant, il peut encore obéir à un ordre.

J'ai promis de prendre soin de lui. De son pouvoir.

Comment tenir une promesse pareille ? S'occuper d'un enfant doté du pouvoir le plus puissant que le Monde des Mages ait connu...

Et qu'est-ce que cela veut dire, prendre soin d'un pouvoir ? L'utiliser ? Le protéger ? Ne pas le laisser tomber entre de mauvaises mains ?

Je pensais être utile à Simon, surtout maintenant. J'étais sûr de pouvoir l'aider à recevoir son pouvoir, à l'accueillir, à en prendre possession. Au lieu de quoi...

Il doit y avoir un sort pour lui. Une formule magique qui le rendrait plus solide. Un rituel pour permettre de gérer plus facilement le pouvoir. Je ne l'ai pas encore trouvé, mais ça ne veut pas dire qu'il n'y en a pas. Il doit exister !

Et si je le trouve...

Stabiliser le garçon suffira-t-il à stabiliser le pouvoir ? Cela n'apparaît pas dans la prophétie. Il n'y a rien sur les enfants rebelles.

Je peux mettre Simon à l'abri du Humdrum.

Je peux le protéger de tout ce qu'il n'est pas encore prêt à affronter.

Je *devrais* le faire ! J'aurais dû lui donner l'ordre de partir. Il aurait obéi. Il m'aurait écouté, encore.

Et s'il ne m'avait pas écouté ?

Simon Snow, te perdrai-je complètement ?

11

LUCY

ÉCOUTE-MOI...

Il était le premier de sa famille à être admis à Watford. Le premier à avoir suffisamment de pouvoir pour réussir les tests. Il était arrivé tout seul du pays de Galles, par le train.

David.

On l'avait surnommé Davy. (Enfin, certains d'entre nous l'appelaient Daft[1].)

Il n'avait pas d'amis, je ne crois pas qu'il en ait jamais eu. Je ne pense même pas que moi, j'étais son amie, en tout cas au début.

J'étais simplement la seule à l'écouter.

— Le Monde des Mages, disait-il. Quel monde, je te le demande, *quel monde* ? Ce n'est pas une école, ici. Dans une école, on éduque les individus, on les *élève*.

— Moi, je reçois une éducation, ai-je répondu.

— Ah oui, vraiment ?

Ses yeux bleus brillaient. Il avait toujours une flamme dans le regard.

---

1. En anglais, *daft* signifie « idiot », « stupide ».

— Tu as hérité d'un pouvoir. Tu as le mot de passe confidentiel parce que ton père l'avait, et ton grand-père avant lui. Tu fais partie du club.

— Toi aussi, Davy.

— Parce que je suis tellement puissant qu'ils ont été obligés de m'accepter, c'est la seule raison.

— C'est vrai, ai-je admis. Mais maintenant, tu as rejoint le club.

— J'ai eu de la chance, mais les autres n'en ont pas eu. Ici, on ne partage pas le savoir. On s'assure qu'il reste entre les mains des riches.

— Tu veux dire : des plus puissants.

— C'est pareil, a-t-il postillonné.

Il postillonnait tout le temps. Ses yeux brillaient en permanence et sa bouche crachait constamment.

— La question est la suivante : est-ce que tu veux être ici, à Watford, Davy ? ai-je repris.

— Pourquoi sommes-nous ici, Lucy, alors que tant d'autres familles sont refoulées ?

— Parce que nous sommes les plus puissants. C'est important pour nous d'apprendre à utiliser notre magie.

— Est-ce si important ? N'est-il pas plus crucial d'enseigner les moins puissants ? De les aider à tirer le meilleur parti de ce qu'ils ont ? Doit-on apprendre à lire aux seuls poètes ?

— Je ne comprends pas ce que tu veux. Tu es *ici*, Davy. À Watford.

— Je suis ici, en effet. Et si je rencontre les bonnes personnes, si je m'incline et rampe correctement devant chaque Pitch et chaque Grimm, peut-être qu'ils m'apprendront les sortilèges les plus difficiles. Ils m'autoriseront à m'asseoir à leur table. Je pourrai mener la même vie qu'eux, c'est-à-dire veiller à ce que personne ne me dépossède de mon pouvoir.

— Ce n'est pas ce que je vais faire de ma magie.

Il s'est arrêté de postillonner un instant pour me regarder.

— Et qu'est-ce que tu penses faire de ta magie, Lucy ?
— Voir le monde.
— Le Monde des Mages.
— Non, *le monde*.

J'ai tant à te dire.
Mais le temps est compté. Et le Voile a beau être fin, il est épais.
Et cela demande de l'énergie, de parler. Une âme entière.

12

SIMON

COMME PAR HASARD, LORSQUE JE VOIS AGATHA, je suis seul.

Je suis dehors, étendu sur la pelouse, en train de songer à la première fois où je suis venu ici. L'herbe était si belle que je ne pensais pas avoir le droit de marcher dessus.

Agatha porte un jean et une chemise blanche légère. Elle monte la colline dans ma direction. Lorsqu'elle passe devant le soleil, un halo entoure ses cheveux blonds, l'espace de quelques secondes.

Elle sourit, mais je vois bien qu'elle est tendue. Je me demande si c'était moi qu'elle cherchait. Je me redresse et elle s'assoit à côté de moi.

— Coucou, dis-je.

— Salut, Simon.

— Comment s'est passé ton été ?

Elle me lance un regard incrédule (il faut reconnaître que ma question est franchement débile) mais, en même temps, elle semble soulagée à l'idée de parler de la pluie et du beau temps.

— Bien, répond-elle. Tranquille.

— Tu as voyagé ?

— Seulement pour des concours.

Elle monte à cheval et participe à des concours hippiques. À mon avis, elle rêve de faire un jour du saut sous les couleurs de la Grande-Bretagne. Ou des courses, peut-être ? Je ne connais rien au cheval. Une fois, elle a voulu me faire grimper dessus, je me suis dégonflé.

— Tu as eu de la chance ? je lui demande.

— Un peu. Mais c'est l'habileté qui compte.

— Ah…, réponds-je en hochant la tête. C'est vrai, désolé.

Je déteste parler de cheval avec elle, et pas parce qu'ils me font peur. C'est juste un truc de plus dont je n'ai pas les codes. Toute cette merde de snobs : les régates, les galas et je ne sais quoi encore. Si : les matches de polo. La mère d'Agatha a des chapeaux qui ressemblent à des pièces montées.

C'est trop pour moi. J'ai déjà assez de mal à comprendre ce qu'il faut faire pour être un magicien, jamais je ne réussirai à me faire passer pour un aristo.

Peut-être qu'Agatha serait mieux avec Baz, après tout…

S'il n'était pas un démon.

Je dois avoir l'air furieux, parce qu'elle tousse, mal à l'aise.

— Tu veux que je m'en aille ?

— Non, dis-je. Je suis content de te voir.

— Tu ne m'as même pas regardée, observe-t-elle.

Je lève les yeux.

Elle est très belle.

Je la veux. J'ai envie que tout aille bien.

— Écoute, Simon, je sais que tu as vu…

Je l'interromps :

— Je n'ai rien vu.

— Eh bien, moi, je t'ai vu, réplique-t-elle d'une voix dure. Et Pénélope aussi, et…

Je la coupe de nouveau :

— Non, je veux dire…

Pas comme ça. Ça ne va pas marcher.

— Si, je t'ai vue. Dans le bois de Wavering. Et je l'ai vu…
lui. Mais c'est bon. Je sais que tu ne *voulais pas*, Agatha. Et ça
n'a plus d'importance, de toute façon. C'était il y a des mois.

Elle me regarde, l'air perdu.

Agatha a de ravissants yeux marron. Presque dorés. Et de
longs cils. Et la peau, autour de ses yeux, brille comme si elle
était une fée. (Ce qu'elle n'est pas. Les fées qui s'expriment avec
la magie sont les bienvenues à Watford, si elles le souhaitent ;
mais il n'y a jamais eu de prétendante.)

— Mais, Simon, il faut que nous… Enfin… Nous devrions
parler de ça, non ?

— Je préfère avancer, dis-je. Ce n'est pas grave… Agatha,
c'est tellement bon de te voir.

Je tends la main pour prendre la sienne. Elle me laisse faire.

— C'est bon de te voir aussi, Simon.

Je souris.

Elle me sourit aussi. Presque.

13

AGATHA

C'EST BON DE LE REVOIR. ÇA L'EST *TOUJOURS*.

Chaque fois, c'est un tel soulagement.

Parfois je pense à ce que ce sera, le jour où il ne reviendra pas.

Parce qu'un jour Simon ne reviendra pas.

Tout le monde le sait. Même le Mage, à mon avis. (Pénélope le sait, mais elle ne veut pas y croire.)

C'est impossible pour lui de survivre à ça. Trop de gens veulent sa mort. Pire que des gens : des choses. Des choses sombres. Des créatures. Le perfide Humdrum. Tous, ils veulent qu'il parte. Il ne pourra pas survivre éternellement. Il l'a trop souvent échappé belle.

Personne n'est aussi fort.

Ni aussi chanceux.

Un jour, il ne reviendra pas, et je serai une des premières à être prévenue. J'y ai beaucoup réfléchi car je sais que, quelle que soit ma réaction, ce ne sera pas suffisant.

Simon l'Élu. Qui m'a choisie, moi. Et mon amour pour lui – nous avons grandi ensemble, il a passé tous ses Noëls chez moi, je l'aime vraiment –, mon amour pour lui ne suffit pas. Quelle que soit la force de mon sentiment, ce n'est pas assez. Ça ne *sera* pas assez, quand je le perdrai.

Et si je réagissais comme le jour où notre chien s'est fait écraser par une voiture ? J'ai pleuré parce que je savais que j'étais censée le faire et non parce que je ne pouvais pas m'en empêcher.

Il m'est arrivé de croire que si je retenais mes sentiments pour Simon, c'était pour me protéger. Pour ne pas souffrir le jour où je le perdrais, pour ne pas avoir l'impression de tout perdre en même temps. Car le jour où Simon disparaîtra, quel espoir nous restera-t-il ?

(En réalité, quel espoir avons-nous ? Simon n'est pas la solution à notre problème ; il n'est qu'un sursis avant l'exécution.)

Mais ça n'est pas pour me protéger.

Je n'aime pas assez Simon.

Je ne l'aime pas comme il faut.

Peut-être que je n'ai pas ce genre d'amour en moi ? Il me manque peut-être quelque chose ?

Si c'est le cas, il vaut mieux que je reste aux côtés de Simon, non ? S'il me veut là ? Si c'est ce que tout le monde attend de moi ?

Si être à cette place peut changer quelque chose ?

14

SIMON

J'AI PASSÉ PRESQUE UNE HEURE AVEC AGATHA, mais nous ne nous sommes pas dit grand-chose. Je ne lui ai pas raconté, pour le Mage.

(Et si elle était d'accord avec lui ? Si elle voulait aussi que je parte ? Si elle était à ma place, en danger à Watford, c'est ce que je voudrais qu'elle fasse. Le pire, c'est qu'elle est en danger, ici. À cause de moi.)

Quand je suis retourné dans ma chambre, Penny y était déjà, allongée sur le lit de Baz, avec un livre.

— Alors ? m'a-t-elle demandé. Vous avez parlé, Agatha et toi ?

— Oui.

— Elle t'a donné une explication pour Baz ?

— Je lui ai dit de ne pas le faire.

Elle a reposé son livre.

— Tu ne veux pas savoir pourquoi ta petite amie roulait une pelle à ton ennemi juré ?

— Pourquoi *juré* ? Je n'ai jamais prêté serment.

— À mon avis, Baz, si.

— En tout cas, ils ne se roulaient pas une pelle.

Penny secoue la tête.

— Si je surprenais Micah en train de tenir les mains de Baz, j'exigerais une explication.

— Moi aussi.

— Simon !

— Penny ! Bien sûr que tu exigerais une explication. C'est tout toi. Tu adores réclamer des explications pour ensuite démontrer par a + b qu'elles sont pourries.

— Pas du tout.

— Mais si. Écoute, je m'en fiche, en fait. C'est derrière nous, cette histoire. Tout va bien entre Agatha et moi.

— Je me demande si c'est aussi derrière Baz.

— Qu'il aille se faire foutre. Il fait tout ce qu'il peut pour m'énerver.

Et il recommencera dès qu'il se pointera. C'est-à-dire d'une minute à l'autre.

Presque tous les élèves sont arrivés. Personne ne veut manquer le pique-nique de bienvenue ce soir sur la grande pelouse. C'est un truc énorme : des jeux, un feu d'artifice, un spectacle de magie.

Peut-être que Baz va le rater. Ça ne lui est jamais arrivé, mais l'idée est séduisante.

Penny et moi, nous avons retrouvé Agatha sur la pelouse.

Je ne vois pas Baz, mais il y a tellement de monde que, s'il voulait m'éviter, ce serait facile. (D'habitude, il se débrouille pour que je puisse toujours le voir.)

Les petits sont déjà en train de jouer aux cartes et de manger du gâteau. Certains d'entre eux portent leur uniforme de Watford pour la première fois. Chapeaux qui glissent et cravates de travers. Il y a des courses et des chants. Je suis un peu secoué par la chanson de l'école : « Ces années magnifiques à Watford / Ces années brillantes et magiques. » Cela me rappelle ce que je n'arrive pas à croire : chaque jour de l'année qui commence sera le dernier.

Le dernier pique-nique de bienvenue.

Le dernier premier jour.

Je me goinfre comme un porc, mais Penny et Agatha s'en fichent, et les sandwiches œuf-cresson sont à mourir. Et aussi le poulet rôti. La tourte au jambon. Le pain d'épice avec un glaçage au citron. Et les litres de lait-fraise.

Je m'attends à tout instant que Baz se pointe et gâche tout. Je jette des coups d'œil à gauche et à droite. (Ça fait peut-être partie de son plan : me pourrir la soirée en me faisant redouter le moment où il va débarquer et tout foutre en l'air.) J'ai l'impression qu'Agatha appréhende aussi de le revoir.

Ce que je ne crains pas, en revanche, c'est que le Humdrum attaque. Au début de notre quatrième année, il avait envoyé des singes volants semer la pagaille lors du pique-nique, or il ne lance jamais deux fois la même action. (Cela dit, j'imagine qu'il peut parfaitement expédier autre chose que des singes volants…)

Après le coucher du soleil, les petits regagnent tous leur chambre, tandis que les septième et huitième année restent sur la pelouse. Tous les trois, nous trouvons un endroit tranquille et Penny jette un sort à sa veste pour la transformer en couverture verte sur laquelle nous allonger. Agatha estime que c'est gaspiller ses pouvoirs, car il y a d'excellentes couvertures à l'intérieur.

— Ta veste va avoir des taches d'herbe, observe-t-elle.

— Elle est déjà verte, réplique Penny.

La nuit est douce. Penny et Agatha s'y connaissent en astronomie, elles me montrent les étoiles.

— J'aurais dû prendre ma boule de cristal et vous prédire l'avenir, lâche Pénélope.

Agatha et moi, nous poussons un soupir.

— Je vais t'éviter cette peine, dis-je. Tu vas me voir dans un bain de sang, mais tu seras incapable de dire à qui ce sang appartient. Et tu verras Agatha, très belle, nimbée de lumière.

Penny boude, mais pas longtemps. La nuit est trop délicieuse pour ça. Je prends la main d'Agatha et la presse doucement. Elle répond en serrant la mienne à son tour.

Cette journée, cette soirée… c'est tellement parfait. Magique. Comme un présage. (Normalement, je ne crois pas aux présages, je ne suis pas superstitieux. Mais nous avons eu un cours sur les présages en Science de la magie, et quand Penny a affirmé qu'elle n'y croyait pas, je me suis dit que c'était comme ne pas apprécier une tartine de pain grillé avec du beurre.)

Une heure plus tard, un Visiteur traverse le Voile, en plein milieu de la pelouse. C'est la sœur morte d'un élève. Elle lui explique qu'il n'est pour rien dans sa disparition…

Je rengaine rapidement mon épée, cette fois, sans que Penny me l'ordonne.

— Incroyable ! s'exclame-t-elle. Deux Visites le même jour, alors que le Voile commence à peine à se lever…

Le fantôme parti, les élèves se serrent dans les bras les uns des autres. (Je crois que les septième année ont fait circuler du vin de pissenlit et du Bacardi Breezer. Mais aucun de nous trois n'est délégué de classe, donc ça n'est pas notre problème.) Quelqu'un entonne la chanson de l'école, de nouveau, et nous joignons nos voix. Agatha chante aussi, même si elle est lucide quant à la sienne.

Je suis heureux.

Vraiment heureux.

Je suis chez moi.

Quelques heures plus tard, je me réveille au beau milieu de la nuit en pensant que Baz est de retour.

Je ne peux pas le voir – il fait trop sombre –, mais je sens *quelqu'un* dans la chambre.

Quelqu'un qui n'est pas Baz.

— Penny ?

Peut-être est-ce encore le Mage ? Ou le Humdrum ! Ou cette chose que j'ai vue en rêve, par la fenêtre, la nuit dernière, et dont je me souviens seulement maintenant.

Je n'ai jamais été attaqué dans ma chambre, jusqu'à présent. Ce serait une première.

Je me redresse et j'allume la lumière sans le vouloir. Ça m'arrive parfois, avec les petits sorts, quand je suis stressé. Je ne devrais pas. Penny dit que c'est peut-être un truc de télépathe : on saute les mots et les formules pour aller droit au but.

Je ne vois personne mais je perçois un bruit, un froissement, et un genre de gémissement. Les deux fenêtres sont ouvertes. Je me lève et regarde dehors, avant de les fermer. Puis je jette un coup d'œil sous les lits. Je tente un *Fini le cache-cache !*, suivi d'un *Sortez tout de suite, où que vous soyez !* qui précipite tous mes vêtements hors de l'armoire. Je les rangerai demain.

Rien d'autre ne s'étant produit, je retourne dans mon lit en frissonnant. Il fait froid. Et je ne me sens toujours pas seul.

15

SIMON

QUAND JE ME RÉVEILLE, BAZ N'EST PAS DANS LA chambre.

Ensuite, j'ai beau passer mon petit déjeuner à scruter le réfectoire, il n'est pas là non plus.

Son nom est prononcé pendant l'appel, au début de la première heure de cours. On a Grec ancien, avec le Minotaure. (Le professeur s'appelle M. Minos, mais on le surnomme le Minotaure parce qu'il est mi-homme mi-taureau.)

Il répète le nom de Baz quatre fois.

— Tyrannus Pitch ? Tyrannus Basilton Grimm-Pitch ?

Agatha et moi échangeons un regard.

Baz est censé être aussi avec moi en Sciences politiques. Penny m'a obligé à choisir cette matière, elle pense que je serai un leader, un jour, quand j'aurai battu le Humdrum.

Moi, si je survis au Humdrum, je serai content de rester avec Ebb à garder ses chèvres. Mais les Sciences politiques, c'est intéressant, alors je continue chaque année à suivre ce cours.

Baz aussi. Sans doute parce qu'il espère accéder au trône un jour. Avant l'arrivée du Mage au pouvoir, ses parents s'occupaient de tout. Les magiciens n'ont pas de roi ni de reine, mais les Pitch sont ce qui se rapproche le plus d'une famille royale ;

s'ils avaient imaginé que quelqu'un allait défier leur autorité, ils se seraient sans doute auto-couronnés.

La mère de Baz était la directrice de Watford avant le Mage, ce qui faisait d'elle un personnage éminent de la magie. (Près du bureau du Mage, dans un couloir, sont accrochés les portraits des précédents directeurs. On dirait un arbre généalogique de la famille Pitch.) En fait, c'est sa mort qui a tout changé et propulsé le Mage aux commandes. Quand le Humdrum a tué Mme Pitch en envoyant des vampires à Watford, tout le monde a compris que le Monde des Mages devait changer. Nous ne pouvions pas continuer comme avant et laisser le Humdrum et les créatures maléfiques nous décimer les uns après les autres.

Il était temps de nous organiser et de réfléchir à notre défense.

Au cours d'une session extraordinaire, le Mage a été élu Mage, chef du Conseil, et aussi directeur de Watford par intérim. (Théoriquement, c'est encore son titre.) Il a aussitôt entrepris des réformes.

A-t-il réussi ? Selon la personne à qui vous posez la question, vous n'obtenez pas la même réponse…

Le Humdrum est toujours là, mais depuis l'élection du Mage, personne n'est plus mort sur le domaine. Et moi, je suis encore en vie. J'ai donc plutôt tendance à penser qu'il fait bien son boulot.

Il y a quelques années, en Sciences po, nous avons dû écrire une dissertation sur l'ascension du Mage. Dans son devoir, Baz a presque appelé à la révolte. (Ce qui est plutôt courageux, je dois dire. De réclamer la démission du directeur dans une dissertation.)

Depuis le début, Baz joue un drôle de jeu : publiquement, il exprime les opinions de sa famille – en gros : « Dehors le Mage ! Pacifiquement et légalement ! » –, comme s'il n'avait rien à cacher, tandis que sa famille mène en sous-main une guerre dangereuse contre nous.

Si on demande aux Pitch pourquoi ils haïssent le Mage, ils évoquent les « anciennes coutumes », notre « héritage de la magie » et la « liberté de penser ». Mais en vrai, tout le monde sait qu'ils veulent seulement reprendre le pouvoir. Ils ne rêvent que d'une chose : que Watford redevienne ce qu'elle était, une école pour les riches et les puissants.

Quand il est arrivé, le Mage a supprimé les frais de scolarité, ainsi que l'oral et le test de pouvoir à l'entrée. À présent, n'importe quel gosse capable de s'exprimer avec la magie peut tenter d'entrer à Watford, quels que soient sa force ou son don, et même s'il est moitié troll du côté de sa mère ou plus sirène que mage. L'école a dû construire un nouveau bâtiment, le Pavillon de la Fraternité, pour qu'il y ait suffisamment de chambres pour tout le monde.

« Faut pas être trop difficile avec ces nouvelles recrues », dit Baz à propos des réformes. Tout ça parce qu'il déteste être traité comme un élève lambda au lieu d'être considéré comme le dauphin. Si sa mère était encore directrice, il aurait probablement une chambre pour lui tout seul, et tout ce dont il aurait envie.

Je ne devrais pas penser des choses pareilles. C'est horrible que sa mère soit morte. Ce n'est pas parce que je n'ai jamais eu de parents que je ne peux pas comprendre ce que ça fait de perdre les siens.

Comme Baz ne se pointe pas davantage au cours de Sciences politiques, je garde un œil sur son meilleur ami, Niall. Il ne bronche pas au nom de Baz, pendant l'appel, mais il me lance un coup d'œil du genre « Je sais que tu nous cherches, mais j'en ai rien à foutre ».

Après le cours, je décide de le choper.

— Où il est ?

— Ton cul ? Pas vu. T'as demandé à Ebb ?

(Franchement, je ne comprends pas pourquoi les gardiens de chèvres ont cette réputation merdique de pervers. Les vachers s'en tirent mieux, visiblement.)

— Baz, dis-je. Il est où ?

Niall essaie de me passer devant mais quand j'ai décidé de faire barrage, impossible de me contourner. C'est pas que je sois grand, juste déterminé. Et quand les gens me regardent, ils se rappellent tout ce que j'ai tué.

Niall s'arrête et remonte la sangle de son sac sur son épaule. C'est un garçon pâle et chétif, avec des yeux marron qu'il a transformés en bleu verdâtre. Gâchis de magie.

Il ricane.

— En quoi ça te regarde, Snow ?

— C'est mon coloc.

— Je pensais que tu apprécierais la solitude.

— En effet.

— Donc ?

Je fais un pas de côté.

— S'il est en train de tramer quelque chose, je le saurai rapidement, dis-je. Je le sais toujours.

— C'est noté.

— Je suis sérieux ! je crie dans son dos.

— Ton sérieux aussi est noté !

Pendant le dîner, je suis tellement stressé que je réduis mon Yorkshire pudding en bouillie. (Yorkshire pudding. Rôti de bœuf. Sauce. Chaque année, c'est ce que nous avons le jour de la rentrée. Je n'oublierai jamais mon premier dîner à Watford : les yeux ont failli me sortir de la tête quand Mme Pritchard a apporté les plats. Magie ou pas, je m'en fichais à ce moment-là : le rôti de bœuf et le Yorkshire pudding étaient aussi réels que la pluie, et ça, c'était cool.)

— Il est peut-être en vacances, dit Penny.

— Pourquoi serait-il *encore* en vacances ?

— Sa famille voyage souvent, précise Agatha.

(« Ah oui, vraiment ? ai-je envie de répondre. C'est de ça que vous parliez quand vous étiez tout seuls dans les bois ? De votre passion commune pour les voyages ? »)

En prenant un morceau de pain, je renverse mon verre de lait. Penny sursaute.

— Il ne raterait pas l'école, dis-je en ramassant mon verre.

Avec un sort, Penny a nettoyé le lait.

— Ça compte trop pour lui.

Personne ne me contredit. Baz est toujours le premier de la classe. Penny lui a donné du fil à retordre, mais être ma pote a fini par jouer sur ses notes. (« Je ne suis pas ta pote mais ta camarade d'épouvante », répète-t-elle.)

— Peut-être que sa famille a choisi de ne plus faire comme si nous vivions en harmonie ? suggère-t-elle. De toute manière, la huitième année n'est pas obligatoire. Avant, beaucoup d'élèves quittaient l'école à la fin de la septième année. Peut-être que les Pitch ont décidé de se faire discrets ?

— Et de se préparer à la guerre, dis-je.

— Exactement.

— Contre le Mage et moi, ou contre le Humdrum ?

— Je ne sais pas, répond Penny. J'ai toujours pensé que les Pitch se contenteraient de s'asseoir et de regarder les deux camps s'entretuer.

— Merci.

— Tu sais bien de quoi je parle, Simon. Les Anciennes Familles ne veulent pas que le Humdrum gagne, mais cela ne les gênerait pas qu'il frappe le Mage un bon coup. Ils attaqueront quand ils estimeront que le Mage est faible.

— Que moi, je suis faible, plutôt.

— C'est pareil.

Agatha lance un regard vers la place où se trouve habituellement Baz. Niall et Dev – un autre ami de Baz, un genre de cousin – sont assis l'un à côté de l'autre et discutent, leurs têtes toutes proches.

— Je ne pense pas que Baz ait laissé tomber l'école, dit-elle.

En face de nous, Penny se penche de manière à être dans le champ de vision d'Agatha.

— Tu sais quelque chose ? Qu'est-ce que Baz t'a dit ?

Agatha baisse les yeux sur son assiette.

— Rien.

— Il t'a forcément dit un truc, insiste Penny. Tu es la dernière à lui avoir parlé.

Je serre les dents.

— Pénélope !

— Simon, je me fiche que vous ayez décidé de passer l'éponge, tous les deux, réplique Penny. C'est important, cette histoire. Agatha, tu es celle d'entre nous qui connaît le mieux Baz. Qu'est-ce qu'il t'a raconté ?

— Elle ne le connaît pas mieux que moi. Je vis avec lui.

— Parfait, Simon. Alors qu'est-ce qu'il t'a dit, à toi ?

— Rien qui me permette de croire qu'il abandonnerait l'école et renoncerait à me pourrir la vie une année de plus !

— Visiblement, marmonne Agatha, il n'a pas besoin d'être là pour ça.

Cette réflexion me met hors de moi. Même si j'ai pensé exactement la même chose hier.

— J'en ai marre, dis-je en me levant. Je monte dans ma chambre profiter de ma solitude.

Penny soupire.

— Calme-toi. Ce n'est pas parce que tu es énervé que tu dois nous en vouloir. On n'a rien fait, nous.

Elle jette un coup d'œil sur Agatha et penche la tête.

— Enfin, moi, je n'ai rien fait…

Agatha se lève à son tour.

— J'ai des devoirs.

Nous nous dirigeons ensemble vers la sortie, puis elle tourne à droite pour aller vers le Cloître.

— Agatha ! je crie.

Sauf que j'ai attendu qu'elle soit trop loin pour le faire.

Je n'arrive même pas à savourer le plaisir d'avoir la chambre pour moi tout seul : le lit de Baz inoccupé me paraît sinistre.

J'appelle l'épée des Mages et je m'entraîne dans la partie de la chambre qui est à Baz. Il déteste ça.

16

SIMON

LE LENDEMAIN, AU PETIT DÉJEUNER, BAZ EST toujours aux abonnés absents. Et aussi le jour suivant.

Il n'est pas en cours.

L'entraînement de foot démarre et quelqu'un le remplace.

Au bout d'une semaine, les professeurs cessent de dire son nom lors de l'appel.

Pendant quelques jours, je surveille Niall et Dev, mais ils n'ont pas l'air de cacher Baz quelque part dans une grange.

Je devrais être content qu'il soit parti, moi qui ai toujours rêvé d'être débarrassé de lui, mais il y a un truc qui cloche. On ne disparaît pas comme ça.

Pas Baz, en tout cas. Il est… indélébile. Comme une tache de graisse humaine. (Sauf qu'il n'est pas exactement humain.)

Trois semaines après la rentrée, tandis que je me dirige vers le terrain de foot, je m'attends encore à le voir à l'entraînement. Quand je me rends compte que ça n'est pas le cas, je fais demi-tour et je fonce aussi sec en haut de la colline, derrière l'école.

J'entends Ebb m'appeler.

— Ohé, Simon !

Elle est assise dans l'herbe, un peu plus bas, une chèvre sur les genoux. Quand le temps le permet, elle passe ses journées dans les collines. Parfois, elle laisse les chèvres se balader dans les jardins de l'école. Elle dit qu'elles s'occupent des mauvaises herbes et des plantes prédatrices. À Watford, les plantes prédatrices peuvent te détruire, si elles en ont l'occasion. Elles sont magiques. Les chèvres, elles, ne le sont pas. Une fois, j'ai demandé à Ebb pourquoi la magie ne faisait pas de mal aux chèvres. « Ce sont des chèvres, Simon, elles peuvent tout avaler », m'a-t-elle répondu.

En m'approchant, je m'aperçois qu'Ebb a les yeux rouges. Elle les essuie avec la manche de son pull. C'est un vieux pull de Watford, dont le rouge s'est délavé en rose et qui est devenu marron autour du cou et aux poignets.

Si c'était quelqu'un d'autre, je m'inquiéterais. Mais Ebb a la larme facile. Elle est comme Bourriquet, un Bourriquet qui traînerait avec les chèvres plutôt que de laisser Winnie l'Ourson et Porcinet lui remonter le moral.

Pénélope, ça lui tape sur le système, cette dégoulinade lacrymale permanente. Moi, ça m'est égal. Le truc cool, avec Ebb, c'est qu'elle ne te dit jamais de regarder le bon côté des choses ou de prendre ton courage à deux mains. Ça fait du bien.

Je me laisse tomber dans l'herbe à côté d'elle et je caresse le dos de la chèvre.

— Qu'est-ce que tu fais là ? me demande-t-elle. Tu n'es pas à l'entraînement de foot ?

— Tu sais très bien que je ne fais pas partie de l'équipe.

Elle gratte la chèvre derrière les oreilles.

— Depuis quand ça t'empêche de jouer ?

— Je…

Elle renifle.

— Ça va ? je demande.

— Ouais…

Elle secoue la tête et ses cheveux volent autour d'elle. Ils sont blonds, sales et toujours coupés grossièrement à la hauteur du menton et au-dessus des sourcils.

— C'est à cause de cette époque de l'année, dit-elle.

— L'automne ?

— La rentrée. Ça me rappelle quand j'étais moi-même à Watford. On ne peut pas revenir en arrière, Simon. Jamais.

Elle s'essuie le nez avec sa manche, qu'elle frotte ensuite sur le pelage de la chèvre. J'évite de lui rappeler qu'elle n'a pas vraiment quitté Watford. Je ne veux pas me moquer d'elle. Au contraire : passer sa vie ici me semble idéal.

— Tout le monde n'est pas revenu, dis-je.

Elle se décompose.

— On a perdu quelqu'un ?

Son frère est mort quand ils étaient petits. Ce qui explique en partie sa mélancolie. Elle ne s'en est jamais remise. Je n'ai pas envie de remuer le couteau dans la plaie.

— Non, c'est Baz. Il n'est pas rentré.

— Ah… le jeune maître Pitch. Il va sûrement réapparaître. Sa mère attachait tellement de prix à l'école.

— C'est exactement ce que j'ai dit !

— Bah, c'est toi qui le connais le mieux, lâche-t-elle.

— C'est aussi ce que j'ai dit !

Elle hoche la tête en caressant sa chèvre.

— Quand je pense que vous n'arrêtiez pas de vous étriper…

— C'est toujours le cas.

Elle me dévisage d'un air sceptique. Elle a des petits yeux bleus, qui paraissent encore plus clairs par contraste avec son visage sale.

— Et quand tu dis « étriper »… il a quand même essayé de me tuer, Ebb.

— Sans succès. Et pas récemment, réplique-t-elle en haussant les épaules.

— Il a essayé trois fois ! Que je sache, en tout cas. Peu importe qu'il n'ait pas réussi, en fait.

— Ça compte tout de même un peu, me reprend-elle gentiment. Et il avait quel âge, la dernière fois ? Onze ans ? Douze ?

Je m'énerve.

— Ebb, il m'a haï avant même de me connaître !

— En effet.

— En effet ?!

— Ce que je veux dire, c'est qu'il y a longtemps que je n'ai pas eu à vous lancer un sort pour vous séparer tous les deux, c'est tout.

— Je ne vois pas l'intérêt de nous battre comme ça. Ça ne nous avance à rien. Et ça fait mal. J'imagine qu'on garde nos forces.

— Pour quoi ? demande-t-elle.

— Pour la fin.

— La fin de l'école ?

— La fin de tout. L'ultime bataille.

— Si je te comprends bien, tu penses qu'il ne revient pas pour que vous puissiez vous économiser ?

— Exactement !

— Bah, je n'y compterais pas trop, à ta place, dit-elle. Je pense qu'il va revenir. Sa mère a toujours privilégié une bonne éducation. Elle me manque, à cette époque de l'année...

Elle s'essuie encore les yeux, et je soupire. Parfois, avec Ebb, mieux vaut se contenter du silence. Et des chèvres.

Quatre semaines ont passé. Puis cinq, puis six.

J'ai cessé de guetter Baz en permanence. Maintenant, quand j'entends quelqu'un monter les marches qui conduisent à ma chambre, je sais que c'est Penny. Il m'arrive même de la laisser rester la nuit ici, dans le lit de Baz. A priori, pas de danger qu'il débarque et, fou de rage, lui jette un coup de feu. (L'Anathème du colocataire n'empêche pas qu'une tierce personne soit blessée dans la chambre.)

J'asticote Niall encore deux ou trois fois, mais il n'a pas l'air d'avoir la plus petite idée d'où se trouve Baz. En réalité, on dirait plutôt qu'il espère que moi je trouverai des réponses.

Je devrais parler de Baz au Mage. Mais je n'ai pas envie de le solliciter. J'ai peur qu'il n'ait toujours en tête l'idée de m'expédier quelque part.

Penny dit que ça ne rime à rien de l'éviter.

— Ce n'est pas comme si tu pouvais disparaître de ses radars.

Peut-être que si ? Mais ça aussi, ça m'embêterait.

D'une manière générale le Mage est très souvent absent, mais durant ce trimestre il n'a pratiquement pas mis les pieds à Watford. Et même quand il est là, il est toujours entouré de ses hommes. D'habitude, il me fait signe. Il me convoque dans son bureau, me donne des tâches à accomplir, me demande mon aide. À certains moments, je me dis qu'il a réellement besoin de mon aide – il peut avoir confiance en moi bien plus qu'en n'importe qui –, et à d'autres, j'ai l'impression qu'il est seulement en train de me tester. Pour voir de quel bois je suis fait. Pour me garder prêt.

Un jour, je suis en classe lorsque je l'aperçois qui marche seul en direction de la Tour qui pleure. Dès la fin du cours, je m'y rends.

C'est une haute tour en brique rouge. Un des plus anciens bâtiments de Watford, presque aussi vieux que la chapelle. On l'appelle la Tour qui pleure à cause de la vigne qui y pousse chaque été et dégringole depuis le sommet, et parce qu'elle penche de plus en plus au fil des ans, comme si elle s'affaissait sous le poids d'un incommensurable chagrin. Ebb dit de ne pas s'inquiéter : elle ne tombera pas, les sorts sont toujours là pour la soutenir.

Le réfectoire occupe tout le rez-de-chaussée de la tour. Au-dessus, il y a des salles de classe, des salles de réunion et des chambres de conjuration (là où on s'entraîne à convoquer les sorts). Le bureau du Mage et le sanctuaire sont situés au dernier étage.

Le Mage a en charge le suivi de l'intégralité du monde magique — au Royaume-Uni, en tout cas —, et chasser le Humdrum lui prend beaucoup de temps.

Le Humdrum n'attaque pas que moi, il fait bien pire. (Si j'étais le seul concerné, les autres magiciens m'auraient livré à lui depuis longtemps.) La première fois qu'il s'est montré, il y a presque vingt ans, des trous ont commencé à apparaître dans l'atmosphère de la magie. Comme si le Humdrum (chose ou créature) pouvait aspirer la magie d'un endroit, sans doute pour l'utiliser ensuite contre nous.

Aller dans une de ces zones mortes, c'est comme entrer dans une pièce sans air. Il n'y a rien, pas de magie ; même moi, je me dessèche, là-dedans. La plupart des magiciens ne le supportent pas. Ils sont tellement habitués à vivre avec la magie, à la sentir constamment, qu'ils pètent un câble quand ils ne l'ont plus. C'est comme ça que nous est venu le nom du monstre. Un des premiers magiciens à avoir affronté les trous les a décrits comme « une monotonie[1] insidieuse, une trivialité perfide qui s'insinue au plus profond de l'âme ».

Les zones mortes le demeurent pour toujours. Si tu t'en vas, tu récupères ta magie, mais elle ne revient jamais à cet endroit.

Des magiciens ont dû abandonner leur maison parce que le Humdrum avait fait disparaître la magie qui se trouvait en dessous.

Si jamais il venait à Watford, ce serait un désastre. Mais jusqu'ici, il s'est contenté d'y envoyer quelqu'un à ma poursuite.

Il peut facilement trouver des alliés. Ici, chaque créature maléfique rêve de voir s'effondrer les mages. Les vampires, les loups-sirènes, les démons, les banshees, les manticores, les gobelins, tous nous en veulent. Nous contrôlons la magie, eux

1. En anglais *humdrum* signifie « monotone ».

non. Cela nous permet de les maîtriser. Si ces créatures maléfiques parvenaient à leurs fins, le monde normal sombrerait dans le chaos. Elles traiteraient les gens ordinaires comme du bétail. Nous autres magiciens, nous avons besoin que les Normaux vivent leur vie normale sans que la magie les perturbe. Le succès de nos sortilèges dépend de leur capacité à s'exprimer librement.

C'est pour cela que les créatures maléfiques nous détestent.

Ce que je ne comprends toujours pas, c'est pourquoi le Humdrum m'a pris pour cible, moi en particulier. J'imagine que c'est parce que je suis le magicien le plus puissant. Je représente donc la plus grosse menace.

Le Mage m'a raconté que lorsqu'il est venu me chercher pour m'amener à Watford, il m'a repéré comme on repère une balise, à l'émanation de mon pouvoir, ou quelque chose du genre.

C'est peut-être comme ça que le Humdrum m'a trouvé, lui aussi.

Je monte l'escalier en colimaçon de la tour, qui débouche dans une grande salle circulaire. Le sceau de l'école est gravé sur une dalle de marbre au sol. Il est tellement poli qu'il en en paraît mouillé. Une grande fresque orne le plafond du dôme. Elle représente Merlin en train d'appeler la magie, les mains en porte-voix vers le ciel, la bouche ouverte.

Il y a deux portes. Le bureau du Mage se trouve derrière la grande porte voûtée, à gauche. La petite porte à droite, elle, ouvre sur le sanctuaire : sa chambre. Je frappe d'abord à son bureau. Pas de réponse. J'hésite à frapper à la porte de sa chambre, c'est tout de même son appartement privé. Je vais plutôt lui laisser un mot.

J'ouvre la porte de son bureau ; il est protégé, mais les protections savent non seulement qu'elles peuvent, mais qu'elles doivent me laisser entrer. J'avance doucement dans la pièce, au cas où je le dérangerais. Il fait sombre. Les rideaux sont tirés. Les murs sont couverts de livres, mais certains ouvrages ont été sortis des rayons et ils sont empilés un peu partout dans la pièce.

Je n'allume pas la lumière. J'aurais dû apporter du papier, je n'ai pas envie de fouiller sur la table du Mage. Ce n'est pas le genre de bureau où on peut voir traîner des post-it. J'attrape un gros stylo plume. Il y a quelques feuilles éparses, des listes de dates. J'en retourne une et j'écris dessus :

> *Monsieur,*
> *J'aimerais vous parler quand vous aurez un moment. De tout. De mon colocataire.*

J'ajoute ensuite :

> *(T. Basilton Grimm-Pitch.)*

Je regrette aussitôt de l'avoir fait. Le Mage sait très bien qui partage ma chambre, évidemment. Ma formule donne juste l'impression que c'est signé Baz. Du coup, j'écris mon nom :

> *Simon*

— Simon, lance quelqu'un derrière moi.

Je sursaute, en laissant tomber le stylo.

Mlle Possibelf se tient sur le pas de la porte.

Elle est notre professeur de Formules magiques et la responsable des élèves, un genre de proviseur, quoi, ou de conseillère d'éducation. C'est ma prof préférée. Elle n'est pas à proprement parler affectueuse, mais je pense qu'elle se soucie sincèrement de nous et, parfois, elle paraît plus humaine que le Mage. (Même si elle n'est pas vraiment humaine, à mon avis...) Elle voit plus facilement si tu es malade ou pas en forme.

— Mademoiselle Possibelf, dis-je, le Mage n'est pas dans son bureau.

— Je vois ça. Qu'est-ce que tu fais ici ?

— Je pensais qu'il serait peut-être là. Je voulais lui parler de deux ou trois choses.

— Il y était tout à l'heure, mais il est de nouveau parti.

Elle est grande, large d'épaules. Une longue tresse argentée lui tombe dans le dos. Elle est incroyablement gracieuse et, quand elle s'adresse à quelqu'un, sa voix résonne comme un carillon mélodieux.

— Tu peux me parler, propose-t-elle.

Elle n'entre toujours pas dans la pièce. Elle ne doit pas avoir la permission de franchir le seuil.

— Eh bien, c'est en partie au sujet de Baz, dis-je. Il n'est pas revenu à l'école.

— J'ai remarqué.

— Savez-vous s'il va revenir ?

Elle regarde sa baguette, une canne, et dessine un cercle avec sa main.

— Je n'en suis pas sûre.

— Avez-vous parlé à ses parents ?

Elle lève les yeux sur moi.

— C'est confidentiel.

Je hoche la tête et donne un coup de pied dans le bureau du Mage, puis je me rends compte de ce que je viens de faire. Je recule d'un pas en tortillant mes cheveux machinalement.

Mlle Possibelf s'éclaircit doucement la gorge. Même à l'autre bout de la pièce, c'est comme si quelque chose bourdonnait dans ma nuque.

— Je peux simplement te dire que la politique de l'école consiste à contacter les parents d'un élève quand celui-ci n'est pas revenu pour la rentrée…

— Donc vous avez parlé aux Pitch ?

Elle fronce les sourcils. Je ne vois presque plus ses yeux marron.

— Qu'espères-tu apprendre, Simon ?

Je baisse le bras, dépité.

— La vérité. Est-ce qu'il est parti ? Ou malade ? La guerre a-t-elle commencé ?

— La vérité…

J'attends qu'elle cligne des yeux. Même les magiciens le font.

— La vérité, c'est que je n'ai pas de réponses à tes questions. Ses parents ont été contactés. Ils savaient qu'il n'était pas à l'école mais n'en ont pas dit plus. M. Pitch est majeur, comme toi. En théorie, c'est un adulte. S'il ne fréquente plus cette école, je ne suis pas responsable de son destin.

— Mais vous ne pouvez pas faire comme si de rien n'était quand un élève ne revient pas ! Et s'il tramait quelque chose ?

— C'est au Conseil des sorciers de s'en inquiéter, pas à la conseillère d'éducation.

— Si Baz est en train d'organiser une insurrection, cela doit tous nous préoccuper.

Elle me dévisage. Je lève le menton et me campe sur mes deux pieds. (C'est mon geste habituel quand je ne sais pas quoi faire. Parce que s'il y a un truc où je suis bon, c'est bien pour donner le change…)

Mlle Possibelf ferme les yeux, j'ai l'impression qu'elle abandonne la partie. *Excellent.*

Puis elle me regarde de nouveau.

— Tu sais que je tiens à toi, Simon, et que je suis toujours franche avec toi. Mais je ne peux rien te dire de plus. Je ne sais pas où est Basilton. Peut-être est-il réellement en train d'organiser quelque chose de terrible. J'espère que non, pour lui et pour toi. Tout ce que je sais, c'est que quand j'ai parlé à son père, il ne m'a pas paru étonné et il semblait mal à l'aise. Il était au courant que son fils n'était pas à l'école et il n'avait pas l'air de s'en réjouir. Tu veux mon avis, Simon ? Il m'a fait l'effet d'être au bout du rouleau.

Je pouffe en hochant la tête.

— C'est tout ce que je sais, répète-t-elle. Au cas où j'en apprendrais davantage, et si on m'y autorise, je te préviendrai.

J'acquiesce à nouveau.

— Maintenant, tu devrais aller déjeuner.

— Merci, mademoiselle Possibelf.

Au moment où je passe devant elle, elle veut me retenir par le bras, mais je ne m'arrête pas. En fait, ça me fait bizarre, son espèce de sollicitude. J'entends la lourde porte en chêne se fermer derrière nous.

Arrivé au pied de la tour, au lieu d'aller déjeuner, je pars marcher. Bientôt je me mets à courir, et finis par mettre en pièces un arbre, à l'autre bout de la forêt.

Je n'en reviens pas que mon épée vienne quasiment toute seule quand je l'appelle.

17

SIMON

SI JE N'AI PLUS L'IMPRESSION QUE BAZ VA SURGIR à chaque instant, je continue malgré tout de le chercher.

Le soir, je vais me promener dans le bois de Wavering. Penny voit la tête que je fais et renonce à m'accompagner. Agatha passe son temps à travailler. Elle est à fond, cette année. Peut-être que son père lui a promis un nouveau cheval ?

J'ai toujours aimé les bois. Ils m'apaisent.

Au bout de quelques nuits, je me rends compte que je ne marche pas au hasard, sans but : je parcours tout le bois, comme pour le passer au peigne fin. Exactement comme nous l'avons fait l'année où Elspeth a disparu. Nous nous tenions tous par la main et nous avancions, les uns à côté des autres, en signalant les parcelles que nous avions examinées. Cette fois, je fais le marquage dans ma tête et je donne de grands coups d'épée pour couper les branches. Si je continue comme ça, je vais décimer toute la forêt.

Je ne trouve rien. Et j'effraie les esprits. Il y a même une dryade qui sort pour me dire, en gros, que je ne suis qu'un sale massacreur de forêts.

— Que cherches-tu ? demandé la nymphe qui continue de flotter en l'air, alors que je lui ai expliqué que ça me fichait la trouille.

Ses cheveux sont comme de la mousse et elle a le même look que ces filles dans les mangas : bottes victoriennes et parapluie.

— Baz, dis-je. Mon colocataire.

— Celui qui est mort ? Avec des beaux yeux ?

— Oui.

Baz est-il vraiment mort ? Je ne l'avais jamais envisagé. C'est un vampire, quand même. Enfin, je crois.

— Attends, tu es en train de me dire qu'il est mort ? dis-je. Pour de bon ?

— Tous les buveurs de sang sont morts.

— Tu l'as *vu* boire du sang ?

Elle me regarde. Mon épée est plantée dans le sol, à côté de mon pied.

— Qu'est-ce que tu cherches, l'Élu ?

Elle a l'air énervée, maintenant. Elle pose son parapluie vert sur son épaule.

— Mon colocataire. Baz. Le buveur de sang.

— Il n'est pas là, dit-elle.

— Tu es sûre ?

— Plus que toi.

Avec un soupir, j'enfonce mon épée plus profondément dans la terre.

— Bah… moi je ne suis sûr de rien, dis-je.

— Tu consumes ta bonne volonté, ici, magicien.

— Combien de fois devrai-je sauver cette forêt pour gagner votre confiance ?

— Ça ne sert à rien de la sauver si c'est pour la détruire.

— Je cherche mon colocataire.

— Ton ennemi, rétorque-t-elle.

Sa peau est gris-marron, striée et rugueuse comme l'écorce, et ses yeux brillent comme les champignons qui poussent au fond des bois.

— Peu importe ce qu'il est, tu sais de qui je parle. Comment peux-tu être sûre qu'il n'est pas ici ?

La dryade penche la tête en arrière, comme pour écouter les arbres dans son dos. À chacun de ses gestes, on dirait qu'une brise légère souffle dans les branches.

— Il n'est pas ici, répète-t-elle. Sauf s'il se cache.

— Évidemment qu'il se cache ! Il est planqué quelque part !

— Si *nous* ne pouvons pas le voir, magicien, tu ne le peux pas non plus.

Je prends mon épée et la glisse contre ma hanche.

— Tu me diras, si tu entends quelque chose ?

— Probablement pas, répond-elle.

— Tu es impossible.

— Je suis improbable.

— C'est important, dis-je. Une personne très dangereuse a disparu.

— Elle ne l'est pas pour moi, réplique-t-elle. Ni pour mes sœurs. Nous ne saignons pas. Nous ne jouons pas au jeu mesquin du toujours plus.

— Tu as peut-être oublié que les Pitch sont les porteurs de feu, précisé-je en montrant tout ce bois inflammable, derrière elle.

Elle redresse la tête. Son sourire s'envole. Elle change son parapluie d'épaule.

— Bon, siffle-t-elle.

— C'est-à-dire ?

— Si nous voyons ton beau buveur de sang, nous lui dirons que tu le cherches.

— Non. Pas ça.

— Nous le dirons à Doré, alors.

— Doré… C'est qui, Doré ?

Elle se gratte le nez et secoue ses cheveux mousseux. Des fleurs s'ouvrent.

— Alors, c'est qui ? je demande.

— Ton Doré. Son Doré. Ton pistil et stigmate.

— Tu veux dire Agatha ?

— La sœur aux cheveux dorés.

— Tu préviendras Agatha si tu vois Baz ?

— Oui.

Son parapluie tournoie.

— Nous la trouvons paisible, ajoute-t-elle.

Je pousse un soupir et me frotte le front.

— Je vous ai sauvées au moins trois fois. Toute la forêt. Tu le sais, non ?

— Que cherches-tu, l'Élu ?

— Rien.

Je lève les mains en l'air et fais volte-face. Je balance un coup de pied dans un arbuste.

— Rien ! je crie.

Il n'arrive jamais rien de bon dans ce satané bois.

J'arpente la forêt.

Et les champs.

Entre les cours, je sillonne les terrains de l'école, passant une tête dans les bâtiments vides, poussant les portes fermées depuis longtemps. Les espaces intérieurs, à Watford, semblent parfois plus vastes que l'ensemble des terres du domaine. Il y a des pièces clandestines. Des passages secrets. Des parties entières de bâtiments si bien cachées qu'il faut lancer le bon sort pour les révéler.

Il existe un étage en plus entre le premier et le second étage du Cloître. (Penny l'appelle « le supplément ».) C'est un écho de l'étage supérieur. Les mêmes choses s'y produisent, un jour plus tard.

Il y a des douves sous les douves. Des labyrinthes sous les collines. Et trois portes camouflées. Je n'ai réussi à en ouvrir qu'une.

Parfois, j'ai le sentiment de passer ma vie à chercher le plan ou la clé qui donnerait tout son sens à Watford, le Monde des Mages complet. Mais je ne trouve que des pièces du puzzle.

Comme si j'étais dans une chambre noire, avec une faible lumière qui ne me permettrait d'éclairer que d'infimes parties de la pièce.

J'ai passé la plus grande partie de ma cinquième année à errer dans les catacombes, sous la chapelle Blanche, à la recherche de Baz. La chapelle est au beau milieu de Watford. C'est le bâtiment le plus ancien. Personne ne sait si, au début, Watford était une école ou autre chose. Peut-être était-ce une abbaye magique ? Ou un centre de mages ? C'est ce que j'aimerais croire. J'imagine une ville fortifiée avec des magiciens qui vivraient là au grand jour. Une communauté vouée à la magie.

Les catacombes sont situées sous la chapelle et aux alentours. Il doit y avoir plusieurs accès, mais je n'en connais qu'un.

Un soir après dîner, en cinquième année, j'ai vu Baz se diriger vers la chapelle. J'ai pensé que c'était pour préparer un complot. Je l'ai suivi discrètement et je suis entré après lui dans la chapelle, par les immenses portes qui ne sont jamais fermées. Je me suis faufilé derrière l'autel, j'ai traversé le sanctuaire et le coin des Poètes. J'ai ensuite franchi la porte dérobée qui mène aux catacombes.

Franchement, c'est flippant. Agatha n'a jamais voulu descendre avec moi et Pénélope ne m'a accompagné qu'une fois, quand elle était encore convaincue que Baz mijotait quelque chose. Elle a arrêté d'y croire en cinquième année. Elle a également cessé d'assister avec moi aux matches de foot où jouait Baz, et d'attendre dans le couloir, devant la salle où il prenait ses leçons de violon.

Moi, je ne pouvais pas abandonner alors que tous les indices concordaient. Le sang sur les manches de Baz. Le fait qu'il voyait dans le noir. (Le soir, il revenait dans la chambre et mettait son pyjama sans allumer la lumière.) Et enfin, j'avais trouvé un tas de rats morts dans la cave de la chapelle, tout aplatis et pressés comme des citrons.

Le jour où je m'étais retrouvé face à lui, j'étais seul. Au fin fond des catacombes, dans *le Tombeau des enfants*[1]. Baz était assis dans un coin, des monceaux de crânes entassés autour de lui.

— Tu m'as trouvé, a-t-il dit.

J'avais déjà dégainé mon épée.

— Je savais que je te trouverais.

— Et maintenant ?

Il ne s'est même pas levé. Il s'est contenté d'épousseter son pantalon gris et de s'adosser contre les ossements.

— Maintenant, tu vas me dire ce que tu es en train de préparer, ai-je répondu.

Ça l'a fait rire. Cette année-là, Baz se moquait constamment de moi, mais là, il avait moins d'entrain. Malgré les torches qui projetaient une lumière orangée dans la pièce, il était blafard.

J'ai écarté les pieds et redressé les épaules pour affirmer ma position.

— Ils sont morts de la peste, a-t-il lâché.

— Qui ?

Il a levé la main, j'ai reculé d'un pas. D'un geste, il a désigné la pièce autour de nous.

— Eux, a-t-il répondu. *Les enfants.*

Une mèche de cheveux noirs est tombée sur son front.

— C'est pour ça que tu es ici ? Pour chercher la peste ?

Il m'a regardé fixement. J'avais beau avoir le même âge que lui, seize ans, j'avais l'impression de n'en avoir que cinq. C'était toujours pareil : à côté de lui, je me sentais comme un petit garçon qui ne le rattraperait jamais. Comme s'il était né en sachant déjà tout sur le Monde des Mages, son monde. Inscrit dans son ADN.

— Oui, Snow. Je suis ici pour retrouver la bactérie de la peste. Je vais la faire bouillir dans un bécher et infecter toute la ville.

1. En français dans le texte.

J'ai empoigné mon épée. Il a eu un air las.

— Qu'est-ce que tu as l'intention de faire ? ai-je questionné en brandissant mon arme.

— Rester.

— Mais oui, c'est ça… J'ai enfin réussi à t'attraper, après tous ces mois. Maintenant, tu vas m'expliquer ce que tu comptes faire.

— La plupart des élèves sont morts, a-t-il dit.

— Stop ! Arrête d'essayer de me distraire.

— Ils ont renvoyé chez eux ceux qui allaient bien. Mon arrière-grand-oncle était le directeur, il est resté pour soigner les malades et les mourants. Son crâne se trouve également ici. Tu pourrais peut-être m'aider à le chercher ? On m'a dit que j'ai hérité de son front aristocratique.

— Je ne t'écoute pas.

— La magie ne les a pas sauvés, a poursuivi Baz.

J'ai serré les dents.

— Il n'existait pas encore de sort contre la peste, à l'époque. Et ils n'avaient pas de formules suffisamment puissantes, dont le pouvoir était adapté à la menace.

J'ai avancé d'un pas.

— Qu'est-ce que tu fais là ? ai-je lancé.

Il a commencé à chantonner : « *Ring around the rosie / A pocket full of posies…* »

— Réponds-moi, Baz.

— « *Ashes, ashes*[1]… »

J'ai donné un coup d'épée dans les os à côté de moi. Les crânes ont sauté et roulé à travers la pièce. Il a ricané et s'est redressé pour attraper les crânes avec sa baguette. ***Tels que vous étiez !*** Les crânes ont tourné en l'air et se sont remis en tas.

---

1. « À la ronde, jolie ronde / Des bouquets plein la poche. Cendres, cendres… » Refrain d'une comptine qui se réfère à l'épidémie de peste noire au Moyen Âge.

— Un peu de respect, Snow, a-t-il dit sèchement avant de s'adosser de nouveau contre les ossements. Qu'est-ce que tu me veux ?

— Je veux savoir ce que tu prépares.

— Rien de plus que ce que je fais là.

— Rester dans un putain de tombeau avec une tonne d'os ?

— Ce ne sont pas juste des os. Ce sont des *élèves*. Et des profs. Tous ceux qui sont morts à Watford sont dans ce tombeau.

— Et donc ?

— Donc ? a-t-il répété.

J'ai poussé un grognement.

— Écoute, Snow…, a-t-il dit en se levant.

Il était plus grand que moi. Il l'a toujours été. Même après l'été où j'ai grandi de huit centimètres. Ce bâtard en a pris au moins dix.

— Tu m'as suivi, et tu m'as trouvé. C'est pas ma faute si tu ne sais toujours pas ce que tu cherches.

— Je sais ce que tu es, ai-je répliqué.

Il a plongé ses yeux dans les miens.

— Ton colocataire ?

J'ai secoué la tête et serré la poignée de mon épée.

Baz a fait un pas vers moi.

— Dis-le-moi, a-t-il lancé.

Je n'y arrivais pas.

— Vas-y, Snow, dis-moi, a-t-il insisté en s'approchant encore. Qu'est-ce que je suis ?

J'ai levé mon épée.

— Un vampire ! ai-je crié, si fort qu'il a dû sentir mon souffle lui balayer le visage.

Il a éclaté de rire.

— Vraiment ? Tu crois que je suis un vampire ? Voyons, par Aleister Crowley, qu'est-ce que tu comptes faire de ça ?

Il a sorti une flasque de sa veste et en a avalé une gorgée. J'ai baissé mon épée ; je ne savais pas qu'il buvait. Mais je me suis aussitôt ressaisi et remis en garde, prêt à me battre.

— Tu vas me la planter dans le cœur ? a-t-il demandé en se laissant retomber par terre, le bras étendu sur les crânes. Ou me décapiter ? Je te préviens, ça ne marche que si tu gardes ma tête séparée de mon corps. Et même comme ça, je peux encore marcher. Mon corps ne s'arrêtera pas avant d'avoir trouvé ma tête. Mieux vaut le bûcher, Snow. C'est la seule solution.

Je mourais d'envie de le couper en deux. Là, tout de suite. Le buter, enfin.

Mais j'ai pensé à Pénélope. « Comment sais-tu que c'est un vampire, Simon ? Tu l'as vu boire du sang ? Il t'a menacé ? Il a essayé de te mettre sous sa coupe ? »

Peut-être que oui ? C'est peut-être pour cela que je le suis depuis six mois ?

Et maintenant, je le tiens.

Il m'a nargué.

— Fais quelque chose. Sauve le monde, Snow, et sois le héros du jour. Ou de la nuit. Vite, avant que… Mmmh… Quelle chose atroce pourrais-je bien faire ? C'est trop tard pour ceux-là, ici. Il n'y a qu'à toi que je peux m'en prendre, non ? Mais je ne me sens pas d'humeur à te sucer le sang. Et si, sans faire exprès, je te *mutais* ? Que je faisais de toi un vampire ? Alors je me trimballerais pour toujours ton visage dévoué.

Il a secoué la tête et bu une nouvelle gorgée.

— Je ne pense pas qu'être un mort vivant te rendrait plus fort, Snow. Ça anéantirait ton caractère.

Il a ri de nouveau. Un rire éteint, sans joie. Puis il a fermé les yeux, comme s'il était épuisé. Il l'était, sans doute. Cela faisait des semaines que nous jouions au chat et à la souris dans les catacombes.

J'ai baissé mon épée et abandonné ma position de combat.

— Je n'ai rien à faire, ai-je dit. Je sais ce que tu es. Maintenant, je n'ai plus qu'à attendre que tu commettes une erreur.

Il a esquissé un sourire, sans ouvrir les yeux.

— Sérieusement, Snow ? C'est ça, ton plan ? Attendre que je tue quelqu'un ? Tu es le pire Élu jamais choisi.

— Va te faire foutre, ai-je lâché, ce qui, en général, signifiait que je ne savais plus comment argumenter.

Je me suis dirigé vers la sortie du tombeau. J'avais besoin de parler de tout ça avec Pénélope. Et de récupérer.

— Si j'avais su que c'était aussi facile de se débarrasser de toi, je t'aurais laissé m'attraper plus tôt ! a crié Baz dans mon dos.

J'ai marché vers la porte qui me menait à l'air libre, en espérant qu'il ne pourrait pas se transformer en chauve-souris pour me poursuivre. (Penny affirmait que c'était une légende. Mais quand même.)

Dix minutes plus tard, je l'entendais encore chantonner. « *Ashes, ashes / We all fall down*[1]. »

Je ne suis plus retourné dans les catacombes depuis cette nuit-là...

J'attends d'être sûr que tout le monde soit couché – et même endormi, j'espère –, puis je me glisse à pas de loup jusqu'à la chapelle Blanche.

Deux bustes montent la garde devant la porte dérobée, dans le coin des Poètes, en hommage aux plus célèbres poètes des mages, Lewis Carroll et Dr Seuss. J'ai des cordes en nylon, j'en attache une autour du cou de Lewis Carroll.

La porte – un panneau dans le mur – est toujours fermée et il n'y a pas de clé. Pour l'ouvrir, rien de plus simple : il suffit

1. Fin du refrain de la comptine : « Cendres, cendres / Nous tombons tous. »

128

d'en avoir sincèrement envie. Ce dont la plupart des gens sont incapables.

La porte s'ouvre d'un coup devant moi, et se ferme derrière. L'air est froid. J'allume une torche et je choisis un chemin. Tandis que je marche dans les tunnels tortueux des catacombes, je fais appel à tous les sortilèges que je connais pour cette situation. (*Sortez, où que vous soyez ! Il est temps de se montrer ! Scoubidou, où es-tu ?*) J'appelle aussi Baz par son nom complet, ça rend le sort plus efficace.

Les formules magiques sont rusées. Parfois, pour retrouver quelque chose, il faut utiliser le langage de l'époque de la disparition. D'autres fois, une formule ancienne cesse de marcher à partir du moment où le reste du monde en a assez de la dire.

Je n'ai jamais été très bon pour les formules. C'est en partie pour cela que je suis un magicien qui ne sert pas à grand-chose.

« Les mots ont beaucoup de pouvoir », a expliqué Mlle Possibelf lors de notre premier cours de Formules magiques. Les autres élèves ne prêtaient pas attention : elle ne disait rien de plus que ce qu'ils savaient déjà. Moi, j'essayais de tout mémoriser.

« Et plus on les dit, lit et écrit en les combinant de manière précise et pertinente, plus ils ont de pouvoir, a-t-elle poursuivi. La clé, pour réussir à lancer un sort, réside dans ce pouvoir. Il ne s'agit pas simplement de dire les mots, mais de convoquer leur sens. »

Autrement dit : pour faire de la magie, il faut connaître beaucoup de vocabulaire. Et pouvoir improviser. Et être suffisamment courageux pour parler fort. Et avoir l'oreille pour maîtriser les belles tournures de phrases.

Et c'est indispensable de vraiment comprendre ce que tu dis, la manière dont les mots deviennent magie.

Tu ne peux pas te contenter d'agiter la main en répétant ce que tu as entendu dans la rue. Ça, c'est le meilleur moyen pour faire une connerie sans le vouloir.

Rien ne m'est venu naturellement. Ni les mots. Ni le langage. Ni la manière d'énoncer. Je ne me souviens pas quand j'ai appris à parler, mais je sais qu'on a voulu m'envoyer chez un spécialiste. Apparemment, ça arrive aux enfants qui sont placés en foyer, ou qui ont des parents qui ne leur parlent pas. Ils ne savent pas comment faire, tout simplement.

J'ai consulté un thérapeute et un orthophoniste. « Sers-toi de tes mots, Simon. » Ça m'a rendu malade d'entendre ça. C'était tellement plus simple de prendre ce dont j'avais besoin sans demander. Ou de cogner celui qui me faisait du mal, même si c'était pour me faire taper dessus aussi sec.

Le premier mois, à Watford, je n'ai presque pas ouvert la bouche. C'était facile : comme tout le monde parle, ici, je passais inaperçu. Mais Mlle Possibelf et d'autres professeurs s'en sont rendu compte et m'ont donné des leçons particulières. Pour que je m'exprime à haute voix. Parfois, le Mage assistait au cours. Assis à une table, il se frottait la barbe et regardait par la fenêtre. « Sers-toi de tes mots ! » : je brûlais d'envie de lui balancer ça. À d'autres moments, j'avais peur qu'il ne m'annonce que, finalement, c'était une erreur de m'avoir amené ici.

Bref, je ne suis toujours pas très doué pour les formules, et je suis nul avec ma baguette magique, donc je m'en sors en mémorisant. J'y mets beaucoup de cœur, ça aide. Et quand je doute, je fais ce que Penny me dit.

J'avance dans les catacombes avec précaution en utilisant du mieux que je peux les sorts. Dans un couloir, je trouve une porte dérobée. Je la pousse et découvre dans une salle un coffre qui émet un grondement sourd. Il y a aussi une peinture représentant une fille blonde qui pleure ; les larmes coulent sur ses joues. On dirait un GIF animé. Plus jeune, je serais resté devant elle pour tenter de reconstituer son histoire. J'aurais transformé tout ça en une aventure.

Je continue de chercher Baz.

Ou un indice.

Chaque soir, quand j'arrive au bout de ma corde, je fais demi-tour.

18

LUCY

SAIS-TU QUE CES MURS ONT MILLE ANS ?

Des esprits s'y promènent, qui parlent une langue que plus personne ne comprend. Peu importe, j'imagine. Personne ne les entend.

Les murs sont les mêmes que quand je les longeais. La chapelle. La tour. Le pont-levis.

Les loups sont nouveaux. Les poissons-bêtes. Je me demande où Davy a pu les trouver. Quel sort a-t-il jeté pour les amener ici ? Et de quoi protègent-ils, selon lui ?

— Parano, répétait tout le temps Mitali. Il croit que tout le monde veut sa peau.

— Je pense que certains aimeraient le voir mort, en effet, ai-je répliqué.

— Parce que c'est un sale con, a-t-elle dit.

— Il s'inquiète trop.

— Pour lui-même ? Je suis bien d'accord.

— Pour tout. Il ne laisse rien passer.

— Tu l'as trop écouté, Lucy.

— Je me sens mal pour lui… Et si tu l'écoutais, tu comprendrais qu'il n'a pas tort. Pourquoi les lutins et les centaures qui ont du sang de mage n'ont-ils pas le droit de venir à Watford ?

Et pourquoi mon frère a-t-il dû rester à la maison ? Juste parce qu'il n'a pas de pouvoirs ?

— Ton frère est stupide, a-t-elle répondu. Tout ce qui compte, pour lui, c'est le groupe Deep Purple.

— Tu sais à quel point ça a blessé ma mère quand il a été rejeté. Il a une baguette magique et il ne sait même pas s'en servir. Mes parents ont failli divorcer à cause de cette histoire.

— Je sais, a soufflé Mitali d'un ton plus doux. Je suis désolée. Mais l'école n'est pas si grande que ça. Ils ne peuvent pas prendre tout le monde.

— On pourrait l'agrandir, c'est ce que dit Davy. Ou bien on pourrait construire une nouvelle école. Imagine : des écoles dans tous les pays pour tous ceux qui pratiquent la magie !

Elle a froncé les sourcils.

— Mais Watford, c'est ce qu'il y a de mieux. Le meilleur enseignement pour les magiciens les plus brillants.

— C'est ça, le truc de Watford ? Alors Davy a raison : c'est élitiste.

Mitali a soupiré.

— Davy dit que nous devenons plus faibles, ai-je ajouté. En tant que société. Il prétend que les créatures sauvages et maléfiques vont nous faire disparaître de la surface de la Terre pour s'approprier notre magie.

— Et il t'a dit qu'elles vivaient sous ton lit ?

— Je suis sérieuse, ai-je lancé.

— Je sais, a-t-elle lâché tristement. J'aurais préféré que tu ne penses pas ça. Et qu'est-ce que Davy attend de toi ? De nous ?

Je me suis penchée vers elle et j'ai murmuré ma réponse : « La révolution. »

J'ai erré.
Cherché le chemin qui me mènerait à toi.
Les murs sont les mêmes. Et la chapelle. Et la tour.

Les cravates sont plus fines. Les jupes plus courtes. Mais les couleurs sont les mêmes.

Je ne peux pas m'empêcher d'être fière de Davy, maintenant. Tu dois trouver ça drôle, venant de moi, mais je ne peux vraiment pas m'en empêcher.

Il a réussi sa révolution.

Il a ouvert ces portes à tous les enfants qui ont le don de la magie.

19

SIMON

C'EST UN PEU AVANT HALLOWEEN QUE JE PEUX
enfin parler au Mage.

Il m'appelle lui-même. Un rouge-gorge entre pendant le
cours de Grec et dépose un mot sur mon bureau. Le Mage a
souvent un ou deux oiseaux qui volent à ses côtés. Des rouges-
gorges, en général. Et aussi des roitelets et des moineaux.
(Comme Blanche-Neige.) Il préfère lancer : *Un petit oiseau
m'a dit !* plutôt que d'utiliser son portable.

À la fin du cours, je me dirige vers une dépendance adossée
au mur d'enceinte, au bout de la propriété. Des anciennes
étables y ont été transformées en garage et en caserne.

Ses Hommes sont dehors. Penny dit qu'elle apprécierait
davantage les Hommes du Mage s'il y avait quelques femmes.
Ils sont réunis autour d'un grand camion vert que je n'ai jamais
vu, un genre de véhicule militaire bâché. Un des Hommes
porte une boîte en métal. Chacun leur tour, ils tentent de la
prendre et voient leurs mains passer au travers.

— Simon, dit le Mage en sortant du garage.

Il passe son bras autour de mes épaules et m'éloigne du
camion.

— Te voilà.

— Je voulais venir immédiatement, monsieur, mais j'étais en cours. Et le Minotaure a dit que si ça avait été urgent vous auriez envoyé un oiseau plus gros.

Il fronce les sourcils.

— Ce sort ne marche pas avec les grands oiseaux.

— Je sais, monsieur. Je suis désolé. Il n'a rien voulu entendre.

— Bon…

Il me donne une tape sur l'épaule.

— Ce n'était pas urgent. Je souhaitais simplement te voir pour m'assurer que tout allait bien. Mlle Possibelf m'a parlé de l'attaque des insectes. Elle a dit que c'était le Humdrum.

Des pipelettes. En cours de Formules magiques. Une colonie entière de pipelettes. C'était la première fois que je voyais ça.

On les appelle des insectes parce qu'elles ont la taille d'un bourdon, mais elles sont plutôt comme des oiseaux. Une seule d'entre elles peut tuer un chien, une chèvre ou un griffon. À deux ou trois, elles peuvent faire tomber un magicien. Elles pénètrent dans les oreilles et bourdonnent si fort qu'on ne peut plus penser. On perd ses esprits, et ensuite elles s'introduisent dans le cerveau et c'est fichu.

En général, les pipelettes n'attaquent pas les gens. Mais la semaine dernière, elles sont entrées dans la classe par la fenêtre et m'ont assailli comme un nuage orange et vrombissant. Le pire, c'était ce sentiment atroce d'intense sécheresse qui accompagne toujours les attaques du Humdrum.

Tous les élèves sont partis en courant.

— Ça ressemblait au Humdrum, monsieur. Mais pourquoi enverrait-il des pipelettes ? Ça n'est pas une vraie menace.

— Pour toi, non, en effet.

Le Mage se frotte la barbe.

— Peut-être voulait-il simplement nous montrer qu'il est toujours là ? Quel sort leur as-tu lancé ?

— ***Mort en l'air !***

— Parfait, Simon.

— Je… je crois que j'ai tué d'autres choses, par la même occasion. Ebb a trouvé un faisan dans le champ. Et Rhys avait une perruche…

Le Mage lance un coup d'œil sur le rouge-gorge et me presse le bras.

— Tu as fait ce que tu devais. Et personne n'a été blessé. As-tu vu l'infirmière ?

— Je vais bien, monsieur.

Je me rapproche de lui.

— Monsieur… j'espérais… Je veux dire… avez-vous avancé avec le Humdrum ? Je vois les Hommes qui vont et viennent. Mais je… je pourrais aider. Pénélope et moi, nous pourrions aider.

Il enlève sa main de mon épaule et la pose sur sa hanche.

— Rien de nouveau sur ce front. Pas d'avancée, pas d'attaque. Rien de plus que le vide des trous que nous connaissons. J'en viens presque à souhaiter que le Humdrum se montre à nouveau…

Je frémis au souvenir de son visage. Le Mage poursuit :

— … pour rappeler à ces attardés contre qui nous nous battons.

Je jette un regard derrière nous. Pendant que nous parlons, les Hommes continuent de se passer la boîte.

— Vous avez eu mon mot, monsieur ?

Il fronce les sourcils.

— À propos du petit Pitch qui a disparu ?

— Oui, mon colocataire. Il n'est toujours pas revenu.

Le Mage se frotte la barbe avec son gant de cuir.

— Tu as raison de t'inquiéter, je pense. Les Anciennes Familles serrent les rangs, rappellent leurs fils à la maison, verrouillent leurs portes. Ils s'apprêtent à lancer un mouvement contre nous.

— Leurs fils ?

Il commence à énumérer des noms ; des garçons que je connais, mais pas très bien. En sixième, septième et huitième année.

— Mais les Familles savent bien que le Humdrum nous exterminera si nous ne restons pas solidaires, dis-je. Il est plus puissant que jamais.

— Cela fait peut-être partie de leur plan, lâche-t-il. J'ai renoncé à comprendre ces gens. Ils se préoccupent davantage de leur bien-être et de leur pouvoir que de notre monde. Parfois, je me dis qu'ils sont prêts à tout sacrifier pour me faire tomber…

— Comment puis-je aider, monsieur ?

— En étant prudent, Simon.

Il pose sa main sur mon bras et se tourne vers moi.

— Dans quelques heures, je repars. Et, compte tenu de cette nouvelle attaque, j'espérais pouvoir te convaincre de m'écouter. *Pars d'ici, Simon.* Laisse-moi t'emmener dans ce refuge dont je t'ai parlé, le plus loin possible du danger.

Je recule d'un pas.

— Mais ce n'étaient que des pipelettes, monsieur.

— Cette fois.

— Non, monsieur. Je suis bien, ici. En parfaite sécurité.

— Tu n'es jamais en sécurité ! lance-t-il, avec une telle intensité que ça sonne presque comme une menace. La sécurité, la stabilité, tout ça est illusoire. C'est un trompe-l'œil, Simon. Comme si tu montais sur un bateau qui coule au lieu d'apprendre à nager.

— Dans ce cas, autant rester ici !

J'ai parlé d'une voix trop forte : Stephen, un des Hommes du Mage, lève les yeux sur moi. Je baisse le ton.

— Si je ne suis nulle part en sécurité, je peux aussi bien rester ici. Avec mes amis. Mais je peux aussi me battre. *Je pourrais vous aider.*

Je soutiens son regard. J'y lis de la déception et de la pitié.

— Je sais, Simon. Mais la situation est très délicate. Pour l'instant…

Il ne finit pas sa phrase. C'est inutile, je comprends.

Le Mage n'a pas besoin d'une bombe.

On n'envoie pas de bombes sur une mission de reconnaissance, de même qu'on n'invite pas l'ennemi à une réunion stratégique. On attend d'avoir épuisé toutes les solutions, puis on lâche les bombes.

Je hoche la tête.

Puis je m'éloigne.

Je sens le regard de ses Hommes sur moi. Ils ont seulement un an ou deux de plus que moi. Je ne supporte pas qu'ils se croient plus âgés que moi et si importants. Je déteste les pantalons vert foncé qu'ils portent et les étoiles dorées sur leurs manches.

— Simon ! crie le Mage.

Je me ressaisis pour me composer un visage plus neutre avant de me retourner.

Il lève la main pour se protéger du soleil. Il m'adresse un sourire. Une esquisse de sourire.

— Le Humdrum est peut-être plus puissant que jamais, mais toi aussi. Ne l'oublie pas.

Je fais un signe de tête et le regarde regagner le garage.

Je suis en retard à mon rendez-vous avec Pénélope.

20

PÉNÉLOPE

NOUS ÉTUDIONS DEHORS, SUR LES COLLINES, même s'il fait froid, parce que Simon n'aime pas pratiquer quand tout le monde peut le voir.

Il porte son gros duffle-coat gris et une écharpe rayée verte, aux couleurs de l'école. J'aurais dû mettre un pantalon, le vent souffle fort et transperce mon collant.

C'est bientôt Samhain : le Voile retombera, et Tante Beryl n'a pas montré le bout de son nez.

— *C'est ce que c'est !* dit Simon en pointant sa baguette vers un petit rocher posé sur une souche.

La pierre se réduit en un tas de poussière.

— Je n'arrive pas à savoir si le sort marche ou si je ne fais que détruire les choses, lâche-t-il.

En huitième année, les élèves ont l'obligation de créer un sort avant la fin des cours. Ils peuvent inventer une nouvelle formule ou se servir d'une ancienne qui a été négligée et comprendre comment l'appliquer.

Les meilleurs sorts sont concrets et durables. Les phrases accrocheuses, en général, c'est pourri. Les gens en ont vite marre de les dire et ils passent à autre chose. (C'est mauvais pour les sorts qui, du coup, se périment au moment où on

143

commence à les maîtriser.) De la même manière, les chansons, c'est risqué.

La plupart des élèves de Watford ne parviennent pas à créer un sort qui s'installe dans la durée.

Ma mère, elle, n'était qu'en septième année quand elle a trouvé ***La femme ne change pas d'avis***[1] ***!*** et c'est, encore aujourd'hui, un sortilège extrêmement utile durant un combat, surtout pour les femmes. (Maman a un peu honte, je crois, qu'un de ses sorts soit enseigné dans les ateliers d'attaque des Mages.)

Depuis le début du trimestre, Simon essaie chaque semaine une nouvelle phrase. Il n'a pas le cœur à ça, et je ne peux pas lui en vouloir. Sa baguette magique peine même à sortir les sorts les plus courants et quand, parfois, il tente une métaphore, de façon vicieuse, la formule s'applique au pied de la lettre. Comme quand il a lancé ***Poils du chien !*** à Agatha, en sixième année, pour l'aider à se remettre d'une gueule de bois, et qu'elle s'est retrouvée couverte de poils. Je crois que c'est la dernière fois que Simon a pointé sa baguette vers quelqu'un. Et qu'Agatha a bu.

Il essuie la poussière et les cailloux de la souche et s'y assoit. Il range sa baguette dans sa poche.

— Baz n'est pas le seul à avoir disparu.

— Comment ça ? dis-je en dirigeant ma baguette vers les pièces d'un jeu d'échecs que j'ai disposées par terre. ***La partie est commencée !***

Le fou tombe.

J'essaie encore. ***La partie est en cours !***

Rien ne se passe.

— Cette phrase marche forcément pour quelque chose, dis-je. C'est Shakespeare *plus* Sherlock Holmes.

1. « *The lady's not for turning* » est une phrase célèbre de l'ancien Premier ministre britannique Margaret Thatcher.

— Le Mage m'a appris que les Anciennes Familles avaient retiré leurs fils de l'école, annonce Simon. Deux garçons de septième année ne sont pas revenus. Et le cousin de Baz, Marcus, est parti. Il était seulement en sixième année.

— C'est lequel, Marcus ?

— Musclé. Mèches blondes. Milieu de terrain.

Je hausse les épaules et ramasse les pièces du jeu d'échecs. Moi aussi, je suis assez au pied de la lettre, en ce moment, après avoir essayé beaucoup de choses avec cette phrase. J'ai l'impression que ça pourrait être un bon début pour un sort, comme un catalyseur…

— Il n'y a que des garçons, qui ne sont pas revenus ? je demande.

— Je sais pas. Le Mage n'a pas précisé.

— Il est trop sexiste, dis-je en secouant la tête. Marcus, c'est celui qui s'est fait enfermer dans un monte-plats quand on était en deuxième année ?

— Ouais.

— Et il aurait rejoint l'autre camp ? Dis donc, je suis morte de peur.

— Le Mage pense que les Familles se préparent à mener une grosse offensive.

— Et qu'est-ce qu'il veut que nous fassions ?

— Rien, a répondu Simon.

Je glisse les pièces du jeu dans ma poche.

— Comment ça ?

— Il veut toujours que je parte…

J'ai dû faire une drôle de tête. Simon hausse les sourcils et lâche :

— Je *sais*, Penny. Je ne vais nulle part. Mais si je reste ici, il veut que je sois discret. Que *nous* soyons discrets. Il dit que ses Hommes sont sur le coup et que c'est délicat.

— Mmmh…

Je m'assois sur la souche à côté de Simon. Je dois reconnaître que j'adore l'idée de rester en retrait et de laisser le Mage s'occuper de ses affaires de dingue sans nous, pour une fois. Ce que je n'aime pas, en revanche, c'est qu'on *m'oblige* à faire profil bas. Simon est comme moi.

— Tu crois que Baz est avec ces autres garçons ? je questionne.

— Ça semble logique, non ?

Je ne réponds rien. Je déteste évoquer Baz avec Simon : c'est comme parler du thé avec le Chapelier fou. Je déteste l'encourager.

Il arrache des morceaux d'écorce de l'arbre avec son talon.

Je me serre contre lui, parce que j'ai froid et qu'il a constamment chaud. Et parce que j'aime lui rappeler qu'il ne me fait pas peur.

— C'est logique, répète-t-il.

21

LE MAGE

DES LIVRES. DES OBJETS. DES BIJOUX ENCHANTÉS. Des meubles enchantés. Des pattes de singe et de lapin, des gnoses de gnome…

Nous prenons tout. Même si je sais que ça m'est inutile.

Cet exercice a un autre but : c'est important de montrer aux Anciennes Familles que je continue à gérer ce spectacle.

Cette école.

Ce royaume.

Et qu'aucun d'eux ne pourrait faire mieux.

Ils considèrent que j'ai échoué parce que le Humdrum continue de sévir : il nous vole notre magie, réduit nos terres. Mais qui, parmi eux, saurait le contrer ?

Peut-être que Natasha Grimm-Pitch aurait été capable de le remettre à sa place, mais elle est partie depuis longtemps et aucun de ses proches ne possède le centième de son talent.

J'envoie mes Hommes récupérer les trésors de mes ennemis, rafler ce qu'il y a dans leurs bibliothèques. Je leur prouve que même un gamin rouge de honte qui porte mon uniforme a plus de pouvoir qu'eux dans ce nouveau monde. Je leur indique ce que leurs noms valent : rien.

Néanmoins…

Je ne trouve pas ce dont j'ai besoin : de vraies réponses. Et je ne peux toujours pas le *réparer*, faire en sorte qu'il fonctionne à cent pour cent.

Le Mage Suprême est notre seul espoir.

Mais il est profondément vulnérable. Fêlé. Cassé.

Ce mage, c'est Simon Snow. Je le sais.

Jamais quelqu'un comme lui n'a foulé notre sol.

Mais Simon Snow – mon Simon – ne peut toujours pas exercer son pouvoir. Il ne parvient pas à le contrôler. Il est le seul vaisseau suffisamment fort pour tenir bon, sauf qu'il est *fendu*. Défaillant. C'est…

Encore un enfant.

Il doit exister une manière de l'aider, un sort, un charme, un envoûtement. Nous sommes des mages ! Les seules créatures magiques capables d'exercer et de façonner le pouvoir. Quelque part dans notre monde, il y a une réponse pour Simon. Un rituel. Une recette. Une rime.

Les prophéties ne fonctionnent pas ainsi.

Les histoires ne se déroulent pas de la sorte.

De manière incomplète.

S'il y a une fêlure en Simon, alors il existe un moyen de le réparer.

Et je le trouverai.

22

SIMON

JE N'AI PAS LA MOYENNE EN GREC. ET JE SUIS largué en Sciences politiques.

Agatha et moi, nous nous sommes disputés à propos des vacances. Je ne veux pas quitter Watford et je ne crois pas qu'elle ait vraiment envie que je vienne chez elle. Mais elle aimerait que je veuille. Un truc comme ça.

Je ne porte plus ma croix. Je l'ai rangée dans une boîte, sous mon lit. Mon cou me paraît plus léger, mais j'ai l'impression que ma tête est pleine de cailloux. Si seulement je pouvais dormir, ça m'aiderait. Je n'y arrive pas. Et, en vrai, je n'en ai pas besoin : entre les siestes et la magie, je m'en sors.

Je suis obligé de virer Penny de ma chambre pour qu'elle ne pige pas à quoi je passe mes nuits.

— Mais il n'y a personne dans le lit de Baz ! proteste-t-elle.

— Il n'y a personne non plus dans le tien.

— Mutine et Keris rapprochent les lits quand je ne suis pas là et il doit y avoir de la poussière de lutin partout.

— C'est pas mon problème, Penny.

— Mes problèmes sont les tiens aussi, Simon.

— Pourquoi ?

— Mais parce que tes problèmes sont aussi les miens !

— Va dans ta chambre.

— Simon, s'il te plaît.

— Vas-y. Ou tu vas être renvoyée.

— Seulement si je me fais prendre.

— *Vas-y* !

Quand enfin elle part, je fais de même.

J'ai laissé tomber les catacombes et, à la place, je hante les remparts. Je ne m'attends pas vraiment à y trouver Baz. Où se cacherait-il ? Mais au moins, je pourrai le voir arriver. En plus, j'adore le vent. Et les étoiles. Je ne peux jamais voir les étoiles, l'été : quelle que soit la ville où j'atterris, il y a toujours trop de lumière.

Je grimpe dans une tour de guet avec un abri sommaire à l'intérieur. Un banc et un toit, c'est parfait. J'observe les Hommes du Mage qui vont et viennent toute la nuit dans leur camion militaire. Parfois, je m'endors.

— Tu as l'air fatigué, me lance Penny au petit déjeuner.

(Des œufs au plat. Des champignons sautés. Des flageolets et du pudding.)

— Et aussi…, ajoute-t-elle en se penchant par-dessus la table, tu as une feuille dans les cheveux.

— Mmmh…

J'engloutis mon petit déjeuner. Si je me dépêche, j'aurai le temps de me resservir avant les cours.

Penny tend la main vers mes cheveux, jette un rapide coup d'œil sur Agatha, et fait marche arrière. Agatha a toujours été jalouse de Penny et moi, même si je lui ai répété un milliard de fois que ça n'avait rien à voir. (Et ça n'a *vraiment* rien à voir.)

Mais là, Agatha nous ignore. Encore. Depuis notre dispute, nous n'avons pas passé beaucoup de temps tous les deux. Pour être honnête, c'est plutôt un soulagement. Ça fait une personne de moins qui me demande si je vais bien.

Je pose ma main sur sa jambe et je la presse doucement. Elle se tourne vers moi et me sourit à peine.

— Bon, dit Penny, nous nous réunissons ce soir dans la chambre de Simon. Après le dîner.

— À quel sujet ? je demande.

— La stratégie ! murmure Penny.

Agatha réagit enfin.

— La stratégie pour quoi ?

— Pour tout, répond Pénélope. Le Humdrum. Les Anciennes Familles. Les Hommes du Mage. J'en ai assez de faire profil bas. Vous n'avez pas l'impression d'avoir été mis de côté ?

— Non, dit Agatha. Je trouve que nous devrions plutôt être reconnaissants de goûter un peu à la paix.

Penny soupire.

— C'est aussi ce que je pensais, mais j'ai peur qu'on nous ait endormis. Intentionnellement, je veux dire.

Agatha secoue la tête.

— Tu redoutes que quelqu'un nous souhaite d'être heureux et tranquilles ?

— Oui ! lâche Pénélope en agitant sa fourchette en l'air.

— N'importe quoi, dit Agatha.

— Nous devrions faire partie du plan, insiste Pénélope. Quel qu'il soit. Nous avons toujours fait partie des plans, même quand nous étions petits. Et nous sommes des adultes, maintenant. Pourquoi le Mage nous tient-il à l'écart ?

— Tu crois qu'il cherche à nous endormir ? demande Agatha. Ou bien le Humdrum ? Ou peut-être Baz, même ?

Son ton est ironique, mais Penny ne le remarque pas. Ou fait semblant.

— Oui, dit Penny en brandissant de nouveau sa fourchette. Tous ceux-là.

Je m'attends à ce qu'Agatha la contredise, mais elle se contente de secouer la tête, en posant un œuf sur sa tranche de pain grillé.

C'est un truc que j'aime vraiment chez Agatha. Et chez Penny. Tant qu'il y a de la nourriture, elles mangent. Tous les trois, nous avons été suffisamment enfermés dans des cellules et surveillés par des aigles pour savoir que quand on peut, on mange.

Je remets ma main sur la jambe d'Agatha. Elle n'a l'air ni heureuse ni tranquille. Elle fronce les sourcils, ses traits sont tirés. Je crois qu'elle n'est même pas maquillée.

— Tu sembles fatiguée, dis-je, honteux de m'en rendre compte seulement à l'instant.

Elle s'appuie contre moi quelques secondes, puis se redresse.

— Ça va, lâche-t-elle.

— Vous paraissez tous les deux fatigués, déclare Penny. Vous avez peut-être un syndrome post-traumatique ? Vous n'êtes probablement pas habitués à cette paix et à ce calme.

Je presse de nouveau la jambe d'Agatha, puis je me lève pour aller nous chercher encore des œufs, du pain et des champignons.

— *Endormis,* ajoute Penny.

23

PÉNÉLOPE

C'EST UN VOL DE CORNEILLES QUI LES A FAIT monter tous les deux ici. Agatha continue de se plaindre :

— C'est un pavillon pour *garçons*. Nous allons être *renvoyées*.

— Bah, le mal est fait, dis-je en m'asseyant au bureau de Simon. Qu'on se fasse prendre maintenant ou plus tard, qu'est-ce que ça change ? Autant rester.

— Vous ne serez pas attrapées, lâche Simon qui se laisse tomber sur son lit. Penny vient tout le temps ici en cachette.

Agatha n'a pas l'air ravie d'entendre ça. (Je ne relève pas. Si elle est assez stupide pour croire que Simon et moi éprouvons des sentiments l'un pour l'autre après toutes ces années, je ne vais pas perdre mon temps à la convaincre du contraire.) Elle s'installe le plus loin possible de nous deux, c'est-à-dire sur le lit de Baz. Puis elle se rend compte de ce qu'elle vient de faire et semble sur le point de se relever. Elle parcourt la pièce du regard, comme si Baz en personne allait sortir de la salle de bains. Simon paraît tout aussi parano.

Sérieux ? Ils font la paire.

— Je ne sais toujours pas pourquoi nous avons cette réunion, déclare Agatha.

— Pour mettre en commun ce qu'on sait, dis-je en regardant autour de moi. Ça serait plus facile si nous avions un tableau noir.

Je lève ma baguette et lance un *Tu vois ce que je veux dire !*. Puis je commence à écrire dans l'air : *Ce que nous savons*.

— Rien, lance Agatha. Réunion annulée.

Je l'ignore.

— D'après moi, il y a trois choses qui doivent toujours nous inquiéter.

Je continue d'écrire : *1. Le Humdrum.*

— Que savons-nous du Humdrum ? dis-je.

— Qu'il me ressemble, répond Simon pour me soutenir.

Agatha n'a pas l'air surprise par cette information. Simon a dû lui raconter ce qui s'est passé.

— Et qu'il veut quelque chose de moi, ajoute Simon. Et qu'il s'en prend à moi.

— Nous savons aussi qu'il s'est tenu tranquille ces derniers temps, j'enchaîne. Depuis juin, il n'y a eu que les pipelettes.

Agatha croise les bras.

— Mais il est toujours dans les parages et il continue de dévorer la magie, n'est-ce pas ?

— Oui, admets-je. Mais pas tant que ça. J'ai vu mon père, ce week-end, et il dit que les trous s'élargissent plus lentement que d'habitude.

J'ajoute ça à mes notes, dans l'air.

— Nous ne savons pas s'il la *dévore*, observe Simon. Nous ne savons pas ce qu'il fait avec la magie.

— Revenons à ce qui est certain, dis-je.

Et j'écris : *2. La guerre avec les Anciennes Familles.*

— Je n'appellerais pas ça une *guerre*, objecte Agatha.

— Mais il y a eu des accrochages, non ? réplique Simon. Et des duels.

Agatha riposte :

— Quand tu entres chez quelqu'un, tu dois t'attendre à des duels.

Simon et moi, nous nous tournons vers elle.

— Qu'est-ce que tu veux dire ? je demande.

— J'ai entendu ma mère parler à un ami du club, répond Agatha. Le Mage a fait des descentes dans les maisons des magiciens, il cherchait de la magie noire.

— Il est venu chez toi ? j'interroge.

— Il ne ferait pas ça, lâche Agatha. Mon père fait partie du Conseil.

— Quel genre de magie noire ? insiste Simon.

— Sans doute quelque chose qui puisse servir d'arme, dit Agatha.

— Tout peut être utilisé comme une arme, rétorque Simon.

J'ajoute à mes notes : *Descentes, magie noire, duels.*

— Nous sommes aussi au courant que les Anciennes Familles ont retiré de Watford certains de leurs fils, précise Simon.

— Ça peut être une coïncidence, dis-je. Nous devrions enquêter. Peut-être que les garçons sont simplement partis pour l'université ?

— Peut-être qu'ils en avaient assez d'être traités comme des méchants ? renchérit Agatha.

— Ils sont peut-être partis à l'armée ? suggère Simon.

J'écris : *Les alliés des Pitch quittent l'école.*

— Et Baz ? lance Simon, nerveux.

Agatha passe sa main sur le matelas.

— On va y arriver, dis-je. Pour l'instant, on se concentre sur ce qu'on sait.

Il insiste :

— Mlle Possibelf pense qu'il a disparu. Elle a dit que son père avait l'air inquiet.

Avec un soupir, j'ajoute une troisième colonne : *3. Baz.* Mais il n'y a rien à écrire en dessous.

— Je continue de croire que ça n'est pas une guerre, enchaîne Agatha. C'est juste politique. Comme dans le monde normal.

Le Mage a le pouvoir et les Anciennes Familles veulent le reprendre. Elles médisent, râlent, négocient et font des fêtes…

— Ça n'est pas que de la politique, la coupe Simon en se penchant vers elle. C'est le Bien et le Mal.

Elle lève les yeux au ciel.

— C'est aussi ce qu'ils prétendent, en face.

— C'est ce que dit Baz ? demande-t-il.

J'essaie d'intervenir :

— *Simon !*

— Il ne s'agit pas que de politique, répète-t-il. Mais du Bien et du Mal. Et de nos vies. Si les Anciennes Familles avaient eu gain de cause, je ne serais pas là. Ils ne m'auraient pas laissé entrer à Watford.

— Mais ça n'avait rien de personnel, Simon. C'est parce que tu es un Normal.

— Comment je peux être un Normal ? s'énerve-t-il en levant les mains. Je suis le magicien le plus puissant que le monde ait connu !

— Tu vois bien ce que je veux dire, répond Agatha qui semble sincère. Il n'y a jamais eu de Normal à Watford.

Elle a raison, mais j'ai l'impression qu'elle répète comme un perroquet les propos de quelqu'un d'autre et je me demande de qui.

— J'ai été désigné par une prophétie, argumente Simon, sur la défensive.

La venue de Simon a été prophétisée.

La venue de quelqu'un, en tout cas. À plusieurs reprises.

Le magicien le plus puissant jamais vu sur Terre arriverait pile au moment où le Monde des Mages aurait le plus besoin de lui.

Et Simon est apparu.

Le Humdrum consommait notre magie, le Mage et les Anciennes Familles s'étripaient, et soudain Simon a surgi. Il a

156

débarqué avec son immense pouvoir et, tel un éclair, a ranimé la flamme magique.

La plupart des magiciens se souviennent précisément où ils étaient ce jour-là. (Moi pas, mais je n'avais que onze ans.) Ma mère donnait une conférence. Elle a raconté que ç'avait été tout à coup comme si elle avait touché un fil électrique et que la décharge l'avait secouée de l'intérieur. De la magie brute et brûlante…

Encore aujourd'hui, on ressent sa magie de cette manière. Je ne le lui ai jamais dit comme ça, mais c'est horrible. Le simple fait d'être à côté de lui quand il explose est un véritable choc. Après, on a les muscles douloureux et les cheveux qui sentent la fumée.

Parfois, son pouvoir séduit d'autres magiciens. Ils le repèrent et veulent se rapprocher de lui. Mais dès l'instant où on est proche de Simon, on cesse d'être séduit…

Une fois, il a explosé en voulant nous protéger, Agatha et moi, d'un groupe de blaipets – c'est comme des blaireaux, mais en pire. Pendant une semaine, Agatha a été bourrée de tics et de tremblements. Elle a dit à Simon qu'elle avait la grippe, pour qu'il ne culpabilise pas. Mais en général, elle est moins tolérante que moi vis-à-vis de son pouvoir. Peut-être parce qu'elle n'en a pas autant que lui ? Ou que leurs magies sont incompatibles ? Ça arrive, même quand deux personnes sont amoureuses. Il y a cette vieille histoire, une tragédie, qui parle de deux amoureux : la magie de l'un a rendu l'autre folle…

Je ne crois pas que Simon et Agatha s'aiment.

Mais ça n'est pas à moi de le leur dire. (En plus, j'ai déjà essayé.)

Bref. Maman dit que quand le Mage a amené Simon à Watford, c'était comme s'il défiait tout le Monde des Mages : « Voilà le sauveur dont vous parlez depuis un siècle. »

Ceux qui n'y croyaient pas ne pouvaient pas le dire à haute voix. Et personne ne pouvait nier le pouvoir de Simon.

Ils ont essayé de le tenir à l'écart de Watford. Le Mage a dû le désigner comme étant son héritier pour le faire entrer à l'école, et dans le *Livre de la Magie*. Il y a encore beaucoup de gens qui ne l'acceptent pas, même parmi les alliés du Mage. « Il faut plus que de la magie pour faire un mage », a toujours dit Baz.

Bien que ça sonne comme une absurdité élitiste, d'une certaine manière, c'est vrai.

Les licornes ont de la magie. Les vampires aussi. Les numptys[1], les presque-loups… Ils ont tous de la magie.

Mais tu n'es magicien que si tu contrôles la magie et que tu en parles la langue. Et Simon… Bah… Simon.

À présent, il se lève et se dirige vers la fenêtre. Il l'ouvre en grand et s'assoit sur le rebord. Sa baguette le gêne, il la sort de sa poche arrière et la lance sur son lit.

J'écris dans l'air : *4. Le Mage.*

— Donc nous savons que les Hommes du Mage font des descentes…, je reprends. Et tu n'as pas dit qu'ils déchargeaient des choses qu'ils mettaient dans les étables, Simon ? On pourrait faire un tour dans le coin, pour voir.

Il m'ignore, le regard perdu au loin.

— Agatha, qu'est-ce que tu as entendu d'autre, chez toi ? j'ajoute.

— Je ne sais pas, répond-elle en fronçant les sourcils et en tripotant sa jupe. Mon père a eu beaucoup de réunions du Conseil en urgence. Ma mère dit qu'ils ne peuvent plus se retrouver à la maison. Elle pense que nos voisins normaux ont des doutes.

— Dans ce cas, nous pouvons peut-être passer à la suite ? proposé-je. Qu'est-ce que nous ne savons pas ?

Alors que je dessine une nouvelle colonne, Agatha se lève et s'apprête à sortir.

1. En anglais, *numpty* signifie « idiot », « abruti ».

— Je dois aller travailler.

J'essaie de la retenir.

— Attends ! Si tu pars toute seule, tu vas te faire pincer.

Mais elle a déjà fermé la porte.

Simon souffle bruyamment et se passe la main dans les cheveux ; ses boucles restent en l'air.

— Je vais faire un tour, dit-il.

Il se dirige vers la porte, laissant sa baguette sur le lit.

Au fond de moi, j'espère qu'il part la retrouver, mais je ne crois pas que ça soit le cas.

Avec un soupir, je m'assois sur son lit et je regarde nos malheureuses listes. Avant de m'en aller, je lance mes mots par la fenêtre : ***Nettoie l'air !***.

24

AGATHA

JE NE SAIS PAS CE QUE J'ESPÈRE.

Qu'il m'aperçoive, sur le mur, les cheveux au vent et ma robe flottant autour de moi…

Et ensuite ?

Est-ce que cela signifiera quelque chose pour lui ?

De comprendre que je suis en train de l'attendre, en haut des remparts, et de me voir *vraiment*, pour la première fois. « Voilà la réponse », pensera-t-il. Et il dénouera mes rubans et les attachera autour de son bras, ou de sa taille. Qu'est-ce que cela pourra bien vouloir dire, par Morgane ?

Quelque chose.

De *nouveau*.

Je crois que Basil… pense à moi. Ou au moins, il *a pensé* à moi. Il m'a observée. Surtout quand j'étais avec Simon.

Je sais qu'il détestait ce que nous avions, Simon et moi. Il voulait la même chose. Je suis sûre qu'il aurait tout fait pour se mettre entre nous.

Il était toujours là, à nous interrompre. À chercher à m'éloigner de Simon, puis à me chercher tout court. À disparaître. À filer en douce.

Je suis parfois entrée dans son jeu, j'ai badiné avec lui. Je devrais m'estimer heureuse qu'il n'ait jamais surenchéri. Parce que ça n'était peut-être pas du badinage. Peut-être serais-je réellement partie avec Baz. Je l'ai bien suivi dans le bois, ce fameux jour. Je ne sais toujours pas à quoi je pensais.

Je veux dire : je sais qui est Baz. Ce qu'il est.

Je ne vais pas quitter Simon pour un vampire à l'ancienne. Mes parents me désavoueraient. Je ne sais même pas quelles en seraient les conséquences. Serais-je obligée de devenir un démon ? De verser du poison dans les verres des gens ? De ne lancer que des sorts maléfiques ? Ou simplement serais-je assise à côté d'un autre garçon à une autre table… ? Toujours belle, mais à l'autre bout de la pièce.

Je serais l'or de sa face obscure. Tous deux pâles comme la neige.

Peut-être que je n'aurais pas à être un démon ? Mais Baz n'aimerait pas que je sois gentille.

Et je vivrais peut-être éternellement.

Je marche sur les remparts, dans la nuit, vêtue d'une robe blanche et d'une longue cape qui descend jusqu'aux mollets. Le temps change. Je sens le froid me piquer les joues.

Comme je suis en hauteur, il me remarquera peut-être avant que je le voie.

Peut-être qu'il me voudra.

Et que je saurai ce que je veux, moi aussi.

25

LUCY

JE CONTINUE D'ESSAYER.
J'appelle encore.
Je sais que c'est chez toi, ici.

26

SIMON

QUAND JE L'APERÇOIS, SUR LES REMPARTS, JE crois d'abord que c'est un fantôme. Un Visiteur. Elle est pâle, une robe blanche et légère flotte autour d'elle. Ses cheveux clairs sont détachés, le vent les soulève. Mais tous ceux qui ont franchi le Voile portaient les vêtements dans lesquels ils étaient morts et non le stéréotype des habits de fantôme.

Je reconnais Agatha dans cette femme blanche seulement lorsqu'elle se tourne vers moi en sursautant. Elle a dû m'entendre appeler mon épée. J'interromps mon geste dès que je comprends que c'est elle.

— Ah, salut, dis-je. Je croyais que tu travaillais.

Je ne me sens plus en colère contre elle, maintenant que nous sommes dehors, à l'air frais, et que j'ai eu le temps de mettre mes idées au clair.

— Je travaillais, oui, répond-elle. Mais j'ai eu envie de me dégourdir les jambes.

— Moi aussi.

Je mens. De nouveau.

Ça n'est vraiment pas mon genre de mentir à mes amis ou de faire des cachotteries. C'est juste que… je ne peux pas leur raconter que je suis dehors en train de chercher Baz. Je ne tiens pas à discuter de lui avec Agatha, pour des raisons évidentes, et Pénélope ne veut absolument pas en entendre parler.

À la fin de notre cinquième année, Penny a décidé que je n'avais plus le droit de l'évoquer : « Sauf s'il constitue un danger évident et immédiat. »

— Tu ne peux pas râler chaque fois qu'il te tape sur le système, Simon. Sinon, tu vas passer ton temps à te plaindre.

— Tu le fais bien à propos de ta coloc.

— Pas en permanence.

— Presque…

— Bon, alors je te propose un truc : tu ne me parles plus de lui, sauf s'il constitue un danger évident et immédiat. Mieux encore : pas plus de dix pour cent de nos conversations.

— Je ne vais pas commencer à calculer chaque fois que je prononce le nom de Baz !

— Alors, dans le doute, tu évites de t'en plaindre tout le temps.

Elle continue à ne pas supporter ça. En attendant, j'avais raison, à propos de lui, cette année-là : il mijotait bel et bien quelque chose. Il faisait plus que rôder autour de nous avec sa carcasse de vampire.

Au printemps, il avait essayé de me voler ma voix. C'est ce qu'on peut faire de pire à un magicien ; plus grave, même, que de le tuer. Sans les paroles, il ne peut pas exercer sa magie. (D'une manière générale, en tout cas.)

Ça s'est passé dehors, sur la pelouse. À la tombée de la nuit, je l'ai repéré en train de se faufiler sur le pont-levis et je lui ai discrètement emboîté le pas. Je l'ai suivi jusqu'au portail principal. Là, il s'est arrêté et s'est tourné vers moi, très détendu, les mains dans les poches. Comme s'il avait compris depuis le début que j'étais derrière lui.

Je m'apprêtais à lui dire un truc, énervé, quand Philippa m'a rejoint en courant. Elle a lancé « Salut, Simon ! » de sa petite voix aiguë. Mais à peine a-t-elle prononcé mon nom qu'elle n'a plus su s'arrêter : sa voix stridente couinait horriblement, comme si elle déversait d'un seul coup une vie entière de mots.

Baz.

Il avait fait quelque chose. Je le savais.

Je l'ai vu dans son regard, quand Philippa s'est tue.

Philippa a été envoyée quelque part. Le Mage m'a dit qu'elle retrouverait sa voix, que ça n'était pas permanent. Mais elle n'est jamais revenue à Watford.

Je me demande si Baz se sent encore coupable. S'il l'a jamais été, même.

Lui aussi est parti, maintenant.

Quand je regarde de nouveau Agatha, je vois qu'elle tremble. Je défais les boutons de mon duffle-coat gris et je l'enlève.

— Tiens, dis-je.

— Non, ça va, répond-elle.

Je le lui tends quand même.

— Non, c'est bon. *Non*, Simon. Garde ton manteau.

Je n'ai pas envie de le remettre, alors je le plie sur mon avant-bras.

Je ne sais pas quoi dire.

Depuis la rentrée, c'est une des rares fois où nous nous retrouvons tous les deux, Agatha et moi. Je ne l'ai même pas encore embrassée. Je devrais probablement le faire…

J'approche ma main pour prendre la sienne. J'ai dû être un peu brusque car elle tressaille, l'air étonné. Sa main s'ouvre, et quelque chose en tombe. Je m'accroupis pour le ramasser avant que ça ne s'envole.

Un mouchoir.

Je comprends que c'est celui de Baz avant même de voir ses initiales brodées à côté de l'emblème des Pitch (des flammes, la lune, trois faucons). Je sais que c'est le sien parce qu'il est la seule personne que je connaisse à avoir des mouchoirs en tissu, à l'ancienne. Il m'en a lancé un d'un geste ironique, la première fois qu'il m'a fait pleurer, en première année.

Alors qu'Agatha essaie de me le prendre, j'écarte vivement mon bras.

— Qu'est-ce que c'est ? dis-je en le tenant hors de sa portée. (Nous savons l'un et l'autre ce que c'est.) Tu... tu *l'attends* ? Tu le retrouves ici ? Il va venir ?

Ses yeux écarquillés brillent dans la nuit.

— Bien sûr que non.

— Et tu crois que je vais gober ça ? Alors que tu es là, son mouchoir à la main, visiblement en train de penser à lui ?

Elle croise les bras.

— Tu n'as aucune idée de ce que je pense.

— En effet, Agatha. Je ne sais vraiment pas. C'est ici que tu viens tous les soirs ? Après nous avoir dit que tu vas travailler ?

— Simon...

— ***Réponds-moi !***

Ça a fusé comme un ordre. Des mots imprégnés de magie, alors qu'ils n'en sont pas. Ça n'est ni une formule ni un sort. Le sort qu'on utilise pour obliger à être honnête, c'est ***La vérité, toute la vérité et rien que la vérité !***. Je ne m'en suis jamais servi. C'est un sort de niveau avancé, dont l'usage est réglementé. Malgré cela, je vois le visage d'Agatha se crisper, comme sous l'effet d'une contrainte.

— Non ! dis-je en mettant autant de magie que possible dans ma voix. ***Tu n'es pas obligée !***

À présent, c'est un air dédaigneux, presque dégoûté, qu'elle affiche. Elle s'éloigne de moi.

— Je ne voulais pas faire ça, dis-je. Agatha !

Perdu, je lève les mains en l'air avant d'ajouter :

— Mais qu'est-ce que tu fais ici ?

— Et si j'étais vraiment en train d'attendre Baz ? lance-t-elle méchamment.

Sa cruauté m'anéantit.

— Pourquoi ferais-tu ça ?

Elle se tourne vers le mur de pierre.

— Je ne sais pas, Simon.

— Est-ce que tu l'attends ?

Ses cheveux flottent dans le vent.

— Non, répond-elle. Je ne l'attends pas. Je n'ai aucune raison de croire qu'il va venir.

— Mais tu aimerais.

Elle hausse les épaules.

— Qu'est-ce qui t'arrive, Agatha ? dis-je en m'efforçant de contrôler ma voix. C'est un monstre. Un vrai.

— Nous sommes tous des monstres, réplique-t-elle.

Sous entendu : surtout *toi*, Simon.

J'essaie de neutraliser la colère qui me démange.

— Tu m'as trompé ? Avec Baz ? Tu es avec lui ?

— Non.

— Tu en as envie ?

Elle soupire et se penche vers les grosses pierres du mur.

— Je ne sais pas.

— Tu n'as rien d'autre à me dire ? « Je suis désolée », par exemple ? Tu n'as pas envie que les choses s'arrangent ?

Elle me lance un regard sans se redresser.

— Les choses ? Tu veux dire notre relation, Simon ?

Elle se retourne pour me faire face.

— C'est quoi, notre relation ? Je dois juste être là quand tu as besoin de quelqu'un pour t'accompagner à une soirée ? Et pleurer de joie chaque fois que tu échappes à la mort ? Si c'est ça, je peux continuer à le faire. Même si nous ne sommes plus ensemble.

Les bras croisés, elle lève la tête, son menton tremble légèrement.

— Tu es ma copine, Agatha, dis-je.

— Non. C'est Pénélope.

— Tu es…

Elle baisse les bras.

— Je suis quoi, Simon, exactement ?

Je me passe la main dans les cheveux, la mâchoire crispée, et je lance :

— Tu es mon avenir !

Les larmes coulent sur son visage tendu. Elle est toujours aussi ravissante.

— C'est ce que je souhaite être, à ton avis ? demande-t-elle.

— Moi, c'est ce que je souhaite.

— Ce que tu veux, surtout, c'est : « Tout est bien qui finit bien. »

— Par Merlin, Agatha ! Pas toi ?

— Non, pas moi ! C'est *maintenant* que je veux être quelqu'un, pas dans un futur hypothétique. Je ne veux pas être juste une récompense.

— Tu mélanges tout, Agatha. Tu dresses un tableau horrible.

Elle hausse les épaules.

— Peut-être.

— Agatha…

Je tends la main vers elle. Pas celle avec le mouchoir de Baz.

— On peut surmonter ça.

— Probablement, lâche-t-elle. Mais je n'en ai pas envie.

Sa réponse me pétrifie. Je suis tétanisé, incapable de réfléchir ou de parler.

Elle ne peut pas me quitter. Pas pour *lui*, en plus. Évidemment, il serait trop content. Remporter cette victoire, il adorerait ça. Nom de Dieu, dire qu'il n'est même pas là pour savourer ce moment !

— Je t'aime, Agatha, dis-je finalement, avec l'espoir de changer le cours des choses.

Ces mots sont une formule magique à eux tout seuls. Je les répète :

— Je t'aime.

Elle ferme les yeux pour ne pas me voir, détourne la tête.

— Je t'aime aussi, Simon. C'est pour ça que j'ai accepté tout ça pendant si longtemps.

— Tu ne peux pas me quitter pour *lui*.

Elle me dévisage, une fois de plus.

— Ça n'est pas pour Baz. Il est parti. Je n'ai simplement plus envie d'être avec toi, Simon. L'image romantique de nous deux chevauchant dans la lumière d'un coucher de soleil dans un futur lointain ne me fait pas rêver… Ça n'a rien d'heureux, pour moi.

Je ne discute pas davantage.

Je ne reste pas sur les remparts.

J'ai les joues en feu, ça n'est pas bon signe.

Je passe devant Agatha et me précipite vers l'escalier. Je dévale si vite les marches que j'en loupe une.

Et là, au lieu de dégringoler, c'est comme si je flottais au-dessus des marches ; comme si je tombais, sans vraiment tomber.

C'est la première fois que ça m'arrive, et c'est bizarre.

Je prononce une formule pour prévenir Penny, puis une autre formule pour l'annuler, mais je cours quand même vers le Cloître car je ne veux pas retourner dans ma chambre vide, le pont-levis est levé et je ne sais pas où aller.

Debout sous la fenêtre de Penny, je pense au fait que j'aurais pu tout simplement l'appeler si le Mage n'avait pas interdit les portables à Watford, il y a deux ans.

Le visage me brûle toujours.

J'essaie d'évacuer la magie, quelques étincelles atterrissent sur les feuilles sèches, au-dessus de moi. Je les élimine.

Je me demande si Agatha est toujours sur les remparts. Je n'arrive pas à croire ce qu'elle m'a dit. L'idée qu'elle est peut-être possédée me traverse même la tête pendant quelques instants. Mais elle n'avait pas les yeux noirs. (L'étaient-ils ? Il faisait trop sombre pour voir.)

Elle ne peut pas me plaquer comme ça. Impossible.

Nous sommes faits l'un pour l'autre. Nous allons bien ensemble.

Nous sommes un but en soi. (Si j'en ai un.) (Tu es obligé de faire comme si tu poursuivais un objectif suprême. Sinon, tu n'avances pas.)

Les parents d'Agatha m'apprécient. Ils m'aiment, même. Son père m'appelle « fils ». Pas dans le sens « Tu es comme un fils pour moi », mais « Comment vas-tu, mon fils ? ». Comme si j'étais le genre de mec qui peut être le fils de quelqu'un…

Sa mère, elle, me répète que je suis beau. C'est la seule chose qu'elle m'ait jamais dite : « Tu es vraiment beau, Simon. » Que dirait-elle à Baz ? « Tu es vraiment beau, Basil. S'il te plaît, ne massacre pas ma famille avec tes horribles canines. »

Le père d'Agatha, le Dr Wellbelove, déteste les Pitch. Il les trouve cruels et élitistes. Il raconte qu'ils ont essayé d'écarter son grand-père de Watford simplement parce qu'il avait un cheveu sur la langue.

Merde, je ne peux pas… Juste, je… je ne peux pas.

Je m'appuie contre un arbre, les mains sur les cuisses. Je laisse tomber ma tête et la magie me traverse aussitôt. Je regarde mes pieds. C'est comme si je n'avais plus de limites. Comme si mes contours s'étaient effacés.

Je dois absolument arranger ça. Moi et Agatha.

Je suis prêt à lui promettre tout ce qu'elle veut.

Je tuerai Baz, pour qu'il sorte du jeu.

Je le lui dirai. Je la ferai changer d'avis. Comment peut-elle prétendre que les dénouements heureux n'existent pas ? C'est le sens de ma vie. Le happy end, c'est le moment où les choses commencent, pour moi.

Il faut que j'arrange ça.

— Ça va, Simon ?

C'est Rhys, dans son fauteuil roulant. Il vient de la bibliothèque.

— Salut. Oui, ça va.

Non, ça ne va pas. Je suis tout rouge. Je crois même que je pleure. Est-ce qu'il se rend compte, lui aussi, que mes contours sont effacés ? Il se dépêche de passer devant moi. Je le laisse prendre de l'avance, avant de le suivre. Direction : le pavillon Mummers.

Je dois dormir pour évacuer tout ça.

Je préfère attendre que mon pouvoir se calme : inutile de mettre le feu à mon lit.

Et demain, je règle le problème.

27

SIMON

CETTE FOIS, JE NE DORS PAS QUAND LES BRUITS résonnent.

Je suis allongé sur mon lit, et je pense à Baz.

Qu'a-t-il dit à Agatha ? Que lui a-t-il promis ?

Peut-être qu'il n'a pas eu besoin de dire ni de promettre ? Être lui-même a dû suffire. Il est plus intelligent que moi. Plus beau. Plus riche. Bien meilleur connaisseur de chevaux ; il peut l'accompagner à tous ses concours, impeccablement vêtu, avec le bon costume et les chaussures qu'il faut. Il sait quelle cravate porter pour chacun des mois de l'année.

S'il n'était pas un vampire, cet enfoiré de Baz serait sacrément parfait.

Je roule sur le côté et j'enfouis mon visage dans l'oreiller. Il y a un craquement, puis un courant d'air froid. J'essaie de ne pas y prêter attention. J'ai déjà éprouvé cette sensation. *Il n'y a personne.* Ni aux fenêtres ni à la porte. Le froid s'insinue sous les draps. Je remonte la couverture et me tourne sur le dos…

Au bout de mon lit, je vois une femme.

Je la reconnais. C'est la même qui se tenait sur le rebord de la fenêtre, l'autre soir. Depuis, j'ai vu plusieurs Visiteurs, et je comprends maintenant qu'elle a franchi le Voile.

— *Tu n'es pas lui*, dit-elle.

Sa voix est sinistre et glaciale, elle parcourt ma peau et pénètre jusqu'au cœur de mes os.

Je veux convoquer mon épée, mais ne le fais pas.

— Qui êtes-vous ? je demande.

— *Je suis déjà venue. C'est chez lui. J'ai été appelée pour être ici. Mais il n'y a que toi…*

Elle est grande, porte des vêtements stricts, comme un notaire ou un professeur, et ses cheveux sont tirés en un chignon serré. Même si elle est translucide, je remarque que sa robe est rouge, sa peau foncée et ses yeux gris. Je la reconnais grâce à son portrait, dans le couloir qui mène au bureau du Mage…

Natasha Pitch, la précédente directrice de Watford.

— *Où est-il ?* s'enquiert-elle. *Où est mon fils ?*

— Je ne sais pas.

— *Lui as-tu fait du mal ?*

— Non.

— *Tu ne peux pas mentir à un mort.*

— Je ne le souhaite pas.

Elle lance sur le lit vide un regard infiniment triste, si malheureux que, à cet instant, je donnerais tout pour le lui ramener. (Pour qu'il revienne, même.)

— *Le Voile retombera bientôt. Vingt années vont s'écouler avant que je puisse revoir mon fils.*

Elle s'avance vers moi. Elle commence à s'estomper. C'est toujours comme ça : ils disparaissent. Pénélope dit qu'ils ne peuvent pas rester longtemps, deux minutes au plus.

— *Tu dois le faire*, lâche-t-elle.

— Faire quoi ?

Une telle froideur émane d'elle que sa proximité est difficile à supporter.

Elle tend les bras et agrippe mes épaules. Ses mains sont comme de la glace sur ma peau et son souffle comme du givre sur mon visage.

— *Parle à mon fils*, murmure-t-elle d'une voix intense. *Dis-lui que mon assassin court toujours. Nicodemus est au courant. Dis à Basilton de trouver Nico et de m'apporter la paix. Tu comprends ?*

— Oui. Trouver Nico…

— *Nicodemus. Dis-lui.*

— Je le ferai.

Une grande douleur passe sur son visage.

— *Mon fils*, soupire-t-elle, les yeux mouillés de larmes froides. *Donne-lui ça.*

Elle se penche vers moi et pose un baiser sur ma tempe. Personne ne m'a jamais embrassé à cet endroit. Personne ne m'a jamais embrassé ailleurs que sur la bouche.

— *Mon fils*, répète-t-elle dans un murmure qui résonne à mes oreilles comme un hurlement tandis qu'elle disparaît.

Après son départ, je reste étendu sur le lit, tremblant. La chambre est glaciale. Je devrais faire du feu, mais je n'ai pas envie d'ouvrir les yeux.

J'ai dû m'endormir car le froid m'a réveillé. Un souffle polaire, dans la nuit profonde. Comme si un nuage de givre flottait au-dessus de mon lit, s'infiltrait en moi, me caressait, me berçait.

— *Mon fils, mon fils*, entends-je.

Cette fois, il n'y a personne. Rien que ce froid, partout. La voix est plus aiguë et plus faible, un gémissement dans le vent.

— *Mon fils, mon fils. Mon garçon bouton de rose. Je ne voulais pas te laisser. Il m'a dit que nous étions des étoiles.*

— Je lui dirai. Je lui dirai !

Je crie. Je ne veux qu'une chose : qu'elle parte.

— *Simon… Mon garçon bouton de rose.*

Je ferme les yeux et je remonte la couverture. Mais le froid rôde sur moi, s'insinue en moi.

— Je lui dirai !

Je le ferai. Si Baz revient un jour.

28

SIMON

LE MATIN, J'AI TROP HÂTE DE QUITTER MA chambre. Je me précipite dehors avec la cravate dénouée autour du cou et mon pull jeté sur les épaules.

Hors de question de revenir. Je ne remets plus un pied ici tant qu'il y a tous ces fantômes. La mère de Baz n'a qu'à rester avec le lit vide de son fils, moi, j'en ai assez de l'avoir sous les yeux en permanence.

Il faut que je raconte à Penny ce qui s'est passé. Elle va être déçue que je n'aie pas bombardé le fantôme de questions. « Désolé pour votre fils qui a disparu, madame Pitch, mais puisqu'il n'est pas là, autant en profiter pour faire avancer la magie… »

Quand j'arrive, Penny a déjà apporté du thé et des tartines à notre table. Je prends une assiette de harengs fumés et des œufs brouillés.

— Faut qu'on parle, dis-je en me laissant tomber sur une chaise en face d'elle.

— Pas de problème. Je pensais être obligée de te faire cracher le morceau.

— Tu es déjà au courant ? Comment ?

— Je sais que *quelque chose* est arrivé : Agatha est dans son coin et elle ne me regarde même pas.

— Agatha ?

Je lève les yeux. Elle est assise toute seule, à l'autre bout du réfectoire, et elle lit un livre en mangeant ses céréales.

— Et donc ? demande Penny. C'est à cause du fait que j'ai dormi dans ta chambre ? Parce que si c'est ça, je peux aller lui parler.

— Non. Nous… avons rompu.

Alors qu'elle s'apprêtait à mordre dans une tartine, elle interrompt son geste et baisse son bras.

— Vous avez rompu ? Pourquoi ?

— Je ne sais pas… Je pense qu'elle est amoureuse de Baz.

Tout à coup, je me souviens. Je porte le même pantalon qu'hier. Je glisse ma main dans la poche et je sens son mouchoir.

— Ah ça, je m'en serais doutée. Je veux dire…

Je me penche vers elle.

— Comment ça, tu t'en serais doutée ? Du fait que ma petite amie tombe amoureuse de mon pire ennemi ? Une fille gentille, en plus, qui en pince pour ce mec qui est le diable incarné ?

— Bah… vous avez connu de meilleurs moments, non ? Ces derniers temps, on aurait plutôt dit que vous étiez ensemble pour la forme.

— Et me tromper avec Baz, c'était aussi pour la forme ?

— Elle t'a vraiment trompé ?

— Je ne sais pas.

Penny soupire. Comme si elle était désolée pour moi. Parfois, elle est vraiment condescendante.

— Agatha n'est pas réellement amoureuse de Baz. Elle cherche juste quelque chose qui la fasse vibrer. C'est romantique, d'être amoureuse d'un vampire mort.

— *Mort* ?

— Disparu, si tu préfères. Mais bien disparu…

Baz est-il mort ? Sa mère le saurait, si c'était le cas, non ? Elle l'aurait vu, derrière le Voile. Peut-être que la mort est un très vaste endroit ? (Sûrement, même.) Peut-être est-elle venu voir son fils ici car elle ne l'avait pas trouvé de l'autre côté ?

Je tapote mon œuf avec ma fourchette.

En fait, je n'ai jamais sérieusement envisagé que Baz puisse être mort. Pour moi, il était plutôt en train de se cacher pour comploter. Éventuellement kidnappé, ou blessé. Mais pas mort…

Il a décidé de me pourrir la vie jusqu'au bout.

Soudain, les portes du réfectoire s'ouvrent brusquement, comme si je l'avais commandé. Un air froid envahit la salle. Dehors, dans la cour, brille une forte lumière. Au début, nous ne parvenons qu'à distinguer une silhouette.

Depuis que l'école existe, c'est arrivé tant de fois que plus personne ne s'en inquiète. Pas même les petits.

La silhouette avance d'un pas. Aussitôt, je le reconnais.

Grand. Les cheveux bruns, le front dégagé. Un rictus méprisant sur les lèvres. Je connais ce visage par cœur, presque autant que le mien.

Baz.

Je me lève trop vite, ma chaise bascule en arrière. À l'autre bout du réfectoire, une tasse se brise sur le carrelage. Je jette un coup d'œil et j'aperçois Agatha qui est debout, elle aussi.

Baz se dirige vers nous.

Baz.

LIVRE DEUX

29

BAZ

C'EST UN PEU EXCESSIF D'UTILISER POUR UNE PORTE *Sésame, ouvre-toi !* mais je le fais quand même. Je sais que tout le monde sera dans le réfectoire, alors autant soigner mon entrée.

Je tenais à ce que ça se passe comme ça : faire un retour-surprise, sans rumeurs préalables.

Simon est le premier à réagir ; il saute sur ses pieds et renverse sa chaise. Je lutte pour ne pas lever les yeux au ciel. (J'ai du mal, aussi, à ne pas le regarder. Il est maigre. Et il a les traits tirés. Normalement, il aurait déjà dû reprendre du poids, à cette époque.)

Dev et Niall, heureusement, se conduisent comme si j'étais arrivé cinq minutes en retard au petit déjeuner, et non huit semaines après tout le monde. Dev donne un coup de coude à Niall, qui me lance un regard exaspéré avant d'enlever la théière de ma place. Cool, les gars.

Je m'approche du buffet et me remplis une assiette. Je fais comme si je n'étais pas mort de faim. (J'ai l'impression que je ne serai plus jamais rassasié.)

Snow est toujours debout. Sa copine la fouineuse tire sur sa manche pour qu'il se rassoie. Il devrait l'écouter. Oh, mais…

Qu'est-ce que ça veut dire ? Wellbelove ne figure pas dans ce charmant tableau ?

Je parcours la salle du regard, sans tourner la tête. La voilà, assise à l'autre bout du réfectoire (il y a de l'eau dans le gaz ?), en train de me dévisager. Ils sont tous là à me fixer, mais Wellbelove, c'est clair, attend quelque chose de ma part. Alors je le lui donne. Un long et doux regard. Elle en pensera ce qu'elle voudra.

Je m'assois à la table et Dev me verse une tasse de thé.

— Baz, lâche-t-il avec un vague sourire.

Je fais un signe de tête.

— Messieurs… Alors, qu'est-ce que j'ai raté ?

30

BAZ

SNOW SE LÈVE DE NOUVEAU QUAND J'ENTRE en cours de Grec. Sans même un regard dans sa direction, je tire ma chaise.

— C'est bon, Snow, je ne suis pas la reine d'Angleterre.

Il ne répond pas : il doit encore chercher une réplique pourrie. Sur ce terrain-là, il bat tout le monde. (« Mais ! Je ! Je veux dire ! Euh ! C'est juste que ! ») Pas étonnant qu'il n'arrive jamais à balancer un sort.

Quand il m'aperçoit, le Minotaure croise les bras en ricanant.

— Monsieur Pitch, lance-t-il, je vois que vous vous êtes décidé à vous joindre à nous.

— Oui, monsieur.

— Nous devrons discuter de votre programme de rattrapage.

— Bien sûr, monsieur. Même si, à mon avis, vous allez voir que je suis encore très en avance sur la classe. Ma mère a toujours souligné l'importance des devoirs de vacances en Grec et en Latin.

C'est agréable d'évoquer ma mère avec les autres professeurs. Ils se souviennent tous d'elle, et ça les calme direct. Quand ma mère était la directrice de Watford, le Minotaure travaillait dans la propriété. À cette époque, les créatures n'étaient pas autorisées à enseigner. Il n'a pas intérêt à se venger sur moi. Qu'ils essaient un peu, tous autant qu'ils sont, ces connards !

— Nous verrons cela, réplique-t-il en plissant ses yeux de vache.

Je ne raconte pas de craques. Le Grec n'est pas un problème pour moi, et ça ira aussi en Latin, en Élocution et en Formules magiques. Ça risque d'être plus compliqué en Sciences politiques. Tout dépend jusqu'où ils sont allés. Pareil pour l'Histoire et l'Astrologie.

Si je veux redevenir premier, je vais devoir me bouger sérieusement. Ça m'étonnerait que l'entraîneur, Mac, me laisse reprendre ma place dans l'équipe de foot.

Ils me lâcheraient peut-être un peu s'ils savaient que j'ai été kidnappé.

Sauf que je ne le dirai jamais. À personne.

Kidnappé. Par des numptys, en plus.

Les numptys sont comme les trolls, mais encore plus laids. Ils sont grands et bêtes, et ils ont toujours froid. Ils sont enroulés dans des couvertures et vêtus de chemises de nuit, quand ils peuvent. S'ils n'en ont pas, ils se couvrent de feuilles, de boue et de vieux journaux. La plupart du temps, ils vivent sous les ponts. Et ils sont juste assez malins pour te frapper à la tête avec une batte et te tirer ensuite dans leur taudis, à condition qu'ils en aient un.

Tante Fiona était effarée quand elle m'a trouvé dans l'antre des numptys. Pendant tout le trajet jusqu'à la maison, puis Watford, elle m'a fait la morale. Elle m'a obligé à m'asseoir à l'arrière de sa MG (une Glorious de 1967). « Le siège avant est réservé aux gens qui n'ont jamais été kidnappés par de satanés numptys. Nom de Dieu, Baz ! » (Tante Fiona aime bien jurer comme un Normal. Elle se prend pour une punk.)

Je pense qu'elle était à moitié dégoûtée par moi, à moitié soulagée de m'avoir retrouvé vivant.

Je suis resté coincé sous ce pont pendant six semaines, dans un cercueil. Le pire, c'est que je crois que ces numptys pourris ne cherchaient même pas à me faire du mal. Je suis sûr qu'ils ont pensé que c'était un traitement humain pour un vampire. Façon de parler. Ils m'ont même apporté du sang. (Je préfère ne pas savoir où ils l'ont trouvé.) En revanche, ils ne m'ont donné aucune nourriture. La plupart des gens ne se rendent pas compte que les vampires ont besoin des deux. Les gens y connaissent que dalle aux vampires...

Moi pareil, j'y connais que dalle aux vampires. On ne m'a pas donné de mode d'emploi quand j'ai été mordu.

Pendant les six semaines où ils m'ont gardé dans ce cercueil, chaque jour, les numptys m'ont passé du sang. (Dans un pichet en plastique avec une paille.) Même si je peux tenir sans manger plus longtemps que la plupart des individus, quand Fiona m'a récupéré, j'étais dans un sale état.

Heureusement, ma tante est une dure à cuire. Elle a mis le bazar chez les numptys avant de trouver mon cercueil, puis elle m'a bombardé de sorts guérisseurs. *Le plus tôt on se couche, le plus tôt on se lève !* a-t-elle répété. Ainsi que *Bon rétablissement !*

(Ça m'a rappelé le jour où j'ai été *muté* : Fiona et mon père n'arrêtaient pas de m'envoyer des sorts guérisseurs. Ils ont soigné la morsure et les blessures, mais n'ont rien pu faire contre le changement qui était déjà à l'œuvre en moi.)

Quand Fiona m'a aidé à sortir du cercueil, j'étais très faible.

— Ça va ? a-t-elle demandé.

— Faim. Soif.

Elle a donné un coup de pied dans un numpty mort. Une fois morts, ils ressemblent à d'énormes pierres, toutes grises et couvertes de boue.

— Tu peux boire un de ces machins ? a-t-elle questionné.

J'ai eu un sourire méprisant.

— Non.

Le sang des numptys est saumâtre, pas du tout potable. Ce qui explique pourquoi quelqu'un les a envoyés à ma poursuite.

— Je t'emmène au McDonald's, a-t-elle dit.

— À l'école, plutôt.

Elle m'a apporté trois Big Mac et j'ai englouti le premier en deux bouchées, qui sont remontées direct. Elle a arrêté la voiture pour que je puisse vomir sur le côté de la route.

— Tu es dans un état lamentable, Basil. Je te ramène à la maison.

— On est en septembre, emmène-moi à l'école.

— Nous sommes en octobre et je te raccompagne chez toi pour que tu puisses te reposer.

— Octobre ? Je veux aller à l'école, Fiona. Maintenant.

Je me suis essuyé la bouche sur ma chemise. J'avais encore ma tenue blanche de tennis – les numptys m'avaient coincé à l'extérieur du club. Mes vêtements étaient couverts de taches en tout genre, avec du vomi dessus en prime.

Elle a secoué la tête.

— L'école n'a plus d'importance, maintenant, mon p'tit. Nous sommes en pleine guerre.

— On est tout le temps en guerre. Ramène-moi à Watford. Si Pénélope Bunce finit l'année première de la classe, je suis foutu.

— Les choses ont changé, Baz. Tu as été kidnappé. Et tes ravisseurs exigeaient une rançon.

Je me suis appuyé contre sa voiture.

— C'est pour ça que les numptys ne m'ont pas tué ? Parce que vous avez payé une rançon ?

— Bien sûr que non ! Jamais les Pitch n'ont versé de rançon, et ça n'est pas demain la veille que nous commencerons.

— Mais je suis le seul héritier !

— C'est aussi ce qu'a prétendu ton père. Il voulait payer. Je lui ai dit que même si ma sœur était tombée bien bas en épousant un Grimm, je ne le laisserais pas nous humilier davantage. Ne le prends pas mal, Basil.

Elle m'a tendu un autre Big Mac.

— Essaie encore. Plus doucement.

J'ai mordu dedans.

— Pourquoi m'ont-ils kidnappé ? ai-je demandé la bouche pleine.

— Ils voulaient de l'argent. Et des baguettes magiques.

— Qu'est-ce que des numptys pourraient bien faire avec des baguettes magiques ?

— Rien ! La question, c'est : qui les a engagés ? Ou qui les a convaincus… ? Je ne sais pas comment on persuade des numptys d'exécuter un ordre. Peut-être en leur apportant des bouillottes ? Ils n'ont pas arrêté de nous appeler avec ton portable, jusqu'à ce qu'il rende l'âme. Ton père pense qu'ils t'ont d'abord capturé et qu'ensuite ils ont essayé de réfléchir à ce qu'ils pouvaient faire de toi. D'après moi, tout ça sent le Mage à plein nez. Ça ne lui a pas suffi de nous anéantir, il veut continuer à nous nuire, nous empêcher à tout prix de reprendre le pouvoir.

— Tu crois que c'est le Mage qui m'a fait kidnapper ? Le directeur de mon école ?

— Je pense qu'il est prêt à tout. Pas toi ?

Si, moi aussi. Mais comme Fiona met toujours tout sur le dos du Mage, j'ai parfois du mal à la prendre au sérieux. Même si elle vient de tuer pour me sauver.

À cet instant, j'avais surtout envie de m'allonger.

— Ah, tiens, a-t-elle dit.

Elle a attrapé dans son immense sac à main ma baguette en ivoire avec son étui en cuir et l'a rangée dans la poche de mon short. Je l'ai aussitôt sortie.

— C'est clair ? a-t-elle ajouté. Il est hors de question que tu retournes à l'école pour retomber entre les mains de cette ordure.

— Si, je veux y aller.

— Basilton !

Mon nom en entier. Les trois syllabes. Elle ne plaisantait pas.

— Il ne va pas me chercher des ennuis à l'école, au vu et au su de tout le monde, ai-je expliqué.

— Baz, sois sérieux. Il s'en prend de nouveau à notre famille.

— Je suis très sérieux. Je suis meilleur espion que soldat, c'est ce que les Familles ont toujours affirmé.

— On disait ça quand tu étais petit. Tu es un homme, à présent.

— Je suis un élève. À ton avis, que penserait ma mère si on me retirait de l'école ?

Fiona a soupiré en secouant la tête. Nous étions toujours sur le bord de la route. Elle m'a ouvert la portière de la voiture.

— Monte, espèce de sale manipulateur.

— Seulement si tu m'accompagnes à Watford.

— Je te conduis d'abord à la maison. Ton père et Daphné veulent te voir.

— Et ensuite à Watford.

Elle m'a poussé à l'intérieur.

— Nom de Dieu ! D'accord. Si tu en as encore envie.

J'ai retrouvé mon père. Ma belle-mère a fondu en larmes en me voyant. J'ai dormi douze heures d'affilée, protégé par une ribambelle de sorts guérisseurs.

J'ai passé quinze jours au lit.

Mais j'avais toujours envie de retourner à Watford.

Ils ont tous essayé de me convaincre de rester plus longtemps.

Même Vera, ma vieille nounou, a été envoyée au front pour tenter de me culpabiliser. (Vera est une Normale. Elle justifie toutes nos bizarreries en prétendant que nous faisons partie de la Mafia. Mon père lui envoie de l'innocence quand ça devient trop pour elle.)

Malgré tous ces efforts, au bout de deux semaines, j'ai quitté mon lit, j'ai fait ma valise, je suis sorti de la maison et je me suis installé sur le siège avant de la voiture de Fiona.

— Je la volerai s'il le faut ! ai-je crié. Ou je volerai un bus !

Pas question de ne pas retourner à l'école. C'était ma dernière année. La dernière dans ma chambre, en haut de la tourelle. La dernière sur le terrain. La dernière à torturer Snow avant que notre rivalité ne devienne permanente et moins amusante.

Mon ultime année à Watford, là où j'avais vu ma mère pour la dernière fois…

J'y retournais. Et plutôt deux fois qu'une.

Tante Fiona est sortie de la maison, dans ses grosses Doc Martens noires, et elle a ouvert la portière.

— À l'arrière, a-t-elle lancé. Le siège avant, c'est pour les gens qui n'ont pas été kidnappés par ces abrutis de numptys.

Pendant le cours de Grec, je sens le regard de Snow qui ne me lâche pas. Je le *sens* vraiment. Il est tellement perturbé que sa magie transpire de partout. Parfois, quand il est dans cet état, j'ai envie de le prendre à part : « Respire un bon coup, Snow. Laisse-toi aller un peu. Sinon tu vas de nouveau exploser. Et ça ne t'aidera pas à être moins inquiet. »

Pourtant, je ne le fais jamais. Lui parler. Essayer de le raisonner. Au contraire : je le cherche, jusqu'à ce qu'il pète les plombs. C'est ce qu'il sait faire de mieux, Snow. Il ne planifie pas, n'anticipe pas, il explose. C'est un putain d'abruti.

Quand ça lui arrive, il détruit tout ce qu'il y a autour de lui. Le Mage lui donne des couvertures et Snow éclate dans toutes les directions qu'il lui désigne. Je l'ai vu de mes yeux. Je dois même être celui qui l'a vu le plus souvent, après Pénélope Bunce. Au début, les contours de sa silhouette commencent à s'effacer, comme la traînée blanche d'un avion dans le ciel.

Ensuite les étincelles fusent autour de lui. La lumière se reflète dans ses cheveux, ses pupilles rétrécissent jusqu'à ce que ses yeux deviennent bleu foncé. En général, il sort son épée, et c'est là que les flammes jaillissent, autour de ses mains et de ses poignets, filant le long de la lame. Ça nourrit son mental. À ce moment-là, je crois que son cerveau clignote, et il se met à osciller. Puis le pouvoir sort de lui par vagues. Un raz-de-marée noir. Plus de pouvoir que nous tous réunis. Plus que nous ne pouvons l'imaginer. Ça déborde de lui comme une tasse sous les chutes du Niagara.

J'ai assisté de près au spectacle, juste à ses côtés. S'il sait que tu es là, Snow te protège. J'ignore comment il fait ça, et encore moins *pourquoi* il le fait. C'est plus fort que lui : il utilise ses dons pour protéger les autres.

Le Minotaure bavarde comme une pie. Il conjugue les verbes que je connais depuis que j'ai onze ans.

Je sens le regard de Snow sur ma nuque. Je peux humer sa magie. Son odeur de fumée. Son aspect poisseux. Comme du bois vert dans un feu de camp. Cette magie qui enivre et rend stupides ceux qui sont assis autour de nous. J'observe Bunce qui essaie de s'en débarrasser. Elle ne quitte pas Snow des yeux. Lui me fixe sans relâche.

Je tourne légèrement ma tête pour qu'il voie mon petit sourire.

31

SIMON

DÈS LA FIN DES COURS, JE RETOURNE DANS notre chambre. Baz n'y est pas. Ses vêtements sont rangés dans son armoire. Son lit est fait. Ses flacons et ses tubes sont de retour sur l'étagère de la salle de bains.

J'ouvre les fenêtres, malgré le froid polaire. J'ai eu trop chaud, aujourd'hui. Pénélope a dû me retenir, au petit déjeuner : j'ai failli me jeter sur Baz pour lui demander où il était passé. Je voulais… Je crois que je voulais simplement être sûr que c'était lui. Enfin… c'est lui, évidemment.

Baz est revenu.

Il est en vie. Aussi vivant que possible, en tout cas.

Il a une sale tête. Il est encore plus pâle que d'habitude. Plus maigre, aussi. Et quelque chose a changé dans sa manière de bouger. Comme s'il avait de grosses pierres attachées aux chevilles.

Je n'ai qu'une envie : le choper et ne plus le lâcher jusqu'à ce que je comprenne. Qu'est-ce qui s'est passé ? C'est quoi, son problème ? Où était-il ?

J'attends dans la chambre jusqu'au dîner, mais Baz ne revient pas. Au réfectoire, il m'ignore. Il ignore aussi Agatha. (Elle le regarde autant que moi, la différence c'est qu'elle n'a pas peur qu'il la tue.) Elle est assise seule à une table et je n'arrive pas à déterminer si ça me rend triste ou furieux. Je ne sais même pas ce que je suis censé éprouver vis-à-vis d'elle. Je suis incapable de réfléchir, pour l'instant.

— J'ai pensé qu'on pourrait travailler à la bibliothèque, ce soir, lâche Penny pendant le dîner, comme si de rien n'était, comme si elle ne voyait pas que je suis en train de fulminer.

— Il va bien falloir que je lui parle, à un moment donné, je grommelle.

— Non, inutile. En plus, depuis quand vous vous adressez la parole, tous les deux ?

— Je vais quand même devoir l'affronter.

Elle se penche au-dessus de sa tourte au fromage.

— C'est bien ce qui m'inquiète, Simon. Tu dois d'abord te calmer.

— Je suis calme.

— Simon, tu ne l'es jamais.

— Ça fait mal, Penny.

— Ça ne devrait pas. C'est une des raisons pour lesquelles je t'aime.

— Juste, je… J'ai besoin de savoir où il était.

— Il ne va sûrement pas te le raconter.

— Peut-être qu'il lâchera une info sans le vouloir. De toute façon, il n'a pas l'air d'être en état de me nuire. On a l'impression qu'il revient d'une prison pour terroristes.

— Peut-être a-t-il été malade ?

Merde, je n'avais pas pensé à ça. Dans tous les scénarios que j'ai imaginés, il était caché quelque part en train de préparer un complot. Peut-être qu'il tramait quelque chose en étant malade…

— Peu importe, ajoute Penny. Ce qui est sûr, c'est que se battre avec lui n'arrangera rien.

— Ça n'est pas mon intention.

— Si, Simon, je le sais. Chaque année c'est pareil. À la seconde où tu le vois. Mais je crois que, là, tu ne devrais rien tenter. Il s'est passé quelque chose. Un truc qui dépasse Baz. Le Mage a presque disparu et Premal est sur une mission secrète depuis des semaines. Ma mère dit qu'il ne répond plus à ses messages.

— Elle s'inquiète pour lui ?

— Toujours.

— Et toi ?

Penny baisse les yeux.

— Ouais.

— Désolé… Tu veux qu'on essaie de le trouver ?

Elle pose un regard sévère sur moi.

— Maman dit qu'il ne faut pas. Elle dit qu'on doit attendre et être vigilants. Je pense qu'elle et Papa essaient de se renseigner discrètement et elle ne veut pas qu'on attire l'attention sur eux. C'est pour ça qu'il faut que tu te calmes. Contente-toi de garder les yeux ouverts. Observe. Ne renverse pas de meubles et ne détruis personne.

— Tu répètes toujours ça, mais quand c'est eux ou nous, là tu me dis tout à coup de le faire.

— Je ne t'ai jamais demandé de *tuer*, Simon.

— Tu ne m'as pas trop laissé le choix.

— Je sais, admet-elle avec un sourire triste. Mais ne tue pas Baz ce soir.

— Non, ne t'inquiète pas.

Mais je devrai le faire un jour, nous le savons l'un et l'autre.

Après le dîner, Pénélope me laisse remonter dans ma chambre sans essayer de me suivre. Maintenant que Baz est revenu, elle est coincée avec Mutine et sa petite copine.

— C'est injuste, l'avantage qu'ont les gays ! se plaint-elle.

— Uniquement quand il s'agit de rendre visite aux colocs, dis-je.

Elle est assez honnête pour ne pas discuter davantage.

J'arrive en haut de l'escalier, tendu. Je ne sais toujours pas ce que je vais dire à Baz. La voix de Penny me répond dans la tête : « Rien. Tu fais tes devoirs et tu te couches. »

Comme si c'était facile.

Partager sa chambre avec la personne qu'on déteste le plus, ça revient à avoir une sirène en permanence dans les oreilles. (Celle des voitures de police.) Tu ne peux pas l'ignorer, et tu ne t'y habitues jamais. C'est douloureux. Toujours.

Baz et moi, nous avons passé sept ans à faire des grimaces et à grogner. (Lui les grimaces, moi les grognements.) Nous nous tenons à l'écart de la chambre quand nous savons que l'autre y est, et quand nous ne pouvons pas nous éviter, nous faisons tout notre possible pour que nos regards ne se croisent pas. Je ne lui adresse pas la parole. Et je ne parle pas devant lui. Je ne lui laisse rien repérer qu'il pourrait ensuite rapporter à sa salope de tante, Fiona.

Je n'aime pas traiter les femmes de salopes, d'habitude, mais la tante Fiona, un jour, m'a lancé un sort, figeant mes pieds dans la boue. Je sais que c'était elle, je l'ai entendue dire : **_Défends ton territoire !_**

Et deux fois, je l'ai surprise en train de se faufiler en cachette dans le bureau du Mage. « C'est le bureau de ma sœur, j'aime bien y retourner de temps en temps », a-t-elle dit.

Peut-être était-elle sincère. Mais peut-être aussi cherchait-elle à faire tomber le Mage. C'est ça, le problème avec les Pitch et leurs alliés : impossible de savoir s'ils sont en train de mijoter un coup ou s'ils se conduisent comme toi et moi.

Certaines années, j'ai pensé que je pourrais essayer de comprendre leur plan. (Cinquième année.) D'autres, je me suis dit que c'était suffisamment douloureux de vivre avec lui pour ne pas en plus devoir le surveiller. (L'an dernier.)

Les premiers temps, il n'y avait pas de stratégie ou de décision réfléchie. Simplement, on traînait dans les couloirs et, une ou deux fois par an, on se balançait des saloperies à la figure. J'avais demandé au Mage de changer de colocataire, mais ça ne marche pas comme ça. Le Pilori nous a désignés pour être ensemble dès le début.

En première année, c'est toujours comme ça. Le Mage organise un feu dans la cour, les plus grands aident et les petits se mettent en rond autour. Le Mage dresse le Pilori au milieu du feu – un authentique pilori, une relique qui date de la construction de l'école –, et il prononce des incantations. Ensuite, tout le monde attend que le fer qui est à l'intérieur fonde.

C'est la sensation la plus étrange que je connaisse, quand la magie commence à opérer sur toi. J'avais peur que ça ne marche pas avec moi, parce que j'étais un étranger. Tous les enfants ont commencé à aller les uns vers les autres, et moi, je ne sentais toujours rien. J'ai envisagé de faire semblant, mais je craignais de me faire prendre et renvoyer.

Et soudain, j'ai senti la magie, comme un crochet dans mon ventre. J'ai trébuché, puis regardé autour de moi. Baz venait dans ma direction. Avec un air super sympa. Comme s'il s'approchait de moi parce qu'il en avait envie et non parce qu'il sentait une attraction surnaturelle dans le bide.

La magie ne s'arrête que quand tu serres la main de ton nouveau colocataire. J'ai aussitôt tendu la mienne à Baz, mais lui est resté là sans bouger, aussi longtemps qu'il a tenu. Je ne sais pas comment il a pu résister à l'attraction. Moi, j'avais l'impression que mes intestins allaient jaillir hors de mon ventre et l'envelopper.

— Snow, a-t-il dit.

— Ouais, ai-je répondu en remuant ma main.

— L'héritier du Mage.

J'ai hoché la tête, mais à ce moment-là, je ne savais pas ce que ça signifiait. Le Mage m'avait désigné comme son héritier pour que je puisse avoir une place à Watford. C'est aussi pour cela que j'ai son épée. C'est une arme historique qui était donnée à l'héritier du Mage à l'époque où le titre se transmettait de génération en génération au sein d'une famille au lieu d'être soumis au vote du Conseil.

Le Mage m'a aussi donné une baguette magique – en ivoire, avec une poignée en bois, c'était celle de son père – pour que j'aie mon propre instrument de magie. Tu dois avoir la magie en toi et un outil pour l'appeler, c'est la condition de base pour Watford et pour être magicien. Chaque magicien hérite d'objets de sa famille. Baz a une baguette, comme moi. Les Pitch travaillent tous avec des baguettes. Penny, elle, a une bague. Et Gareth a une boucle de ceinture. (Ça n'est pas du tout pratique : quand il veut jeter un sort, il doit projeter son ventre en avant. Lui, il trouve ça génial, mais il est bien le seul.)

Pénélope pense que c'est en partie à cause de ma baguette d'occasion que je foire mes sorts, parce que je n'ai pas de lien de sang avec elle. Elle ne doit pas savoir comment s'y prendre avec moi. Après sept années passées dans le Monde des Mages, je continue de sortir d'abord mon épée. Au moins, je suis sûre qu'elle est là quand je l'appelle. Ma baguette vient aussi, mais une fois sur deux, elle ne réagit pas.

Bref. Quelques mois après que Baz et moi avons commencé à cohabiter, j'ai demandé au Mage de changer de colocataire. Il ne voulait pas en entendre parler, même s'il connaissait Baz et savait mieux que moi que les Pitch sont des traîtres et des serpents.

— Le rituel d'association des colocataires est une tradition sacrée de Watford, a-t-il dit d'une voix douce mais ferme. Le Pilori vous a mis ensemble, Simon. Vous devez prendre soin l'un de l'autre, vous connaître comme des frères.

— Oui, mais, monsieur…

J'étais assis dans l'énorme fauteuil en cuir de son bureau, celui qui a trois cornes au-dessus du dossier.

— … le Pilori a dû se tromper. Mon colocataire n'a que des mauvaises intentions. Il est le Mal. La semaine dernière, quelqu'un a lancé un sort à mon ordinateur pour le fermer, et je *sais* que c'était lui. Il gloussait.

Le Mage s'est assis à son bureau et s'est frotté la barbe.

— Le Pilori vous a associés, Simon. Tu es désigné pour prendre soin de lui.

Il a continué à me répéter la même chose jusqu'à ce que je renonce à lui demander. Il a même répondu non la fois où j'avais la preuve que Baz avait essayé de me donner en pâture à une chimère. Baz a avoué, mais s'est défendu en disant que le fait qu'il ait échoué était une punition suffisante. Et le Mage a été d'accord avec lui !

Parfois, je ne le comprends pas…

C'est seulement les derniers temps que je me suis rendu compte qu'il me laissait avec Baz pour mieux le contrôler. Ce qui signifie, j'espère – je le pense, en tout cas –, qu'il me fait confiance. Il estime que j'en suis capable.

Je décide de prendre une douche et de me raser pendant que Baz n'est pas là. Je ne me coupe que deux fois, c'est moins que d'habitude. Quand je sors, vêtu d'un bas de pyjama en flanelle, une serviette autour du cou, Baz est à côté de son lit, en train de déballer ses affaires. Il lève la tête, son visage est tendu. Comme si je lui avais déjà fait sa fête.

— Qu'est-ce que tu fabriques ? siffle-t-il entre ses dents.

— Je prends une douche. C'est quoi, ton problème ?

— Toi, lâche-t-il en jetant son sac par terre. C'est toujours toi.

— Salut, Baz. Bienvenue.

Il détourne le regard.

— Où est ton collier ? demande-t-il à voix basse.

— Mon quoi ?

Je ne vois pas son visage en entier, mais j'aperçois sa mâchoire qui se crispe.

— *Ta croix.*

Je touche mon cou, puis les petites coupures sur mon menton. Ma croix. Je l'ai enlevée il y a des semaines. Je me précipite vers mon lit pour la récupérer, mais je ne la mets pas. Je m'approche de Baz, assez près pour qu'il soit obligé de me regarder. Ce qu'il fait. La mâchoire serrée, la tête en arrière, puis sur le côté, comme s'il attendait que je fasse le premier geste.

Je brandis ma croix avec les deux mains. Je veux qu'il reconnaisse ce que c'est, ce que ça signifie. Puis je la lève au-dessus de ma tête et l'enfile doucement, les yeux rivés à ceux de Baz. Il soutient mon regard, je vois ses narines frémir.

Quand la croix est de nouveau autour de mon cou, il baisse les paupières et redresse les épaules.

— Où étais-tu ? je demande.

Il lève les yeux sur moi.

— C'est pas tes oignons.

Je sens la magie m'envahir, j'essaie de la calmer.

— Tu as vraiment une sale gueule, tu sais.

C'est encore pire, maintenant que je le vois de près. Comme s'il était recouvert d'une pellicule grisâtre. Même ses yeux, qui sont déjà gris – d'un gris d'eau profonde. Un mélange de bleu foncé et de vert foncé. Aujourd'hui, ils sont de la couleur de l'asphalte humide.

Il lâche un rire bref.

— Merci, Snow. Et toi tu ressembles à rien.

En effet. Grâce à lui. Comment pouvais-je manger et dormir en sachant qu'il était planqué quelque part en train de me préparer un sale coup ? Et maintenant qu'il est là, s'il continue à ne rien vouloir me dire d'intéressant, je pourrais l'étrangler pour ce qu'il m'a fait subir.

Ou bien… je pourrais faire mes devoirs.

C'est plutôt ce que je vais faire.

J'essaie. Je m'assois à mon bureau, tandis que Baz s'installe sur son lit. Il finit par s'en aller, sans avoir rien raconté, et je sais qu'il descend dans les catacombes pour chasser les rats. Ou qu'il va dans les bois traquer les écureuils.

Et je sais – même si je ne sais pas pourquoi – qu'après qu'il a tué et vidé de son sang un loup-sirène, son corps est rejeté sur la rive des douves. (Je déteste les loups-sirènes presque autant que lui. Je ne crois pas qu'ils soient intelligents, ils n'en sont pas moins diaboliques.)

Après le départ de Baz, je me couche. Mais je n'arrive pas à dormir. Il n'est revenu que depuis un jour et déjà j'éprouve le besoin de savoir où il est à chaque seconde. Comme en cinquième année.

Quand il finit par rentrer, puant la poussière et la décomposition, je ferme les yeux.

C'est là que je me souviens de sa mère.

32

BAZ

J'AI FAILLI MONTER DANS LE BUREAU DU MAGE, ce soir.

Juste pour que ma tante Fiona me fiche la paix. Elle m'a fait la morale pendant tout le trajet jusqu'à Watford. Elle est convaincue que le Mage va bientôt agir. D'après elle, il cherche quelque chose de précis. Visiblement, il fait la tournée de toutes les Anciennes Familles depuis deux mois. Des descentes, en réalité. Il se pointe dans sa Range Rover (1981, vert Warwick, magnifique) et prend le thé avec eux pendant que ses Hommes fouillent leurs bibliothèques en lançant des sorts de recherche.

« Le Mage prétend que l'un de nous travaille pour le Humdrum, a expliqué Fiona. Et que nous n'avons rien à cacher si nous avons la conscience tranquille. »

Elle n'a pas eu besoin de me préciser que, chez nous, il y avait *beaucoup* de choses à cacher. Nous ne collaborons pas avec le Humdrum – pourquoi un magicien le ferait-il ? –, mais notre maison est remplie de livres interdits et d'objets maléfiques. Même certains de nos livres de cuisine sont bannis. (Pourtant, ça fait des siècles que les Pitch n'ont pas mangé de fées. De toute manière, on n'en trouve plus. Et ça n'est pas parce que nous les avons toutes mangées.)

Fiona n'habite pas avec nous. Elle a un appartement à Londres et sort avec des Normaux. Des journalistes et des joueurs de tambour. « Je ne trahis pas ma famille, jamais je n'en épouserais un », dit-elle. Je pense qu'elle sort avec eux parce qu'ils ne font pas réel. Tout ça, c'est à cause de ma mère.

Mon père dit que Fiona était certaine que ma mère pouvait décrocher la lune. (À en croire mon père quand il parle d'elle, il est possible que ma mère ait réellement décroché la lune.) Quand ma mère est morte, Fiona était en apprentissage chez un phytothérapeute, à Pékin. Elle est rentrée pour l'enterrement et n'est jamais repartie. Elle est restée chez mon père jusqu'à ce qu'il se remarie, puis elle a déménagé à Londres. Elle vit grâce à la magie et à l'argent de la famille. Et pour venger sa sœur.

Mauvais plan.

Fiona est intelligente, et puissante, mais la joueuse d'échecs de la famille, c'était ma mère. Elle était destinée à l'excellence. (C'est ce que tout le monde dit.) Fiona est rancunière. Et impatiente. Parfois, elle a juste besoin de partir en vrille contre le système, même si elle ne sait pas exactement ce qu'est le système ni comment lutter efficacement contre lui.

Sa stratégie pour mettre au jour le complot du Mage, c'est que je me faufile dans le bureau du Mage. Elle est obsédée par cette pièce. C'était le bureau de ma mère et elle estime que le Mage devrait le lui rendre.

— Que je m'introduise dans son bureau pour faire quoi ? ai-je demandé.

— Fouiller.

— Qu'est-ce que je suis censé trouver ?

— Bah… je sais pas. Il a bien dû laisser des traces quelque part. Regarde dans son ordinateur.

— Il ne s'en sert même pas quand il est là. Il doit tout garder sur son téléphone.

— Alors vole-le-lui.

— Tu n'as qu'à le faire, ai-je répliqué. J'ai cours, moi.

Elle a dit qu'elle aurait bientôt une réunion avec les Anciennes Familles, un groupe constitué de ceux qui ont été laissés de côté après la révolution du Mage.

(Mon père aussi va à ces réunions, mais le cœur n'y est pas. Il préfère parler de cheptel magique ou de stock de graines d'archives. Les Grimm sont des fermiers. Ma mère devait être sacrément amoureuse pour l'épouser.)

Après sa mort, ceux qui ont eu le courage de s'opposer au coup d'État du Mage ont dû quitter le Conseil. Plus aucun membre des Anciennes Familles n'a pu siéger ces dix dernières années, alors que la plupart des réformes du Mage nous concernent.

Livres et formules censurés. Règlement sur quand et où nous pouvons nous réunir. Impôts pour couvrir les initiatives du Mage – la plupart servent à payer pour ces bâtards de faunes et leurs cousins centaures. Le Monde des Mages n'avait jamais eu d'impôts, avant. C'était réservé aux Normaux. Nous avions des principes.

On ne peut pas reprocher aux Anciennes Familles de boycotter le Mage quand elles le peuvent.

Bref. J'ai dit à Fiona que je le ferais. Que je monterais dans le bureau du Mage et que je fouillerais, même si c'était inutile.

— Prends quelque chose, a-t-elle dit en serrant son volant.

Comme j'étais assis à l'arrière, je ne voyais qu'une partie de son visage dans le rétroviseur.

— Prendre quoi ?

Elle a haussé les épaules.

— Peu importe. Tu prends, c'est tout.

— Je ne suis pas un voleur.

— Ça n'est pas voler. Ce bureau est à *elle*, donc à toi. Emporte quelque chose pour moi.

— Entendu.

Je finis presque toujours par accepter ce que Fiona me propose. La manière dont ma mère lui manque la maintient en vie pour moi, en quelque sorte.

Mais ce soir, je suis trop fatigué pour exécuter les ordres de Fiona. Trop nerveux, aussi. Je n'arrive pas à me défaire de l'impression d'être suivi. Que celui qui a payé les numptys pour m'enlever recommencera.

Une fois ma chasse terminée, je sors des catacombes ; j'ai la sensation de traîner mon propre cadavre en haut des marches de la tour. Quand j'entre dans notre chambre, Snow est endormi. Habituellement, je prends ma douche le matin et lui le soir. Notre ballet est parfaitement au point, après toutes ces années. Nous nous déplaçons dans la pièce sans nous toucher ni nous parler ni nous regarder. (Plus exactement : sans regarder l'autre quand il te surveille.) Mais ce soir, j'ai des toiles d'araignées dans les cheveux. Et j'avais tellement soif que je me suis mis du sang jusque sous les ongles en buvant.

Ça ne m'est pas arrivé depuis que j'ai quatorze ans – le moment où j'ai pris le coup. Normalement, je suis capable de vider un poney de polo sans même me mouiller les lèvres.

Je bouge tout doucement dans la chambre. Alors que, d'habitude, j'adore déranger Snow, ce soir, j'ai juste envie de me laver et de dormir. Je n'aurais pas dû suivre une journée complète de cours. Mes jambes sont comme du coton et ma tête est sur le point d'exploser. C'est peut-être mieux que Mac, l'entraîneur, ne me reprenne pas dans l'équipe de foot si je ne suis même pas capable de passer huit heures à une table. (Il avait l'air triste, quand je me suis pointé à l'entraînement. Et méfiant, aussi. Il a dit que je serais en période d'essai.)

Après une douche rapide, quand je m'allonge dans mon lit, je sens chacun de mes os grogner de soulagement. Par Crowley, ce lit m'a manqué ! Même s'il est plein de poussière et de bosses et qu'il a des plumes qui sortent et qui griffent les joues.

Ma chambre, chez moi, est hallucinante. Les meubles de la maison ont au moins cent ans et je ne peux rien accrocher ou déplacer parce que tout est enregistré auprès du Patrimoine national. Tous les deux ou trois ans, les journaux de la ville viennent visiter et écrivent des articles.

Mon lit, là-bas, est massif et chargé en ornements : quand on regarde de près, on voit qu'il y a quarante-deux gargouilles sculptées dans le bois. Mes parents avaient dû installer un escabeau au bout parce qu'il était trop haut pour que je puisse y monter tout seul.

Mais le lit de Watford est mon vrai lit, bien plus que l'autre.

Je roule sur le côté, face à Snow. Comme il dort, je peux l'observer autant que je veux. Je ne m'en prive pas. Même si je sais que ça ne me fait pas du bien. Il est recroquevillé sur lui-même : les genoux remontés, les poings glissés entre les jambes, le dos arrondi, la tête enfoncée entre les épaules, ses boucles étalées sur l'oreiller. Un rayon de lune tombe sur sa peau cuivrée.

Il n'y avait pas de lumière chez les numptys. Seulement une interminable nuit de souffrances, de bruit et de sang. J'ai l'impression d'être à moitié mort. Même quand je me balade et que je me sens plutôt bien, je ne suis pas vraiment là.

Lorsque j'étais dans le cercueil, je me suis retiré en moi. Je me suis laissé glisser. Pour ne pas devenir fou. Pour réussir à tenir le coup. Et au moment où je sentais que j'allais trop loin, je me raccrochais à la seule chose dont je suis toujours certain…

Les yeux bleus.

Les boucles cuivrées.

Le fait que Simon Snow est le magicien le plus puissant au monde. Que personne ne peut lui faire de mal. Même pas moi.

Que Simon Snow est vivant.

Et que je l'aime d'un amour désespéré.

33

BAZ

L'EXPRESSION QUI CONVIENT EST « SANS ESPOIR ».

Ça m'a sauté aux yeux quand j'ai compris que si j'arrivais un jour à buter Snow, c'est moi qui serais le plus malheureux. J'en ai pris conscience en cinquième année. Alors que Snow me suivait partout comme un petit chien. Il ne me laissait pas un instant de répit pour me permettre d'y voir clair dans mes sentiments, ou de les évacuer. (Ce que j'ai fini par essayer de faire cet été-là. En vain.)

J'aurais préféré ne jamais me rendre compte que je l'aime.

Ça ne m'apporte que souffrance.

Partager la chambre de la personne dont tu as le plus envie, c'est comme cohabiter avec le feu. Il t'attire sans cesse. Et tu t'approches trop. Tu sais pourtant qu'il ne faut pas, qu'il n'y a rien de bon à attendre de ça. Mais tu le fais.

Et alors…

Et alors, tu brûles.

Snow dit que je suis obsédé par le feu. J'ai envie de répondre : effet indésirable quand on est inflammable. Bien sûr, j'imagine que tout le monde peut s'enflammer, mais les vampires sont comme des torches. Comme du papier flash.

L'ironie, dans tout ça, c'est que je viens d'une longue lignée de magiciens du feu. Deux lignées, même : les Grimm et les

Pitch. Je suis excellent avec le feu. Tant que je reste à bonne distance.

Le comble de l'ironie, c'est que Simon Snow sent la fumée.

Snow pousse un grognement – il est hanté par des cauchemars, comme nous tous – et se tourne sur le dos. Son bras reste un moment tendu avant de retomber sur sa tête. Ses boucles ridicules sont étalées sur son oreiller. Il a les cheveux courts derrière et sur les côtés, mais au-dessus, c'est un gros paquet de boucles. Châtain doré. Même dans l'obscurité, je distingue leur couleur.

Je connais sa peau, aussi. Une autre nuance de doré, la plus claire. Il ne bronze pas, mais il a des taches de rousseur sur les épaules et des grains de beauté sur le dos, le torse, les jambes et les bras. Il en a aussi trois sur la joue droite, deux sous l'oreille gauche et un sous l'œil gauche.

Ça ne me fait pas de bien de savoir tout ça. Mais je ne suis pas sûr que ça soit pire, non plus. De toute manière, je ne vois pas comment ça pourrait l'être.

Les fenêtres sont ouvertes. Snow dort toute l'année comme ça, sauf si je pète un câble. Mais je préfère empiler les couvertures plutôt que de me plaindre. Je me suis habitué à sentir leur poids sur moi.

Je suis fatigué. Et repu. Le sang gargouille dans mon ventre, je vais sûrement devoir me lever dans la nuit pour pisser.

Snow grogne de nouveau et se remet sur le côté.

Je suis rentré. Enfin.

Je m'endors.

34

BAZ

SNOW N'EN A RIEN À FOUTRE DE ME RÉVEILLER. Ce qu'il aime, c'est arriver le premier pour le petit déjeuner. Il est six heures, et il tourne en rond dans la chambre avec la discrétion d'un taureau.

La lumière du soleil éclaire la pièce. Je n'ai pas de problème avec le lever du soleil – encore un mythe à propos des vampires –, c'est juste que je n'aime pas ça. C'est un peu agressif le matin, direct au réveil. Snow l'a compris, je crois, parce qu'il ouvre toujours les rideaux.

Il me semble qu'on se disputait davantage pour des bricoles de ce genre. Et puis j'ai failli le tuer, et tout à coup, se quereller pour une histoire de rideaux, ça paraissait ridicule.

Snow dirait que j'ai essayé de le tuer en troisième année. Avec la chimère. Mais ce jour-là, j'ai simplement voulu lui faire peur. Je rêvais de le voir pisser dans son pantalon et pleurer de trouille. Au lieu de ça, il a explosé comme une bombe nucléaire.

Il prétend aussi que j'ai tenté de le faire tomber dans l'escalier, l'année suivante. En fait, nous étions en train de nous bagarrer en haut des marches, et je lui ai décoché un sacré coup de poing qui l'a envoyé valdinguer. Ensuite, quand ma tante

Fiona m'a demandé si j'avais poussé Simon Snow dans l'escalier, j'ai dit : « Et comment, putain ! »

L'année d'après, j'ai en effet cherché à le remettre à sa place. Je le haïssais tellement, à ce moment-là. Je détestais ce que déclenchait en moi le simple fait de le voir.

Quand Fiona m'a annoncé qu'elle avait trouvé le moyen de « virer l'héritier du Mage de notre route », j'étais plus que prêt à l'aider. Elle m'a donné un enregistreur de poche – un ancien appareil avec une cassette – et m'a ordonné de ne pas parler quand il était allumé. Elle m'a même fait jurer sur la tombe de ma mère.

Je ne sais pas ce que j'espérais... Debout près du portail principal, j'avais l'impression d'être dans un film d'espionnage quand j'ai appuyé sur le bouton alors que Snow commençait à s'énerver.

Peut-être que je pensais le piéger ? Peut-être me suis-je imaginé que ça le blesserait, ou le tuerait ? Peut-être me suis-je dit que *rien* ne pouvait le tuer ?

Au même moment, cette conne de Philippa Stainton a traversé la pelouse en courant, pour son malheur. (Cette année-là, elle ne lui lâchait pas la grappe un seul instant, malgré le fait que Snow n'était clairement pas intéressé par elle.) L'enregistreur a transformé sa voix en un horrible grincement ; on aurait dit une souris dans un tuyau d'aspirateur. J'ai arrêté l'appareil dès que je l'ai entendue... mais c'était trop tard.

Snow savait ce que j'avais fait, mais il ne pouvait rien prouver. Personne ne le pouvait, je n'avais pas touché à ma baguette ni prononcé une parole. Tante Fiona était sacrément embêtée. « Philippa Stainton ? Elle n'est pas des nôtres ? » Je me rappelle lui avoir rendu l'engin en songeant à toute la magie qu'elle avait dû y mettre et en me demandant où elle en avait eu autant.

— N'aie pas l'air aussi déprimé, Basil, a-t-elle dit en prenant l'enregistreur. Le prochain coup, on l'aura.

Quelques jours plus tard, en cours de Formules magiques, Mlle Possibelf nous a assuré que Philippa allait bien. Sauf qu'elle n'est pas revenue à Watford.

Je n'oublierai jamais la tête de Philippa quand sa voix est sortie de sa bouche. Ni celle de Snow.

C'est la dernière fois que j'ai essayé de lui faire du mal pour de bon. Je passe mon temps à lui envoyer des malédictions. Je le harcèle. Je *pense* constamment à le tuer, et un jour, il faudra que j'essaie. Mais d'ici là, à quoi bon ?

Je vais perdre, ce jour où lui et moi nous devrons enfin nous affronter.

Je suis peut-être immortel. (Peut-être… Je ne sais pas à qui poser la question.) Mais un genre d'immortel particulier, qu'on peut affaiblir, ou auquel on peut mettre le feu.

Snow… c'est différent. Quand il explose, on dirait plus un élément qu'un magicien. Même si je ne crois pas que notre clan réussisse un jour à l'écarter ou à le contrôler, je sais que je dois en prendre ma part.

Nous sommes en guerre.

Le Humdrum a beau avoir tué ma mère, le Mage, lui, va éliminer ma famille de la magie. Il veut faire de nous un exemple. Il nous a déjà retiré notre influence. Il a vidé nos caisses. Sali notre nom. Nous ne faisons plus qu'attendre le jour où il choisira l'option nucléaire…

C'est Snow, l'option nucléaire. Avec lui comme munition, le Mage a tous les pouvoirs. Il peut tout nous infliger. Il peut nous obliger à partir.

Je ne peux pas laisser faire ça.

Le Monde des Mages est mon monde. Je dois le protéger, moi aussi. Participer au combat. Même si je sais que je vais perdre.

Snow est maintenant devant son armoire, en train de chercher une chemise propre. Il étire ses bras au-dessus de sa tête. J'observe les muscles saillants de ses épaules.

Je ne suis bon que pour perdre.

Je me redresse dans mon lit. Snow sursaute et attrape une chemise.

— Tu avais oublié que j'étais là, hein ? je lance.

Je me lève, me dirige vers mon armoire et prends une chemise et un pantalon. Je ne sais pas pourquoi Snow passe des plombes devant ses vêtements comme si c'était la décision du siècle. Il met son uniforme tous les jours, même le week-end.

Lorsque je ferme la porte du placard, je le vois qui me regarde. Il semble perturbé. J'ignore ce que j'ai fait pour le troubler, mais je ricane, juste pour lui rappeler où il est. Je vais enfiler mes vêtements dans la salle de bains. Snow et moi, nous ne nous habillons jamais dans la même pièce, trop paranos l'un et l'autre. Merci, mais ma vie est suffisamment difficile comme ça.

Quand je retourne dans la chambre, Snow est près de son lit. Il a mis sa chemise mais ne l'a pas encore boutonnée et sa cravate pend autour de son cou. Ses cheveux sont dans un état pire que quand il s'est réveillé, comme s'il avait tiré dessus.

Il se fige en me dévisageant.

— C'est quoi, ton problème, Snow ? Tu as donné ta langue au chat ?

Il tressaille. ***Donne ta langue au chat !*** est une malédiction, et je m'en suis déjà servi deux fois quand nous étions en troisième année.

— Baz, lâche-t-il, puis il tousse légèrement. Je…

— … suis la honte de la magie ?

Il lève les yeux au ciel.

— Je…

— Crache le morceau, Snow. Tu essaies de lancer un sort, c'est ça ? La prochaine fois, utilise ta baguette, ça aide.

Il se passe la main dans les cheveux. De pire en pire.

— Est-ce que tu peux juste… ?

Les yeux de Snow n'ont rien de particulier : taille et forme standard, un peu cernés, cils épais et bruns. Même la couleur est ordinaire : juste bleus. Pas translucides, ni bleu marine. Aucune trace de doré ou de violet.

Il les cligne en me regardant. Il bafouille. Je me sens rougir. (Par Crowley, j'ai bu tellement de sang, hier, que je suis capable de rougir ?)

— Non, je dis en prenant mes livres. Je ne peux *juste* pas.

Je sors de la pièce. Descends les marches.

Je l'entends ricaner dans mon dos.

Quand il arrive au réfectoire, sa cravate pend toujours autour de son cou. Bunce fronce les sourcils et tire sur un bout. Il pose sa tartine et s'essuie la main sur son pantalon avant de faire son nœud. Puis il me lance un coup d'œil, mais j'ai déjà détourné le regard.

35

SIMON

PÉNÉLOPE PROPOSE DE PRENDRE LE DÉJEUNER dehors, sur la pelouse. Elle dit qu'il fait chaud, que la terre est sèche et que c'est peut-être le dernier pique-nique que nous pourrons faire avant le printemps. Je pense que c'est un prétexte pour m'éloigner de Baz et d'Agatha. Toute la semaine, ils ont joué au chat et à la souris : chacun à un bout du réfectoire, ils s'observaient à tour de rôle puis détournaient rapidement le regard. Baz me surveillait également du coin de l'œil pour s'assurer que je ne ratais rien de leur petit manège.

Les spéculations vont bon train à son sujet. Tout le monde se demande où il était. Les rumeurs les plus insistantes concernent « un obscur rite d'initiation qui l'a trop marqué pour qu'il puisse ensuite se montrer » et « Ibiza ».

— Ma mère vient me chercher pour m'emmener en ville, ce soir, annonce Penny.

Assis au pied de l'immense sapin, nous laissons errer nos regards sur la pelouse.

— Nous sortons dîner, ajoute-t-elle. Tu veux venir ?

— C'est bon, merci.

— On pourrait aller manger des ramens dans le restaurant japonais que tu aimes bien. C'est ma mère qui régale.

Je secoue la tête.

— Je préfère rester pour garder un œil sur Baz. Je n'ai toujours pas la moindre idée d'où il a disparu tout ce temps.

Penny soupire mais n'insiste pas. Elle contemple les arbres au loin.

— Les Visiteurs me manquent. Ils sont tellement magiques…

J'éclate de rire.

— Tante Beryl a de nouveau rendu visite à ma mère et je l'ai ratée.

— Qu'est-ce qu'elle a dit ?

— La même chose que la fois précédente : « Arrête de chercher mes livres. Ils ne sont pas faits pour des gens comme toi. »

— Tu plaisantes ? Elle est revenue uniquement pour vous interdire de trouver ses livres ?

— Elle était chercheuse, comme mes parents, et estimait que personne n'était assez intelligent pour travailler sur ses recherches.

— Je ne peux pas croire que ta tante n'est revenue que pour vous insulter.

— Maman dit qu'elle a toujours su que Tante Beryl emporterait en enfer son sale caractère.

— Ça arrive souvent que les fantômes se trompent d'endroit ?

— Pour moi, ce sont plutôt des âmes…

— Si tu préfères. Les âmes, donc, elles ont l'habitude de se perdre ?

Penny se tourne vers moi et mord dans son sandwich.

— Je ne suis pas sûre, répond-elle. Je sais que tu peux les embrouiller. En essayant de cacher leur cible, par exemple : si tu redoutes qu'une âme revienne et révèle ton secret, tu peux tenter de planquer la personne que le Visiteur cherche. Il y a même eu des meurtres. Si je te tue, tu n'auras pas de Visiteur, donc tu ne pourras ni entendre ni répéter mon secret.

— Donc on peut désorienter les Visiteurs ?

— Ouais, ils se pointent à l'endroit où ils pensent trouver quelqu'un. Exactement comme une personne réelle. Mme Bellamy a raconté qu'elle a vu plusieurs fois son mari traîner au fond de sa classe avant qu'il ne franchisse le Voile pour de bon.

Tout comme j'ai vu la mère de Baz à la fenêtre.

Je devrais dire à Penny ce qui s'est passé, comme je le fais toujours.

— Il faut y aller, dit-elle en se levant et en se frottant l'arrière des cuisses pour se débarrasser des brins d'herbe. Sinon, on va arriver en retard en cours.

Elle étend ses mains au-dessus de la nappe, des assiettes et des couverts en plastique, puis tourne ses poignets. ***Une place pour chaque chose et chaque chose à sa place !*** Tout disparaît.

— Gâchis de magie, dis-je, par habitude, en ramassant nos cartables.

Elle lève les yeux au ciel.

— J'en ai marre d'entendre ça ! On est censés utiliser la magie. À quoi ça sert de l'économiser ?

— Pour être sûrs qu'il y en ait quand on en a besoin.

— Je connais la réponse officielle, merci, Simon. En Amérique, ils pensent que plus tu t'en sers, plus tu deviens puissant.

— Comme les énergies fossiles.

Elle me lance un regard surpris et se met à rire.

— N'aie pas l'air si étonnée, je réplique. J'en sais beaucoup sur les énergies fossiles.

Baz et moi, nous avons la moitié des cours ensemble. Dans notre promotion, nous ne sommes que cinquante élèves. Il nous est arrivé d'être dans la même classe toute la journée, durant toute l'année.

Généralement, nous nous asseyons le plus loin possible l'un de l'autre. Mais aujourd'hui, en cours d'Élocution, Mme Bellamy nous a fait rapprocher les bureaux pour travailler deux par deux. Baz s'est retrouvé derrière moi.

Depuis qu'elle a eu sa Visite, Mme Bellamy n'est plus la même. Comme si… Bah, comme quelqu'un qui a vu un fantôme, tout simplement. Pendant que nous faisons des exercices, elle erre dans la salle, l'air perdu.

À notre niveau, en huitième année, on a déjà appris tous les trucs de base de l'Élocution : prise de parole, marquer les consonnes, mise en situation. Maintenant, nous sommes dans les nuances : comment donner plus de pouvoir à un sort en affirmant l'intention et en mettant de la flamme, ou comment faire une pause avant un mot clé pour mieux le diriger.

Aujourd'hui, Gareth est mon partenaire. La plupart du temps, d'ailleurs. Il est très mauvais en Élocution. Il formule encore ses sorts d'une voix monotone, comme s'il lisait un mode d'emploi. Ils fonctionnent, mais un peu comme des pétards mouillés. S'il fait léviter un objet, il tressaute. S'il transforme quelque chose, ça ressemble à un film au ralenti bas de gamme.

Pénélope dit qu'il fait peine à voir, et pas seulement à cause de sa boucle de ceinture magique totalement pathétique. Baz prétend qu'il n'aurait pas pu intégrer Watford, du temps de sa mère.

L'élocution de Baz est parfaite. Dans quatre langues. (Même si je ne suis pas sûr de pouvoir juger pour ce qui est du français, du grec et du latin.) Je l'entends dans mon dos débiter des bons et des mauvais sorts les uns après les autres. Je sens le changement de température de l'air qui caresse ma nuque.

— Moins vite, monsieur Pitch, intervient Mme Bellamy. Inutile de gâcher la magie.

J'entends le ton irrité de Baz quand il recommence à balancer les sortilèges, encore plus rapidement. C'est troublant, parfois, de voir les points communs entre lui et Pénélope. Je l'ai déjà dit à Penny.

— Et en plus, vos deux familles détestent le Mage.

— Ma famille n'a rien à voir avec les Pitch ! a-t-elle protesté. Ils sont élitistes et racistes. Baz doit même penser que je n'aurais jamais dû être acceptée à Watford.

— Il est raciste ? Mais sur son portrait, dans le couloir, sa mère a l'air espagnole ou hindi.

— Le hindi, c'est une langue, Simon. Et Baz est la personne la plus blanche que j'ai vue de ma vie.

— Parce que c'est un vampire, c'est tout.

Merde… Il faut que je dise à Baz, pour sa mère. Ou que j'en parle à Penny. Ou au Mage, même. Si ça n'est pas le Humdrum qui l'a tuée, alors qui était-ce ?

Je ne peux pas garder pour moi un tel secret. Je n'ai pas cette capacité.

Penny se faufile jusqu'à ma chambre avant de partir avec sa mère pour la soirée. Elle est bêtement courageuse – c'est la seule chose bête chez elle –, et c'est encore pire quand elle estime qu'il y a urgence. L'envie me démange de lui claquer la porte au nez.

— Baz va te dénoncer s'il te voit dans notre tour, dis-je. Et tu seras renvoyée.

Elle fait un geste désinvolte de la main.

— Il est sur le terrain en train de regarder l'entraînement de l'équipe.

Elle pousse la porte, mais je l'arrête.

— Quelqu'un d'autre peut te balancer.

— Nan. Les garçons de notre année ont tous peur de moi. Ils croient que je vais les transformer en grenouilles.

— Il y a un sort pour ça ?

— Oui, mais c'est épuisant, et après je dois les embrasser pour qu'ils redeviennent eux-mêmes.

Avec un soupir, j'ouvre la porte. Je jette un coup d'œil dans l'escalier pendant que Pénélope se glisse dans la chambre.

— Je suis venue te convaincre de m'accompagner, dit-elle.

— Inutile.

— Allez, Simon. Si tu es là, ma mère me fera moins la morale.

— Oui, parce qu'elle me la fera à moi, à la place.

Je m'assois sur mon lit, où sont ouverts quelques livres, ainsi que des archives que j'ai empruntées à la bibliothèque.

— Exact. Comme ça, on sera deux… Tu lis *Le Dossier magique*, toi ?

Le Dossier est l'équivalent d'un journal pour les magiciens. Il conserve la trace des naissances et des décès, des obligations et des lois de la magie, ainsi que les minutes de toutes les réunions du Conseil. J'ai sorti de la bibliothèque quelques volumes reliés du début des années 2000.

— Ouais. Il paraît que c'est passionnant.

— C'est moi qui ai dit ça, et tu n'écoutais même pas. Pourquoi tu le lis ?

— Tu as entendu parler d'un magicien qui s'appelle « Nico », ou « Nicodemus » ?

— En Histoire, tu veux dire ?

— Non. Je ne sais pas… Peut-être. Un type lambda, quoi. Peut-être un politicien, ou quelqu'un qui appartenait au Conseil ? Ou un professeur ?

Elle s'appuie contre mon lit.

— C'est pour le Mage ? Tu es en mission ?

Je secoue la tête.

— Non. Je ne l'ai même pas vu… C'est à propos de Baz.

Penny lève les yeux au ciel.

— J'ai entendu un truc comme quoi sa mère avait peut-être un ennemi, j'ajoute.

— Les Pitch ont toujours eu plus d'ennemis que d'amis.

— C'est vrai. De toute manière, ça ne doit pas être important.

Penny n'est pas franchement intéressée, mais comme j'ai posé une question, elle essaie d'y répondre.

— Un ennemi qui s'appelle Nico…

Une sonnerie retentit dans la poche de son manteau. Elle hausse les sourcils et plonge sa main dans sa poche.

J'ouvre des yeux grands comme des soucoupes.

— Tu as un *téléphone* ?

— Simon…

— Tu n'as pas le droit d'avoir un portable à Watford, Pénélope !

Elle croise les bras.

— Je ne vois pas pourquoi.

— C'est le règlement. Pour des questions de sécurité.

Elle fronce les sourcils et sort son téléphone, un iPhone blanc, tout neuf.

— Ça rassure mes parents.

— Mais comment il peut fonctionner ici ? je demande. Normalement, il y a des sorts…

Pénélope regarde ses textos.

— Ma mère lui a jeté un autre sort. Elle est arrivée et m'attend au portail…

Elle lève les yeux.

— … S'il te plaît, viens avec nous.

— Ta mère ferait un redoutable super-vilain.

Elle sourit.

— Viens dîner, Simon.

Je secoue la tête.

— Non, je veux jeter un œil sur ces trucs avant le retour de Baz.

Elle abandonne la partie et descend les marches à toute allure. Elle a l'air de se fiche complètement d'être attrapée. Je m'approche de la fenêtre pour voir si j'aperçois Baz sur le terrain.

36

PÉNÉLOPE

MA MÈRE A INSISTÉ POUR QUE J'AIE UN PORTABLE après ce qui m'est arrivé avec le Humdrum, avant les vacances.

Pendant quelques semaines, cet été, elle a même dit qu'il était hors de question que je retourne à Watford, et mon père n'a pas cherché à l'en dissuader. Peut-être se sentait-il responsable et se reprochait-il de ne pas avoir encore démasqué le Humdrum ?

Il a passé tout le mois de juin dans son laboratoire, sans même sortir pour les repas. Ma mère lui préparait son plat préféré – du veau biryani – et laissait les assiettes chaudes devant la porte.

— Cet homme est fou ! a dit ma mère. Envoyer des enfants se battre contre le Humdrum !

— Le Mage ne nous a pas envoyés, c'est le Humdrum qui nous a enlevés, ai-je protesté.

Cela n'a fait qu'augmenter sa colère. Je pensais qu'elle chercherait à comprendre comment le Humdrum s'y était pris. (C'est impossible de kidnapper des gens de cette manière et de les emmener aussi loin. Ça exigerait tellement de magie… Même Simon n'en a pas autant.) Mais ma mère a refusé d'y réfléchir.

Heureusement qu'elle ne connaît pas tous les détails de cette situation pourrie dont nous nous sommes sortis, Simon et moi – et je n'en suis pas peu fière.

Ma mère se serait probablement calmée plus rapidement s'il n'y avait pas eu ensuite ces cauchemars qui ont peuplé mes nuits…

Je n'ai pas crié, quand c'est arrivé.

Nous étions dans le bois de Wavering, derrière un buisson, en train de regarder Baz et Agatha. Je tenais Simon par le bras. Et, la seconde d'après, nous nous sommes retrouvés au milieu d'une clairière, dans le Lancashire. Simon a reconnu l'endroit : il avait vécu dans un foyer près de là, à Pendle Hill, quand il était petit. Au même moment, il y a eu un son puissant, un peu comme une tornade, que j'ai d'abord pris pour le Humdrum.

Mais très vite, j'ai su que nous étions dans une zone morte.

Mon père a étudié les zones mortes, alors je m'y connais un peu. Ce sont des trous dans l'atmosphère magique qui sont apparus au même moment que le Humdrum. Quand on entre dans une zone morte, on a l'impression d'être privé d'un sens. Comme si on ouvrait la bouche et qu'aucun son n'en sortait. La plupart des magiciens ne peuvent pas y faire face : ils perdent aussitôt leurs moyens. Mon père, lui, m'a dit que, comme il n'a jamais eu beaucoup de pouvoir, l'idée d'en avoir moins ne lui fait pas si peur.

Simon et moi, on a donc atterri dans cette clairière, et j'ai immédiatement compris que c'était une zone morte. Pire, même : j'entendais ce sifflement curieux dans le vent, et tout était sec, tellement sec et chaud.

Ça n'est peut-être pas une zone morte, mais une zone en train de mourir, ai-je songé.

Lancashire, s'est dit Simon.

Et puis… le Humdrum a surgi.

J'ai su que c'était lui. Comme on sait que le soleil donne la lumière du jour. C'était évident : il était à l'origine de tous les phénomènes bizarres qui nous entouraient. La chaleur et la sécheresse, le sifflement…

Ni Simon ni moi n'avons essayé de crier ou de nous enfuir. Nous étions sous le choc. Le Humdrum était là, devant nous… et *il ressemblait à Simon*. Le portrait de Simon quand je l'ai vu pour la première fois, à onze ans, dans son jean crade et son vieux tee-shirt. Et le Humdrum jouait avec la même balle en caoutchouc rouge que Simon avait en permanence la première année.

Il a lancé la balle à Simon, qui l'a attrapée. Puis Simon a pété un câble et s'est mis à lui hurler dessus : « Arrête ça ! Montre-toi, espèce de lâche ! Vas-y, montre-toi ! »

On avait l'impression que la vie était aspirée hors de nous, s'enfuyait par nos pores. Nous avions l'un et l'autre déjà éprouvé cette sensation auparavant. Précisément lors des attaques du Humdrum. Nous savions ce qu'il dégageait et pouvions l'identifier. Mais nous ne l'avions jamais vu, *lui*. (Je me demande maintenant si c'était la première fois que le Humdrum *pouvait* se montrer.)

Simon était certain que le Humdrum avait adopté son aspect pour le provoquer. Il a continué à s'énerver contre lui pour qu'il montre son vrai visage. Mais le Humdrum s'est contenté de rire. Comme un gamin qui commence à rire et ne peut plus s'arrêter.

(Je ne saurais pas dire pourquoi, mais je ne crois pas qu'il se soit présenté sous ces traits pour faire une mauvaise blague. Je pense que c'est sa véritable apparence. Qu'il ressemble vraiment à Simon.)

L'impression d'être aspiré ne faisait qu'augmenter : j'ai regardé mon bras et j'ai vu qu'un liquide jaune et du sang commençaient à sortir par mes pores. Simon hurlait. Le Humdrum riait.

J'ai pris la balle rouge des mains de Simon et l'ai lancée en bas de la colline. Le Humdrum s'est arrêté de rire et s'est aussitôt élancé derrière la balle. Au moment où il s'est éloigné de nous, le sentiment d'oppression s'est interrompu.

Je suis tombée.

Simon m'a récupérée et portée sur son épaule (ce qui est stupéfiant, étant donné que je pèse autant que lui). Il a avancé bravement, comme un bon soldat. Dès qu'il est sorti de la zone morte, il m'a plaquée contre lui en me tenant par la taille, et de grandes ailes ont surgi dans son dos. Un genre d'ailes, plutôt. Difformes, avec beaucoup trop de plumes et des articulations dans tous les sens…

Il n'existe pas de sort pour ça. Ni de formule. Simon a simplement dit : *J'aimerais voler !* et ses mots sont devenus magie.

(Je n'ai raconté ça à personne. Les magiciens ne sont pas des génies : nous ne fonctionnons pas avec des vœux. Si quelqu'un apprenait que Simon peut faire ça, on le brûlerait sur un bûcher.)

Nous étions tous les deux blessés. J'ai lancé des sorts guérisseurs. Je pensais que le Humdrum nous rattraperait dès qu'il aurait trouvé sa balle. Mais peut-être ne pouvait-il pas effectuer ce genre de tour deux fois dans la même journée.

Simon a volé le plus longtemps possible. Accrochée à lui, j'ai multiplié les sorts pour ne pas tomber et pour donner de la vitesse. Puis il a dû se rendre compte à quel point nous avions l'air fous et il a atterri près d'une ville. Nous voulions prendre un train, mais il n'arrivait pas à faire disparaître son assemblage d'os, de plumes, de magie et de volonté.

Dans le cauchemar qui vient me hanter la nuit, il se passe ceci.

Cachés dans un fossé, au bord de la route. Simon épuisé. Moi qui pleure. Et j'essaie de faire pénétrer ses ailes dans son dos pour que nous puissions entrer dans la ville et prendre un train. Les ailes se brisent dans mes mains. Simon saigne.

Dans mon cauchemar, je ne parviens pas à me rappeler le bon sort.

Mais ce jour-là, je m'en suis souvenue. C'est un sort pour les enfants qui ont peur, pour chasser les farces et autres lubies. J'ai posé ma main sur le dos de Simon et crié : ***N'importe quoi !***. Les ailes se sont désintégrées en laissant des petits tas de poussière sur ses épaules.

À la gare, Simon a fait les poches de quelqu'un pour pouvoir acheter des billets. Nous avons dormi dans le train, appuyés l'un contre l'autre. Nous sommes arrivés à Watford au beau milieu de la cérémonie de fin d'année, Papa et Maman étaient là, ils m'ont ramenée à la maison.

Ils ont bien failli ne pas me laisser revenir à l'école, à la rentrée. Ils ont tenté de me convaincre de rester en Amérique. Ma mère et moi, nous nous sommes violemment disputées et, depuis, nous ne nous sommes pratiquement pas reparlé.

J'ai dit à mes parents que je ne pouvais pas manquer ma dernière année, mais nous savions tous les trois qu'en réalité je ne voulais pas que Simon retourne sans moi à l'école.

Je les ai prévenus que j'étais prête à y aller à pied s'il le fallait, ou que je trouverais un moyen de voler.

Maintenant, ils m'obligent à avoir un portable sur moi.

37

AGATHA

WATFORD EST UN ENDROIT CALME, QUAND ON ne sort pas avec Simon Snow.

Je n'ai pas de colocataire. Celle que m'a désignée le Pilori, Philippa, est tombée malade en cinquième année et est retournée chez elle.

Simon a dit que Baz lui avait fait quelque chose. Mon père, lui, a expliqué qu'elle avait eu une laryngite grave et soudaine.

— Une tragédie pour un magicien.

— Pour tout le monde, ai-je répliqué. Les Normaux aussi parlent.

Elle ne me manque pas vraiment. Elle était morte de jalousie que Simon soit avec moi. Et elle se moquait de moi quand je travaillais mes sorts. En plus, elle se mettait toujours du vernis à ongles sans ouvrir la fenêtre.

J'ai des amis – des vrais – chez moi, mais je n'ai pas le droit de leur parler de Watford. De toute manière, je ne pourrais même pas le faire : mon père m'a lancé un sort après m'avoir entendue me plaindre de ma baguette magique auprès de ma meilleure amie, Minty.

— J'ai juste dit que c'était la plaie de devoir la trimballer partout ! Je ne lui ai pas raconté qu'elle était magique !

— Bon sang, Agatha ! s'est exclamé mon père.

Ma mère était blême.

— Tu es obligé de le faire, Welby, a-t-elle lancé à mon père.

Donc il a pointé sa baguette vers moi : ***Tu ne le fais pas à Fordwat !***

On ne dirait pas, comme ça, mais c'est un sort sérieux. Seuls les membres du Conseil peuvent l'utiliser. J'imagine que la situation était grave : quand on parle de la magie à des Normaux, ils doivent ensuite être recherchés et *nettoyés*. Et si ça n'est pas possible, alors il faut déménager.

Minty – nous nous sommes rencontrées en primaire, c'est son prénom, trop chou ! – croit maintenant que je vais dans une pension ultra-religieuse qui interdit Internet. Ce qui est vrai, pour autant que je sache.

La magie *est* une religion.

Sauf qu'il n'y a pas ces trucs qu'on voit parfois chez les Normaux : ne pas croire, ou assister seulement aux messes de Pâques et de Noël. Toute ta vie tourne autour de la magie, à chaque instant. Si tu nais avec la magie, tu l'as pour toujours, et tu es coincé avec les autres magiciens, et avec les guerres qui n'en finissent jamais parce que les gens ne savent même plus pourquoi elles ont commencé.

Je n'en parle pas comme ça à mes parents. Ni à Simon ou Penny.

Ap ma vraie ive.

J'aperçois Baz qui traverse la cour, seul. Nous n'avons pas parlé depuis son retour. Nous n'avons jamais beaucoup parlé, en fait. Même cette fois-là, dans les bois : Simon a déboulé avant qu'on ait eu le temps de filer et a aussitôt explosé.

(Pile au moment où tu crois que Simon n'est pas dans les parages, il se ramène pour te rappeler que tout le monde est censé le soutenir dans sa catastrophe.)

Ce jour-là, dès que Simon et Penny ont disparu, Baz a lâché mes mains. « Qu'est-ce qui vient d'arriver à Snow, bordel ? »

Voilà les derniers mots qu'il m'a dits.

Malgré tout, il continue de me regarder quand nous sommes dans le réfectoire. Simon, ça le rend dingue. Ce matin, il en a eu ras le bol et il a frappé son assiette avec sa fourchette. J'ai lancé un regard vers Baz ; il m'a fait un clin d'œil.

Je le vois au loin et je cours pour le rattraper. Le soleil se couche, cela adoucit le teint gris de sa peau. Je sais que cette lumière rend mes cheveux flamboyants.

— Basil, dis-je doucement, en souriant, comme si son nom était un secret.

Il tourne la tête et me regarde.

— Wellbelove, lâche-t-il d'une voix fatiguée.

— Nous n'avons pas échangé un mot depuis ton retour.

— Parce que, avant, on le faisait ?

J'opte pour l'audace :

— Pas autant que j'aurais aimé.

Il soupire.

— Par Crowley, Wellbelove, trouve un meilleur moyen d'attirer l'attention de tes parents.

— Quoi ?

— Rien, répond-il en continuant d'avancer.

— Baz, j'ai pensé… Je me suis dit que tu avais peut-être besoin de quelqu'un à qui parler.

— Non, tout va bien.

— Mais…

Il s'arrête et se frotte les yeux en soupirant de nouveau.

— Écoute, Agatha, nous savons l'un et l'autre que même si vous êtes en froid en ce moment, toi et Snow, vous résoudrez ça bien vite et retournerez à vos destins glorieux. Ne complique pas tout.

— Mais nous ne…

Baz s'est remis à marcher. Il boite légèrement. C'est peut-être pour ça qu'il ne joue pas au foot. Je le suis.

— Je ne suis pas sûre d'avoir envie d'un destin glorieux, dis-je.

— Le jour où tu auras découvert comment on échappe à son destin, préviens-moi.

Il avance le plus rapidement possible, malgré sa jambe, et je renonce à courir pour me maintenir à son niveau. Trop nul.

— Je veux peut-être quelque chose de plus intéressant ! je crie.

— Je ne suis pas plus intéressant ! hurle-t-il à son tour, sans tourner la tête. Et je ne suis pas ce qu'il te faut. Faut que tu le comprennes.

Je me mords la lèvre et réfrène mon envie de croiser les bras en faisant la moue comme un enfant de six ans.

Comment peut-il être aussi sûr de ne pas être fait pour moi ?

Pourquoi tout le monde croit savoir mieux que moi où est ma place ?

38

BAZ

DEPUIS DES SEMAINES, SNOW M'OBSERVE À longueur de journée et ça me dérange à mort. Peut-être que Tante Fiona avait raison : j'aurais dû rester plus longtemps à la maison et me reposer. Je me sens au fond du trou.

J'ai l'impression de ne pas pouvoir me rassasier ni me réchauffer. Hier soir, j'ai carrément eu une espèce d'attaque de panique, dans les catacombes. Même si je vois dans l'obscurité, il fait tellement noir, là-dedans, c'était comme si j'étais de nouveau dans le cercueil des numptys. Je ne pouvais pas rester plus longtemps sous terre. J'ai attrapé six rats, fracassé leur tête sur le sol, fait un nœud avec leur queue, puis je suis remonté avec et les ai vidés de leur sang dans la cour, sous les étoiles.

J'aurais aussi bien pu annoncer à toute l'école que j'étais un vampire. Et un vampire qui a peur du noir, en plus. La honte.

Après, j'ai balancé les cadavres des rats aux loups-sirènes. (Ils sont beaucoup moins bons que les rats. Je les engloutirais volontiers, s'ils ne me laissaient pas un relent dans la bouche pendant des semaines. Un goût faisandé *et* de poisson pourri.)

Ensuite, j'ai dormi comme une souche, neuf heures d'affilée. Ça n'a même pas été suffisant. Après le déjeuner, je dormais debout, et je ne pouvais pas vraiment monter dans ma chambre pour faire une sieste. À tous les coups, Snow se serait assis en face de moi pour me surveiller.

Depuis mon retour, il me suit partout. Il n'avait pas été aussi tenace depuis la cinquième année. Il a été jusqu'à m'accompagner aux toilettes, hier, en prétextant qu'il devait se laver les mains.

Je ne me sens pas assez fort pour affronter ça.

Comme quand j'avais quinze ans, je crains de ne plus me contrôler s'il s'approche trop. J'ai peur de l'embrasser ou de le mordre. Si j'ai réussi à tenir, cette année-là, c'est uniquement parce que je n'ai pas su décider laquelle de ces deux options abrégerait mes souffrances.

À mon avis, c'est Snow lui-même qui m'achèverait si je tentais quelque chose. C'était mes délires de cinquième année : les baisers *et* le sang, et Snow m'éliminant de la surface du globe.

Cet après-midi, j'ai assisté à l'entraînement de foot – une occasion de m'asseoir –, puis je me suis échappé quand ils se sont tous rendus au réfectoire pour le dîner.

Wellbelove m'a intercepté dans la cour et a essayé de me pourrir avec son mélo de gamine, mais je n'avais pas le temps pour ça. J'ai entendu Mlle Possibelf dire que le Mage revient à Watford demain, et je ne me suis pas encore introduit dans son bureau. (Probablement parce que c'est une idée stupide.) Si j'y vais et que je prends quelque chose, Fiona me laissera tranquille pendant un moment.

Je me traîne jusqu'à la Tour qui pleure. Au lieu de monter par l'escalier en colimaçon, je prends l'ascenseur qui mène au dernier étage. Une fois en haut, je me dirige vers l'appartement du Mage. J'habitais là, avec ma mère, quand elle était directrice. J'étais encore bébé et elle me laissait jouer dans son bureau pendant qu'elle travaillait : après être allée me chercher à la crèche, elle m'installait sur le tapis où j'étalais mes Lego. Mon père nous rejoignait presque tous les week-ends, et chaque été nous retournions dans notre maison du Hampshire.

Je peux encore ouvrir les portes qui donnent accès à l'appartement, le Mage n'a jamais annulé les protections que ma mère avait mises en place pour me permettre d'y entrer. Je peux même pénétrer dans sa chambre. (Une fois, je m'y suis introduit, et je me suis retrouvé en train de vomir dans ses toilettes.) Fiona aurait voulu que j'inspecte sa chambre chaque soir, mais je lui ai dit qu'il valait mieux garder cette possibilité pour quand ça nous serait vraiment utile. On ne va pas aller là-dedans juste pour mettre des paquets de merde bien chaude dans son lit.

— En plus, je ne chie pas dans un sac, Fiona, lui ai-je dit.

— Ça, je peux m'en charger, abruti. Si c'est ma merde, ça le fait aussi.

Lorsque j'entre dans la pièce et que je vois le bureau de ma mère, ma gorge se serre. Il fait sombre, les rideaux sont tirés. J'allume une flamme dans ma paume et lève la main pour m'éclairer. Ma belle-mère déteste que je fasse ça : « Basilton, arrête ! Tu es inflammable. »

Pour moi, allumer un feu est aussi simple que de respirer. Ça nécessite très peu de magie, et je le contrôle à merveille. D'un claquement de doigts, je le fais apparaître. « Exactement comme Natasha : il a plus de feu en lui qu'un démon », répète mon père en permanence.

(Mais ça ne l'a pas empêché de piquer une crise quand il m'a surpris en train de fumer dans le garage : « Nom de Crowley, Baz, tu es inflammable ! »)

Le bureau du directeur n'a pas changé d'un pouce depuis l'époque où j'y jouais, enfant. Le Mage aurait pu balancer toutes les affaires de ma mère et accrocher des posters du Che, mais il ne l'a pas fait.

Il y a de la poussière sur son fauteuil, celui de ma mère. Et une épaisse couche, aussi, sur le clavier de l'ordinateur. Il ne doit pas s'en servir. Pas le genre à rester assis devant un ordinateur, le Mage. Plutôt à rôder ou à manier l'épée, ou quoi que ce soit d'autre qui justifie son déguisement de Robin des Bois.

Avec ma baguette, j'ouvre le tiroir du haut. Rien d'intéressant. Des fournitures de bureau. Un chargeur de téléphone. Ma mère, elle, y entreposait du thé, des pastilles Vichy et de l'huile essentielle de clous de girofle. Je me penche pour essayer de sentir l'odeur. Je perçois des odeurs que les autres ne sentent pas. (Que *personne* ne peut sentir, même. Parce que je ne suis pas une personne.)

Le tiroir dégage un parfum de bois et de cuir. Dans la pièce flotte une odeur de cuir, d'acier et de forêt, comme celle du Mage. J'ouvre les autres tiroirs à la main. Aucun piège. Rien de personnel, non plus. Je ne sais pas quoi prendre pour Fiona. Un livre, peut-être ?

J'élève ma main-flamme vers les rayonnages de la bibliothèque et, durant une fraction de seconde, je songe à souffler, pour voir s'embraser la pièce. Mais au même instant, je remarque que les livres sont en désordre. Un vrai bazar. Ils sont empilés en vrac au lieu d'être disposés à la verticale sur les étagères, certains sont même entassés par terre. J'ai presque envie de les remettre dans la bibliothèque, en les classant par thèmes, comme faisait ma mère. (J'avais le droit de toucher les livres. De les lire, également, à condition de toujours les ranger à leur place et de lui dire si quelque chose m'avait fait peur ou m'avait perturbé.)

Je devrais peut-être profiter de cette pagaille : s'il manque un livre, voire plusieurs, personne ne s'en rendra compte. J'en prends un, avec un dragon sur la couverture. Il a la bouche ouverte et les flammes qui en sortent dessinent le titre : *Flammes et incendies – L'art de brûler.*

Un rayon de lumière tombe soudain sur l'étagère qui est devant moi. Je sursaute et l'ouvrage m'échappe des mains. Lorsqu'il heurte le sol, quelque chose s'échappe des pages.

Sur le seuil de la porte, Snow.

— Qu'est-ce que tu fais là ? demande-t-il, son épée à la main.

J'ai souvent vu cette arme et, bizarrement, au lieu de m'inquiéter, cela me rassure. J'ai déjà affronté Snow par le passé.

Je dois vraiment être épuisé, parce que je lui dis la vérité :

— Je cherche un livre qui appartient à ma mère.

— Tu n'es pas censé être là.

Je lève ma flamme plus haut et je m'écarte de la bibliothèque.

— Je ne fais de mal à personne. Je veux juste un livre.

— Pourquoi ?

Il jette un regard sur l'ouvrage qui est à mes pieds et se précipite dessus. Je m'adosse aux étagères. Snow est accroupi au-dessus du livre. Il doit s'imaginer qu'il va trouver un indice, le truc qui révélera mon complot.

Il se relève en observant quelque chose dans le creux de sa main. Il semble mal à l'aise.

— Tiens, dit-il doucement. Désolé…

Je prends la photographie qu'il me tend. Il ne me quitte pas des yeux. J'hésite à la glisser dans ma poche pour la regarder plus tard, mais la curiosité l'emporte, et je la lève à la hauteur de mes yeux…

C'est moi.

À la crèche, en bas, je pense. (Watford avait une crèche pour les enfants des professeurs. C'est là que les vampires ont attaqué.)

Je suis encore bébé, sur cette photo. Trois ou quatre ans, pas plus. Je porte une salopette grise et des bottines en cuir blanches. Ce qui choque, c'est ma peau, rouge foncé, qui tranche avec le col blanc de ma chemise. Je souris à l'appareil photo, et quelqu'un me tient les doigts…

Je reconnais l'alliance de ma mère. Sa main rouge et trapue.

Tout à coup, je me *rappelle* sa main. Quand elle la pose sur ma jambe pour que je reste tranquille. Quand elle tient sa baguette magique en l'air. Quand elle ouvre le tiroir de son bureau pour prendre un bonbon qu'elle fourre ensuite dans sa bouche.

« Ta main est râpeuse, disais-je quand elle me caressait la joue.

— C'est une main à feu, répondait-elle. Qui lance des flammes. »

La main de ma mère qui me gratte la joue. Qui glisse mes cheveux derrière mes oreilles.

Sa main levée qui remplit de feu la salle de jeux de la crèche tandis qu'un monstre tout blanc plante ses dents dans ma gorge.

— Baz…, murmure Snow.

Il ramasse le livre et me le donne.

Je le prends.

— Je dois te dire quelque chose, déclare-t-il.

— Quoi ?

Depuis quand avons-nous quelque chose à nous dire, lui et moi ?

— Il faut que je te parle.

Je lève le menton.

— Vas-y.

— Pas ici, répond-il en rengainant son épée. Nous n'avons pas vraiment le droit d'y être, et… ce que j'ai à te dire est plutôt d'ordre privé.

Pendant un instant – même pas un instant, juste un quart de seconde – je l'imagine me lançant : « En réalité, je suis terriblement attiré par toi. » Puis je me vois en train de lui cracher à la figure. Et ensuite, je lèche sa joue et je l'embrasse. (Parce que je suis légèrement dérangé.)

Je **Fais un vœu !** Hop, la flamme jaillit de ma main, glisse la photo dans le livre et le livre sous mon bras.

— Coup de bol, nous avons notre suite à nous en haut d'une tour, dis-je. C'est suffisamment privé pour toi ?

Il hoche la tête, gêné, et me fait signe de passer devant lui.

— Allons-y, alors, lâche-t-il.

39

SIMON

JE VIENS JUSTE DE SURPRENDRE MON ENNEMI en flagrant délit : il est entré en cachette dans le bureau du Mage. Je pourrais le faire renvoyer, si je voulais. Au lieu de ça, je lui ai donné ce qu'il était venu voler, et lui ai demandé si on pouvait se parler dans un endroit tranquille. Tout ça à cause d'une photo de bébé.

L'air qu'avait Baz sur cette photo… Souriant, simplement heureux, avec ses joues rouges comme des pommes. Et la tête qu'il a faite quand il l'a vue. Comme si un son de trompette avait fait tomber d'un coup ses remparts.

Nous retournons à notre chambre. C'est bizarre : nous n'avons pas l'habitude de marcher ensemble. Dans l'escalier, nous gardons une distance ; nous nous éloignons encore davantage en traversant la cour. Je suis même tenté de sortir à nouveau mon épée.

Le temps d'arriver dans notre chambre, Baz est au bord de la crise de nerfs. Il claque la porte derrière nous, jette le livre sur son lit et croise les bras.

— Très bien, nous voilà seuls, maintenant, Snow. Dis-moi ce que tu as à me dire.

À mon tour, je croise les bras.

— D'accord. Mais assieds-toi, d'abord.

— Pourquoi ?

— Parce que tu me mets mal à l'aise.

— Tu devrais être content que je ne te fasse pas saigner, plutôt.

— Nom de Dieu ! je m'énerve.

Quand je suis à bout, je jure comme un Normal.

— Est-ce que tu peux juste te calmer ? dis-je. C'est important.

Baz secoue la tête, exaspéré, puis s'assoit sur son lit. Il me dévisage en fronçant les sourcils. On a toujours l'impression que ses yeux de chien battu sont à demi fermés, même quand il les écarquille, et il a les coins des lèvres qui tombent. Comme si son visage avait été conçu pour faire la gueule.

Je prends mon sac de cours et j'en sors un cahier. J'ai noté le plus de choses possible, après la visite de la mère de Baz, dans l'idée d'en parler au Mage. Je m'assois ensuite sur mon lit, face à Baz. À contrecœur, il vient s'installer à côté de moi.

— Voilà…, dis-je. Écoute, je n'ai aucune envie de te parler de ça. Je ne sais même pas si je devrais le faire. Mais il s'agit de ta mère, et ça ne me semble pas juste de te le cacher.

— Comment ça, ma mère ? lance-t-il.

Il se penche et essaie de me prendre le cahier des mains. Je lève le bras pour le mettre hors de sa portée.

— Je vais te le dire, OK ? Juste, écoute-moi.

Il plisse les yeux. Je me sens bêtement tendu.

— Quand tu n'étais pas là… pendant ton absence, le Voile s'est levé.

Il a immédiatement compris. Un éclat sauvage a brillé dans ses yeux et ses narines se sont dilatées. Il est tellement malin, je ne sais pas comment je vais m'en sortir, avec lui.

— Ma mère…, lâche-t-il.

— Elle te cherchait. Où étais-tu, pour qu'elle ne réussisse pas à te trouver ?

— Ma mère a franchi le Voile ?

— Oui. Elle m'a dit qu'elle avait été appelée ici, dans notre chambre, que c'était chez toi. Et elle l'avait franchement mauvaise que tu ne sois pas là. Elle m'a demandé si je t'avais fait du mal.

— Elle t'a parlé ?

— Oui.

Je me passe les mains dans les cheveux avant d'ajouter :

— Elle est venue parce qu'elle voulait te voir. Et elle m'a vraiment effrayé en me demandant si je te faisais souffrir. Ensuite, elle a dit que le Voile allait retomber…

Je baisse les yeux pour lire mes notes. Il me prend le cahier des mains, regarde la page d'un air énervé, puis me le rend d'un geste brutal, en me frappant la poitrine avec.

— Tu écris n'importe comment. Qu'est-ce qu'elle a dit ?

— Elle a dit que…

J'ai la voix qui tremble, je m'arrête un instant avant de poursuivre :

— Que son assassin court toujours. Que tu dois trouver Nicodemus pour qu'elle soit en paix.

— Qu'elle soit en paix ?

Je reste silencieux, incapable d'expliquer davantage. Son visage est crispé par la douleur.

— Mais elle a tué les vampires, murmure-t-il.

— Je sais.

— Est-ce qu'elle parlait du Humdrum, alors ?

— Je ne sais pas.

— Répète-moi tout.

Je regarde de nouveau mes notes.

— Son assassin court toujours, mais Nicodemus est au courant. Trouve-le pour qu'elle soit en paix.

— Qui est Nicodemus ? demande Baz, féroce et impérieux comme sa mère.

— Elle ne l'a pas dit.

— Quoi d'autre ? Est-ce qu'il y avait autre chose ?

— Eh bien… elle m'a embrassé.

Je lève la main et passe mes doigts sur mon front.

— Elle m'a dit que ce baiser était pour toi, pour que je te le donne.

Ses doigts s'enfoncent dans ses cuisses.

— Et ensuite ?

— Ensuite, elle est partie. Elle est revenue une fois, la même nuit, avant que le Voile ne retombe…

J'ai l'impression qu'il va s'étrangler.

— Elle était différente. Plus triste. Comme si elle pleurait.

Je jette un coup d'œil sur mon cahier.

— Je ne la voyais pas, cette fois, mais je l'ai entendue dire : « Mon fils, mon fils. Mon garçon bouton de rose. » Elle l'a répété plusieurs fois, je crois. Elle m'a appelé par mon nom. Elle a dit qu'elle n'avait pas voulu te laisser. Après, elle a murmuré : « Il m'a dit que nous étions des étoiles. »

— Qui ? Nicodemus ?

— Je suppose. Je ne sais pas…

Il serre les poings et lâche, d'une voix qui ressemble plutôt à un rugissement :

— Qui est ce putain de Nicodemus ?

— Aucune idée. Je pensais que tu le saurais.

Il se lève et se met à arpenter la chambre de long en large.

— Ma mère est revenue pour me voir. Et c'est *toi* qui lui as parlé. J'y crois pas.

— Et toi, tu étais où, pendant ce temps ? Pourquoi n'a-t-elle pas réussi à te mettre la main dessus ?

— J'étais indisposé ! C'est pas tes oignons !

— J'espère au moins que ton voyage secret valait le coup ! Parce que ta mère est venue exprès pour toi ! À plusieurs reprises. Et toi, pendant ce temps, tu étais je ne sais où en train d'organiser ta révolution perdue d'avance !

Il fonce sur moi, les mains tendues vers ma gorge. J'ai plus peur pour lui que pour moi – même si je sais qu'il veut me tuer –, parce que s'il me touche, il sera chassé. L'Anathème du colocataire.

Je saute sur mes pieds et attrape ses poignets. Ils sont froids.

— Tu ne veux pas me faire de mal, Baz, hein ?

Il essaie de se libérer, fou de rage.

— Tu ne veux pas me *blesser*, j'insiste, en m'efforçant de le repousser. N'est-ce pas ? Je suis désolé. Regarde-moi : je suis vraiment désolé.

Ses yeux gris se posent sur moi et il se dégage de mon emprise d'un geste brusque. Il recule. Nous parcourons la pièce du regard, guettant l'Anathème.

Quelqu'un frappe à la porte et nous sursautons tous les deux.

— Simon ? lance Penny.

Baz hausse les sourcils, d'un air de dire : « Intéressant. » Je passe devant lui et ouvre la porte.

— Mais qu'est-ce que tu… ?

Elle a pleuré. Elle recommence et se jette dans mes bras en gémissant :

— Simon.

Je la serre contre moi et lève les yeux sur Baz. J'attends qu'il sonne l'alarme. Mais il secoue la tête, comme si c'était trop pour lui.

— Je vous laisse tranquilles, dit-il en se glissant derrière nous pour sortir.

Je préfère ne pas songer à la manière dont il pourra utiliser ça contre Pénélope ou moi. Pour l'instant, je dois m'occuper de Penny qui sanglote contre ma chemise.

— Hé, dis-je doucement en lui caressant le dos.

Je ne suis pas doué pour les embrassades, elle le sait, mais là, elle doit s'en fiche.

— Qu'est-ce qui se passe ?

Elle s'écarte et s'essuie le visage avec sa manche.

— Ma mère…

Son visage est tout fripé. Elle passe de nouveau sa manche sur ses yeux.

— Elle va bien ?

— Oui… Elle n'est pas blessée. Personne ne l'est. Mais elle m'a dit que Premal est passé hier.

Elle parle trop vite, sans s'arrêter de pleurer.

— Envoyé par le Mage, avec deux de ses Hommes. Pour fouiller notre maison.

— Comment ça ? Pourquoi ?

— Premal a dit que c'était une enquête de routine sur la magie interdite, mais Maman a répondu que ça n'existait pas, les enquêtes de routine, et qu'elle préférait être damnée plutôt que de laisser le Mage la traiter comme une ennemie d'État. Premal a rétorqué qu'elle n'avait pas le choix. Alors Maman a dit qu'ils n'avaient qu'à revenir avec un ordre du Conseil.

Penny s'interrompt un instant, elle tremble dans mes bras.

— Prem a dit que nous étions en guerre, que le Mage est *le Mage*. Et puis qu'est-ce que Maman avait à cacher, de toute façon ? Elle a répliqué que ça n'était pas la question, qu'il s'agissait de libertés individuelles, de liberté tout court, et de ne pas avoir son fils de vingt ans qui se pointe comme Rolf dans *La Mélodie du bonheur*. Et je suis sûre que Premal était humilié, et qu'il n'était pas lui-même – il se la pétait trop –, parce qu'il a dit qu'il reviendrait, et que Maman avait intérêt à changer d'avis. Elle lui a balancé qu'il pouvait revenir en nazi ou en fasciste, mais pas en tant que fils.

Sa voix s'est de nouveau brisée. Elle enfouit son visage entre ses mains. Je m'écarte et la prends par les épaules.

— Écoute, je suis sûr que c'est juste un dérapage. On va parler au Mage.

Elle se recule vivement.

— Non, Simon ! Tu ne peux pas lui raconter ça.

— C'est le Mage, Pen. Il ne va pas faire de mal à ta famille. Il sait que vous êtes du bon côté.

Elle secoue la tête.

— Ma mère m'a fait promettre de ne rien te dire.

— Pas de secret, je rappelle, sur la défensive. Nous avons un pacte.

— Je sais ! C'est pour ça que je suis ici. Mais tu ne peux pas en parler au Mage. Ma mère a peur, et pourtant ça n'est pas son genre.

— Pourquoi elle ne les a pas simplement laissés fouiller la maison ?

— Et pourquoi elle l'aurait fait ?

— Parce que le Mage doit avoir une bonne raison. Il ne harcèle pas les gens. Il ne perd pas son temps à ça.

— Mais… et s'ils trouvent quelque chose ?

— Chez toi ? Non.

— C'est possible, répond-elle. Tu connais ma mère : « L'information doit demeurer libre », « Les mauvaises pensées n'existent pas ». Notre bibliothèque est presque aussi grande que celle de Watford et bien plus fournie. Si tu cherches quelque chose de dangereux, je suis sûre que tu peux trouver.

— Mais le Mage ne *veut* pas faire de mal à ta famille.

— À qui veut-il en faire, Simon ?

— À ceux qui cherchent à nous détruire ! dis-je presque en hurlant. À ceux qui souhaitent me blesser !

Elle croise les bras et me dévisage. Elle ne pleure plus.

— Le Mage n'est pas parfait. Il n'a pas toujours raison.

— Personne n'a toujours raison. Mais nous devons avoir confiance en lui. Il fait de son mieux.

À peine ai-je prononcé ces paroles que je sens la culpabilité m'envahir. J'aurais dû parler du fantôme au Mage. Et à Penny. J'aurais dû leur dire, à tous les deux, avant de le raconter à Baz. J'ai peut-être travaillé pour l'ennemi.

— Je dois y réfléchir, conclut Penny. Il ne s'agit pas de mon secret, ni du tien.

— D'accord.

Quelques larmes brillent dans ses yeux. Elle secoue la tête.

— Il faut que je parte. Ça m'étonne que Baz ne soit pas encore revenu avec le surveillant. Ils doivent croire qu'il ment…

— Je ne pense pas qu'il te balance.

— Bien sûr que si ! s'exclame-t-elle. Mais je m'en fiche. J'ai des problèmes plus importants.

— Reste un peu.

Si elle accepte, je lui raconterai l'histoire de la mère de Baz.

— Non. On en discutera demain. J'avais juste besoin de te le dire.

— Ta famille est en sécurité, ne t'inquiète pas. Je te le promets.

Pénélope a l'air dubitative et je m'attends à ce qu'elle me fasse remarquer que mes paroles n'ont pas été très utiles, jusqu'à présent. Mais elle se contente de hocher la tête en disant qu'on se verra au petit déjeuner.

40

BAZ

BUNCE POURRAIT ÊTRE PENDUE POUR AVOIR fait ça.

(Je ne pensais pas qu'il était possible de franchir les barrières garçons/filles, mais on peut faire confiance à Bunce pour trouver la solution. Elle est diabolique.)

En vrai, je m'en fiche.

Je descends dans les catacombes, et je chasse comme un idiot.

La tombe de ma mère est ici. Je déteste l'idée qu'elle puisse me regarder. Les âmes peuvent-elles voir à travers le Voile ? Sait-elle que je suis devenu l'un deux ?

Parfois, je me demande ce qui serait arrivé si elle avait vécu.

J'ai été le seul enfant de la crèche à muter, ce jour-là. Les vampires m'auraient peut-être emmené avec eux si ma mère ne les en avait pas empêchés. Mon père est venu me chercher dès qu'il a été prévenu. Lui et Fiona ont fait ce qu'ils ont pu pour me guérir, mais ils savaient que j'avais basculé. Ils ont compris que la soif du sang se manifesterait tôt ou tard.

Et ils ont simplement…

Ils ont fait comme si de rien n'était. Par Crowley, ils ont eu de la chance que je ne commence pas à dévorer les gens dès ma puberté. Je ne pense pas que mon père y aurait jamais fait allusion. Même s'il m'avait surpris en train de boire le sang de la femme de ménage. « Change-toi pour le dîner, Basil. Tu risques d'incommoder ta belle-mère » : voilà ce qu'il aurait dit, sans doute. Pourtant, il aurait préféré m'attraper en train de *déshabiller* la femme de ménage. (Sûrement autant déçu par mon homosexualité que par mon immortalité.)

Mon père refuse d'admettre que je suis un vampire – en plus du fait d'être inflammable – et je sais qu'il ne me renverra pas à cause de ça.

Mais ma mère ?

Elle m'aurait tué.

Elle m'aurait affronté, tel que je suis, et aurait fait le nécessaire.

Jamais elle n'aurait laissé un vampire entrer dans Watford.

J'arrive devant la porte qui ouvre sur sa tombe.

Elle a été la plus jeune directrice de Watford, et l'une des trois, dans l'histoire de l'école, à mourir pour la protéger. Elle repose ici, à une place d'honneur. Comme une pierre fondatrice de l'école.

Ma mère est revenue.

Pour moi.

Pourquoi n'a-t-elle pas réussi à me trouver ?

Peut-être que les fantômes ne voient pas au travers des cercueils ?

Peut-être n'a-t-elle pas pu me distinguer parce que je ne suis pas totalement vivant ? Pourrai-je la voir, elle, quand Simon m'aura enfin achevé ?

Car c'est ce qui va se passer. Snow aura ma peau.

Je reste dans les catacombes jusqu'à la fin de mon repas. Jusqu'à ce que j'en ai terminé avec la violence. Jusqu'à ce que je ne puisse plus regarder cette photo de moi. (Joufflu : un bon paquet de sang.)

Jusqu'à ne plus pouvoir pleurer.

Je n'ai pas perdu les larmes. Je continue de pisser et de pleurer. De perdre de l'eau.

(Je ne sais pas très bien comment ça fonctionne, quand on est un vampire. Ma famille ne me laisse pas approcher un médecin magique, et on ne peut pas dire que je m'enrhume ni que j'aie besoin d'être vacciné.)

Les fleurs que j'avais déposées sur la tombe de ma mère sont fanées. Je lance : *Pluies d'avril !* et elles s'épanouissent de nouveau. Ça nécessite plus de magie que je ne peux en fournir pour l'instant – les fleurs et la nourriture prennent de la vie – et je m'écroule contre le mur.

Ces derniers temps, quand je suis fatigué, je n'arrive pas à garder la tête droite. Quant à ma jambe gauche, elle souffre des séquelles de mon séjour chez les numptys. Elle s'engourdit. Je tape du pied contre le sol en pierre et une sensation parcourt mon talon.

Si ma mère a traversé le Voile, ça signifie qu'elle n'est pas complètement partie. Elle n'est pas ici – elle ne peut pas me voir –, mais elle n'est pas encore *là-bas*. Son âme est coincée entre les deux.

Comment puis-je l'aider ?

En trouvant ce Nicodemus ? Est-ce lui qui a envoyé les vampires ? On m'a toujours dit que c'était le Humdrum. Même Fiona en est convaincue. C'est lui qui a envoyé les autres choses à Watford.

Quand j'arrive dans l'escalier qui mène à notre tourelle, ma jambe est si raide que je suis obligé de monter sur la droite et de tirer la gauche derrière moi.

Bunce a quitté la chambre. Snow est dans son lit et les fenêtres sont ouvertes. Il a pris une douche. Je le sais parce qu'il utilise le savon fourni par l'école, donc quand il est propre, il sent l'hôpital.

Je n'ai même pas le courage de me passer de l'eau sur le visage et de me changer. Je me mets juste en tee-shirt et en caleçon et me glisse dans mon lit. Je suis comme un mort. Même pas un mort vivant.

Alors que, les yeux fermés, je lutte contre les larmes, Snow tousse légèrement. Il est réveillé. Je ne pleurerai pas.

— Je t'aiderai, dit-il, si doucement que seul un vampire peut l'entendre.

— M'aider à quoi ?

— À trouver ce qui a tué ta mère.

— Pourquoi ?

Il roule sur le côté pour me faire face. Je le distingue à peine, dans l'obscurité. Lui ne me voit pas.

Il hausse les épaules.

— Parce qu'ils ont attaqué Watford, répond-il.

Je lui tourne le dos.

— Parce que c'était ta mère, ajoute-t-il. Et qu'ils l'ont tuée devant toi.

41

LUCY

LE VOILE RETOMBE. MAIS IL N'A PAS RÉUSSI À m'emporter.

Je pense qu'il n'existe plus assez de moi pour ça. Voilà où j'en suis : je n'ai pas suffisamment de vie pour être complètement morte.

Je ferais mieux de rester là. De continuer à te parler, même si tu ne m'entends pas. Même si je ne te vois pas. (J'ai cru, à un moment donné, que je le pouvais, et que tu m'entendais.)

Je suis là. Je m'adapte. Je franchis des murs qui ne m'arrêtent pas et passe au travers de sols qui ne me retiennent pas. Le monde entier est gris et plein d'ombres.

Je leur raconte mon histoire.

LIVRE TROIS

42

SIMON

QUAND JE ME RÉVEILLE, BAZ EST PRESQUE habillé.

Il est devant la fenêtre et noue sa cravate en se regardant dans la vitre. Il a les cheveux longs, pour un mec. Quand il joue au foot, ils lui tombent dans les yeux. Après sa douche, il les peigne en arrière, ce qui lui donne l'air d'un gangster dès le matin, ou d'un vampire dans un film noir et blanc, avec son implantation en pointe sur le front.

Parfois, je me dis qu'il a tellement l'air d'un vampire que ça ne fait pas crédible. Ça se voit comme le nez au milieu de la figure. (Baz a un nez long et fin mais qui part trop haut dans le visage. On dirait qu'il bloque presque les sourcils. Parfois, quand je le regarde, j'ai envie de tendre le bras pour commander qu'il descende d'un centimètre. Pas sûr que ça marche, cela dit.) (Son nez est légèrement busqué, aussi. Ma faute.)

Je ne sais pas où nous en sommes, ce matin. Je me rappelle parfaitement lui avoir promis de l'aider à découvrir la vérité sur ce qui est arrivé à sa mère, mais est-ce qu'on est censés démarrer maintenant ? Ou bien est-ce le genre de promesse qui reviendra me hanter dans des années, après que je l'aurai oubliée ?

De toute manière, nous sommes encore ennemis, non ? Il veut toujours me tuer ? J'imagine qu'il ne le fera pas avant que je l'aie aidé. Au moins, c'est rassurant.

Il serre son nœud une dernière fois puis se tourne vers moi en enfilant sa veste.

— Tu ne vas pas t'en tirer comme ça.

Je m'assois dans mon lit.

— Comment ça ?

— Tu ne vas pas faire comme si j'avais rêvé, la nuit dernière, ou comme si tu n'avais pas voulu dire ça. Tu veux m'aider à venger la mort de ma mère.

— Personne n'a parlé de *vengeance*, je réponds en repoussant mes couvertures.

Je me lève, passe la main dans mes cheveux pour les ébouriffer. (Ils s'aplatissent, quand je dors.)

— J'ai juste proposé de te donner un coup de main pour trouver *qui* l'a tuée, je précise.

— C'est bien ce que je dis, Snow. Parce que dès que je saurai qui a fait ça, je les tuerai.

— Peut-être, mais pour cela je ne t'aiderai pas.

— Tu es déjà en train de le faire, lâche-t-il en prenant son sac à dos.

— Quoi ?

— À partir de maintenant, lance-t-il. Là tout de suite. C'est notre priorité absolue.

Il se dirige vers la porte. J'ouvre la bouche pour protester :

— Mais…

Il s'arrête net et fait volte-face.

— Et le reste ? je demande.

— Quel reste ? Les cours ? On peut continuer à y aller.

— Pas ça ! Tu sais très bien à quoi je fais allusion.

Je pense aux sept dernières années de ma vie. À toutes les menaces en l'air qu'il a proférées, et aux vraies, aussi. J'enchaîne :

— Tu me demandes de collaborer avec toi, mais je te rappelle que tu veux aussi me planter un couteau dans le dos.

— D'accord. Je te promets de ne pas te planter de couteau dans le dos tant que nous n'aurons pas résolu ça.

— Je suis sérieux. Je ne peux pas te venir en aide si tu passes ton temps à me tendre des pièges.

— Tu crois que c'est un piège ? ricane-t-il. Que j'ai fait revenir ma mère d'outre-tombe pour te jouer un tour ?

— Non.

— Une trêve, dit-il.

— Une trêve ?

— Je suis sûr que tu sais ce que ça signifie, Snow. Pas d'agression tant que nous nous occupons de ça.

— Pas d'agression ? je répète.

Il lève les yeux au ciel.

— Aucun *acte* d'agression, précise-t-il.

Je prends ma baguette sur la table de chevet entre nos lits et je marche vers lui en l'agitant dans la main gauche, la main droite levée.

— Jure-le, dis-je. Avec la magie.

Il me dévisage, les sourcils froncés.

— D'accord, accepte-t-il en écartant ma baguette. Mais pas question de te laisser t'approcher de moi avec ça.

Il sort sa baguette de sa poche intérieure et la brandit entre nous. Puis il attrape ma main ; la sienne est froide. Je recule aussitôt, par réflexe. Il resserre son étreinte.

— Une trêve, déclare-t-il en me regardant droit dans les yeux.

— Une trêve, dis-je, d'un ton moins convaincu.

— Jusqu'à ce que nous sachions la vérité, ajoute-t-il.

Je hoche la tête.

Il donne un coup de baguette sur nos mains jointes. ***Un Anglais n'a qu'une parole !***

Je sens sa magie pénétrer dans ma main. La magie d'un autre est différente, comme la salive d'un autre n'a pas le même goût que la tienne. (Même si je ne peux parler que pour Agatha et moi.) La magie de Baz brûle littéralement. Un peu comme du poil à gratter. Elle traverse les muscles de ma main.

Nous venons de prêter serment. C'est la première fois de ma vie. Baz peut toujours le rompre et s'en prendre à moi, mais il aurait alors une crampe dans les doigts et plus de voix pendant quelques semaines. Peut-être cela fait-il partie de son plan ?

L'un et l'autre, nous observons nos mains unies. Je sens encore sa magie.

— On peut reparler de tout ça après les cours, propose Baz. Ici.

Il desserre son étreinte et je retire ma main.

— D'accord.

J'arrive en retard au petit déjeuner et Pénélope ne m'a pas gardé de toasts ni de harengs fumés. Elle me prévient qu'elle ne se sent pas d'humeur à bavarder ; moi non plus. Pourtant, j'ai tant de choses à lui raconter.

Agatha ne se joint toujours pas à nous. Je ne la vois même pas. Je me demande si elle n'est pas partie se planquer quelque part avec Baz. J'aurais dû ajouter ça à notre trêve : « Et aussi, tu dois laisser ma petite amie tranquille. »

Mon ex, plutôt, devrais-je dire. Peu importe.

— Tu as eu des nouvelles de ta mère ?

— Non, répond Penny. Est-ce que Baz va me dénoncer ?

— Non. Le Mage est-il de retour ?

— Je ne l'ai pas vu.

Elle mange deux fois moins que d'habitude, et moi deux fois plus, histoire d'avoir la bouche pleine. Je pars tôt pour mon cours de Grec, mal à l'aise. J'ai l'impression de laisser tomber Penny, mais je ne peux pas prendre son parti contre le Mage.

Tout comme je ne pourrais pas me ranger aux côtés du Mage contre Penny. Comprenne qui pourra…

Lorsque j'arrive dans la classe, Baz est déjà là. Il fait semblant de ne pas me voir. Toute la matinée, il m'ignore. Je l'aperçois à plusieurs reprises dans les couloirs, en train de chuchoter avec Dev et Niall.

Quand vient l'heure de le retrouver dans notre chambre, j'explique à Penny que je vais rater le goûter pour travailler et je me dirige en courant vers le pavillon Mummers. C'est seulement au bas des marches que je commence à me demander si ce rendez-vous n'est pas un piège. Pure parano. Baz n'a pas besoin de m'attirer dans notre chambre : j'y suis tous les soirs.

Rien à voir avec la fois où il a essayé de me faire manger par la chimère. Ce jour-là, il m'avait demandé de le retrouver dans le bois de Wavering, sous prétexte qu'il avait une information pour moi, à propos de mes parents, et que c'était trop risqué d'en parler près des bâtiments de l'école. Je me doutais qu'il mentait. Je me suis dit que j'irais dans les bois juste pour voir ce qu'il mijotait et qu'ensuite je lui ferais la peau. Mais au fond de moi, je ne pouvais pas m'empêcher de croire qu'il était peut-être vraiment au courant d'un truc sur mes parents. Forcément quelqu'un devait savoir qui ils étaient. Et même si Baz avait l'intention d'utiliser ses infos contre moi, ça serait déjà ça.

Quel moment génial quand la chimère, cachée dans les arbres, a aperçu Baz en premier et l'a poursuivi lui, au lieu de moi ! J'aurais dû laisser ce monstre l'attraper. Ç'aurait été bien fait pour lui…

Il y a aussi eu cet épisode en quatrième année : il m'avait laissé un mot avec l'écriture d'Agatha, où elle me disait de l'attendre sous le grand sapin à la nuit tombée. Il faisait un froid glacial et, évidemment, elle ne s'est pas pointée. Je suis resté coincé là toute la nuit, obligé d'attendre le lendemain matin, que le pont-levis soit abaissé et que je puisse rentrer. J'ai essayé de me réchauffer avec un sortilège, mais ça n'a pas marché, et les diables des neiges n'ont pas arrêté de me jeter des pommes de pin à la tête. J'ai pensé les écrabouiller, mais c'est une espèce magique protégée. (Réchauffement climatique.) Pendant qu'ils me canardaient, j'attendais que quelque chose de pire survienne. Pourquoi Baz me torturait-il avec de simples diables des neiges ? Un genre de boules de neige améliorées, avec des sourcils et des mains. Même pas des créatures maléfiques. Mais rien d'autre ne s'est produit. J'en ai déduit que le plan diabolique de Baz avait raté, ou qu'il avait simplement prévu de me congeler à moitié la veille d'un examen important.

Et enfin, le traquenard de l'année dernière : il m'a dit que Mlle Possibelf voulait me voir, et quand je suis entré dans son bureau, il a enfermé un putois dedans. Même si elle m'aime plutôt bien, Mlle Possibelf était convaincue que c'était moi le responsable.

Je me suis vengé en mettant le putois dans le placard de Baz, ce qui n'était qu'une demi-vengeance, dans la mesure où j'habite avec lui.

Me voilà devant la porte, à présent, et je continue de me demander si c'est un piège. Peu importe, après tout : même si c'en est un, j'irai.

J'ouvre. Baz est en train de faire rouler un tableau noir devant nos lits.

— D'où ça vient ? dis-je.

— D'une salle de classe.

— Je m'en doute, mais comment c'est monté jusqu'ici ?

— En volant.

— Sérieusement !

Il lève les yeux au ciel.

— J'ai fait : **Debout et hop !** Pas très compliqué.

— Pourquoi ?

— Parce qu'on doit résoudre un mystère, Snow. J'aime mettre mes idées au clair.

— C'est comme ça que tu fais quand tu complotes contre moi ?

— Oui. Avec des craies de toutes les couleurs. Arrête de te plaindre.

Il sort quelques pommes de son sac d'école ainsi que des trucs emballés dans du papier aluminium.

— Mange, lâche-t-il en m'en lançant un.

C'est un sandwich au jambon. Il a aussi une théière pleine.

— Qu'est-ce que c'est que tout ça ? je m'étonne.

— Du thé, a priori. Je sais que tu ne peux rien faire le ventre vide.

Je déballe le sandwich et me résous à mordre dedans.

— Merci.

— N'en rajoute pas. Ça sonne faux.

— Pas plus que toi qui m'apportes un sandwich au jambon.

— OK, je t'en prie… Quand est-ce que Bunce se pointe ?

— Pourquoi viendrait-elle ?

— Parce que vous faites tout ensemble, non ? Quand tu m'as dit que tu voulais m'aider, je pensais que tu ramènerais ta moitié intelligente.

— Pénélope ne sait rien.

— Elle n'est pas au courant pour la Visite ?

— Non.

— Pourquoi ? Je croyais que tu lui racontais tout.

— Oui mais là… c'est toi que ça regarde, il me semble.

— En effet, répond-il.

— Donc je ne lui en ai pas parlé. Bon, par quoi on commence ?

Il fait la moue.

— Je comptais sur Bunce pour nous le dire.

— On n'a qu'à démarrer avec ce qu'on connaît.

C'est toujours comme ça que Pénélope procède.

— D'accord.

Baz a l'air nerveux. Il se cogne contre le tableau en se tournant et se fait une grosse trace blanche sur le pantalon. *Nicodemus*, écrit-il d'une écriture penchée et soignée.

— Ça, c'est ce qu'on ne connaît pas, dis-je. Sauf si tu as découvert quelque chose.

Il secoue la tête.

— Non. Jamais entendu parler de lui. J'ai fait une rapide vérification à la bibliothèque, pendant le déjeuner, mais je ne risquais pas de trouver un truc dans le *Jardin de poèmes enfantins*[1].

La plupart des livres de magie ont été retirés de la bibliothèque de Watford. Le Mage veut que nous nous concentrions sur les livres normaux pour garder un lien étroit avec la langue. Avant les réformes du Mage, l'école était très conservatrice : elle privilégiait les sorts traditionnels plutôt que les nouveaux, pourtant plus efficaces. Il y avait même des initiatives pour rendre la littérature et la culture victoriennes plus populaires auprès des Normaux – une façon de raviver les vieux sortilèges. « La langue change, dit le Mage. Nous devons aussi évoluer. »

Baz regarde le tableau. Ses cheveux tombent sur ses joues. Il remonte une mèche derrière son oreille et écrit :

12 août 2002

Alors que je m'apprête à lui demander de quoi il s'agit, je me ravise. Je me rappelle.

— Vous n'étiez que cinq, dis-je. Tu te souviens de quelque chose.

Il me regarde, puis contemple de nouveau la date.

— Un peu.

1. Recueil de poèmes de R. L. Stevenson.

43

BAZ

UN PEU. J'AI OUBLIÉ COMMENT LA JOURNÉE A commencé, et la plupart des événements.

Je me rappelle seulement certains détails de cette année-là. Une visite au zoo. Le jour où mon père a rasé sa moustache et que je ne l'ai pas reconnu.

Je me souviens de la crèche en général. Des biscuits et du lait que nous avions chaque jour. Du lapin dessiné sur le plafond. De la petite fille qui m'a mordu. Et aussi des trains ; j'aimais particulièrement le vert. J'ai en mémoire qu'il y avait des bébés et que, parfois, quand l'un d'eux pleurait, la puéricultrice me laissait me pencher au-dessus du berceau et dire : « Tout va bien, petit chou, ne t'inquiète pas. » C'est ce que ma mère me murmurait quand je pleurais.

Je ne pense pas que nous étions très nombreux, là-bas. Seulement les enfants des professeurs. Deux pièces. J'étais toujours là, avec les bébés.

Je n'ai pas de souvenirs d'avoir été là précisément le 12 août. Mais je me rappelle quand les vampires ont défoncé la porte.

Nous, les vampires, nous sommes exceptionnellement forts quand nous chassons. Une lourde porte en chêne avec des

267

lapins et des blaireaux sculptés, ça n'était pas un obstacle significatif pour une de nos équipes.

Je ne saurais pas dire combien de vampires sont entrés dans la crèche, ce jour-là. Des dizaines, me semble-t-il, mais c'est impossible, car j'ai été le seul enfant à être mordu. Je me rappelle que l'un d'eux, un homme, m'a pris comme un chiot, par le dos de ma salopette. Mon biberon de lait est remonté et je me suis un peu étranglé.

Dans mon souvenir, ma mère était juste derrière eux, elle est arrivée presque tout de suite. J'ai entendu les sorts qu'elle criait avant même de la voir. J'ai aperçu sa lumière bleue avant son visage. Ma mère pouvait convoquer le feu en marmonnant. Elle était capable de brûler pendant des heures sans se fatiguer.

Elle envoyait des vagues de feu par-dessus la tête des enfants, l'air était électrique.

Les gens couraient dans tous les sens. Un des vampires s'est enflammé comme un feu d'artifice. Je me souviens du visage de ma mère quand elle m'a vu, l'éclair d'effroi, juste avant que l'homme qui me tenait ne plante ses dents dans mon cou.

Puis la douleur.

Ensuite, plus rien.

J'ai dû m'évanouir.

Quand je me suis réveillé, j'étais dans l'appartement de ma mère, et mon père et Mlle Possibelf, penchés sur moi, lançaient des sorts guérisseurs.

Quand je me suis réveillé, ma mère n'était plus là.

44

SIMON

BAZ A ÉCRIT SUR LE TABLEAU :

Vampires, puis *En mission pour le Humdrum*, et *Une victime*.

Je ne comprends pas comment il peut parler ainsi des vampires sans admettre qu'il en est un. Faire comme s'il ne savait pas que je savais.

— Pas seulement *une* victime, dis-je. Il y a aussi eu des vampires, non ? Est-ce que ta mère les a tous tués ? Combien en a-t-elle éliminé ?

— Impossible à dire, répond-il en croisant les bras. Il n'y avait aucun reste.

Il se tourne vers le tableau avant d'ajouter :

— Avec ce genre de mort, il n'y a jamais de restes, juste des cendres.

— Donc le Humdrum a envoyé des vampires à Watford…

— Première brèche ouverte dans toute l'histoire de l'école.

— Et dernière.

— C'est devenu bien plus dur, en effet. Obligé de reconnaître que, grâce au Mage, l'école est désormais une forteresse. S'il pouvait, il la cacherait derrière le Voile.

— Il n'y a pas eu une seule autre attaque de vampires, depuis, n'est-ce pas ?

Il hausse les épaules.

— Ils ne s'en prennent pas aux magiciens, d'habitude. Mon père dit qu'ils sont comme les ours.

Ils.

— C'est-à-dire ?

— Ils chassent là où c'est le plus facile pour eux, chez les Normaux. Et ils n'agressent les magiciens que s'ils sont affamés ou enragés. Sinon, ça fait trop d'histoires.

— Qu'est-ce que ton père t'a raconté d'autre sur les vampires ?

— On aborde rarement le sujet, lâche-t-il d'une voix glaciale.

— Ah bon… Parce que si nous savions comment ils travaillent, ça pourrait nous aider, dans ce genre de situation.

Il esquisse un léger sourire.

— Si tu veux mon avis, Snow, ils boivent le sang et se transforment en chauves-souris.

— Je voulais dire culturellement.

— C'est vrai que tu es un obsédé de la culture, réplique-t-il.

— Tu veux que je t'aide, ou pas ?

Il pousse un soupir et écrit sur le tableau : *Vampires : nourriture intellectuelle/matière à réflexion.* J'engloutis la dernière bouchée de mon sandwich.

— Les vampires peuvent vraiment se transformer en chauves-souris ?

— Tu n'as qu'à leur demander. Allez, on continue. Que savons-nous d'autre ?

Je me lève du lit et j'essuie mes mains sur mon pantalon avant de prendre sur mon bureau un exemplaire relié du *Dossier*.

— J'ai étudié le compte rendu de l'attaque…

J'ouvre le livre et le lui tends. La photo officielle de sa mère occupe la moitié de la page. Il y a aussi une photo de la crèche brûlée et noircie par la fumée. Au-dessus s'étale en gros titres :

DES VAMPIRES DANS LA CRÈCHE
Natasha Grimm-Pitch est morte en défendant Watford contre des créatures maléfiques. Nos enfants sont-ils en sécurité ?

— Je n'avais jamais vu ça, lâche Baz en prenant le livre.

Il s'assoit sur ma chaise et commence à lire l'article à haute voix :

— « L'agression a eu lieu quelques jours avant la rentrée scolaire. Imaginez le carnage si cela était arrivé un jour de cours normal… Mlle Mary, la directrice de la crèche, a dit qu'un des monstres a attaqué Grimm-Pitch par-derrière, en lui plantant les dents dans le cou, après qu'elle a eu décapité un autre qui s'en prenait à son fils. "Elle était comme une furie, a rapporté Mlle Mary. Comme dans un film, le monstre l'a mordue et elle a lancé un *Tigre, tigre, ton éclair luit*[1] *!* et ils sont tous les deux partis en flammes…" »

Baz interrompt sa lecture, l'air ébranlé.

— Je n'étais pas au courant, dit-il en s'adressant davantage au livre qu'à moi. Je ne savais pas qu'elle avait été mordue.

— Qu'est-ce que *Tigre, tigre*… ?

Je m'arrête net : je n'ose pas prononcer des sorts à voix haute, par crainte des conséquences.

— C'est un sortilège d'immolation, répond-il. Très souvent utilisé par les assassins. Et par les amoureux éconduits.

— Donc elle s'est tuée ? Volontairement ?

Il ferme les yeux et laisse tomber sa tête. J'aimerais lui dire quelque chose de gentil mais ça ne marche pas d'être consolé par son pire ennemi.

Sauf que… je ne suis pas son pire ennemi, si ? Enfer et damnation.

---

1. Vers du poète William Blake : « *Tiger, tiger, burning bright…* »

Debout à côté de lui, je lui donne une légère tape sur l'épaule – un truc réconfortant – et je récupère le livre. À haute voix, je continue la lecture :

— « Son fils de cinq ans, Tyrannus Basilton, a été choqué par l'agression mais il est indemne. Son père, Malcolm Grimm, l'a emmené dans leur maison du Hampshire pour qu'il se remette.

« Le Conseil des sorciers s'est réuni en urgence pour discuter de cette attaque menée à Watford, de l'intensification du problème des créatures maléfiques et pour nommer un directeur par intérim.

« Des personnes ont réclamé la fermeture de l'école jusqu'à ce que soit réglé le problème avec les créatures maléfiques, certaines ont même suggéré d'intégrer nos enfants dans les écoles des Normaux, à l'instar des Américains et des Scandinaves. »

Je me tourne vers Baz.

— Il y a d'autres articles à ce sujet. Beaucoup de réunions, de débats, d'éditoriaux. Jusqu'à l'arrivée du Mage, en février.

Baz ne me voit pas, son regard flotte au loin. Il a les cheveux dans les yeux et les bras croisés. J'essaie un nouveau geste de réconfort ; cette fois, je pose ma main sur son épaule.

— Ça va, dis-je.

Il lâche un rire bref.

— *Ça va* ? C'est pas vraiment mon avis.

— Je veux dire : pas de problème que tu sois mal. Ne t'en fais pas.

Il se lève et repousse ma main.

— C'est ce que tes amis te disent chaque fois que tu fais sauter un bout de l'école ? Parce qu'ils te racontent des bobards. Ça ne va pas. Et ça n'ira pas. Jusqu'à présent, ça a toujours été un signe que les choses empireraient. C'est toi qui ne vas pas, Snow, hein ?

Je sens une forte chaleur s'abattre sur mon dos et mes épaules, je réagis aussitôt en m'éloignant de lui.

— Il ne s'agit pas de moi, je proteste.

— C'est ce que je croyais, ricane-t-il. Mais je me suis trompé. En fait, il s'agit toujours de toi.

Je lance le livre sur mon bureau et me dirige vers la porte. J'aurais dû me douter que ça ne marcherait pas. C'est juste un sale con, même quand il est malheureux.

— Je croyais que tu devais travailler, observe Pénélope.

Elle a posé son ordinateur sur une table du réfectoire et étalé ses papiers autour. À tous les coups, le thé qui est dans la théière est froid. Je pose mes mains dessus et lance : *Certains l'aiment chaud !*. J'entends un bouillonnement et le couvercle se fissure.

— J'aidais Baz à faire quelque chose, dis-je. Mais c'est fini. Ça n'arrivera plus jamais.

Elle plisse le nez, les yeux fixés sur le couvercle pendant que je me sers une tasse de thé. (Je sais ce qu'elle pense : Ça, ça n'aurait pas dû arriver.) Elle relève la tête et fronce les sourcils en me dévisageant.

— Comment ça, tu aidais Baz ?

— C'est une longue histoire.

— J'ai tout mon temps.

Au même instant, nous entendons un cri. Je me lève brusquement, heurte la table, ce qui achève le couvercle de la théière. Les enfants viennent de la cour et se précipitent dans le réfectoire. Tous en train de hurler. J'attrape par le bras une première année qui court devant moi.

— Qu'est-ce qui se passe ?

— Un dragon ! crie-t-elle. Le Humdrum a envoyé un dragon !

Mon épée à la main, je m'élance vers la porte, Penny sur mes talons. Dehors, la cour est vide, mais il y a des traces de brûlures sur la fontaine et de la terre noire. La présence du

Humdrum est palpable dans l'air – cette sensation de séche-resse et de vide qui aspire et qui démange. La plupart des élèves de Watford la reconnaissent, maintenant. C'est aussi efficace qu'une sirène.

Je franchis au pas de course le premier puis le second portail. Une onde de chaleur m'assaille quand je passe sous le porche avant le pont-levis. Un souffle brûlant. Comme un mur. Je lève mes bras devant mon visage et sens Penny qui agrippe ma chemise, dans mon dos. Elle passe sa main qui porte la bague par-dessus mon épaule. *Tu ne peux pas toucher ça !*

— Qu'est-ce que c'est ?

— Un sort qui fait barrière. Comme ça le dragon ne peut pas t'atteindre. Sauf s'il connaît la chanson.

— Comment il pourrait la connaître ?

— Je fais ce que je peux, Simon ! réplique-t-elle.

— Je n'arrive même pas à le voir !

En revanche, je crois l'entendre. Son battement. Soudain, une coulée de feu se déverse sur la pelouse. Je lève les yeux. Il plonge vers nous. On dirait un tyrannosaure rouge avec des yeux jaunes de chat et des grandes ailes en caoutchouc égale-ment rouges.

Penny continue à envoyer des sorts par-dessus mon épaule pour le faire tomber.

— À quoi ça va nous servir qu'il soit à terre ? je demande.

— À ne pas être bombardés de flammes ! hurle-t-elle.

J'essaie de me rappeler mon dernier combat contre un dragon, mais j'avais onze ans ; il me semble que je l'ai explosé. Dans ma tête, je m'adresse au monstre : « Approche-toi donc, que je puisse te faire sauter. »

Le dragon se cabre, sans nous lancer de flammes. L'espace d'un instant, je me dis qu'un des sorts de Penny a marché. Puis je repère sa cible : un groupe d'enfants, des troisième, probable-ment, qui sont accroupis sous le grand sapin.

Mlle Possibelf est avec eux ; elle jette des sorts au dragon avec sa canne. Je me précipite vers l'arbre, sors ma baguette magique de ma poche arrière et crie au dragon : ***Votre attention, s'il vous plaît !***

Je mets dans ma formule tout le poids de ma magie.

Le dragon me regarde, suspendu en l'air, comme si on avait appuyé sur le bouton *pause*. Puis il se rue vers moi.

— Oh, merde ! s'exclame Pénélope, à quelques mètres de moi.

Elle tend le bras vers l'école – et non vers le dragon – et crie : ***Rien d'intéressant ici !***

Je vire sur la droite pour emmener le dragon loin des bâtiments.

— Qu'est-ce que tu fais ? je crie.

— Le sort que tu as lancé pour réclamer l'attention a marché sur tout le monde, explique Penny. Ils viennent tous voir ce qui se passe.

Arrivée au portail, elle hurle de nouveau :

— ***Rien d'intéressant ici ! Tels que vous étiez !***

Je regarde derrière moi et je vois des enfants sur le pont-levis et d'autres qui courent sur les remparts. Le dragon plonge de nouveau et je me précipite vers lui. Un jet de flammes me passe au-dessus de la tête. Je me jette sur le sol et roule sur moi-même. Juste à temps : ses dents arrachent la terre à côté de moi.

Il se redresse avec un grognement – de frustration, à mon avis – et s'avance vers moi en faisant claquer ses mâchoires. J'abats mon épée sur son cou, la lame se fiche dedans. Lorsque le dragon se redresse de nouveau, je suis emporté par le mouvement, accroché à mon épée. Je profite de l'élan pour atterrir sur sa tête et je cale mes genoux derrière ses mâchoires.

Voilà qui est mieux. Maintenant, je n'ai plus qu'à l'achever.

Le monstre secoue la tête pour tenter de se débarrasser de moi. J'essaie de retirer mon épée de son cou pour le frapper une nouvelle fois quand, soudain, j'entends Baz crier mon nom. Je lève les yeux et le vois galoper sur les remparts.

Il a dû se lancer un sort à lui-même pour que sa voix porte si loin. (Je me demande si c'est **Oyez, oyez !**, je ne l'ai jamais essayé.)

— Simon ! hurle-t-il. Ne lui fais pas de mal !

Hein ? Et puis quoi encore ?

— Simon ! Arrête ! Ça n'est pas une créature maléfique !

Arrivé au bout des remparts, au lieu de ralentir, il saute dans les douves. C'est aussi haut qu'un immeuble ! Et il ne tombe pas ! Il se laisse flotter jusqu'à l'autre rive. C'est le plus beau spectacle que j'aie vu de ma vie.

C'est aussi ce que doit penser le dragon, car il arrête de se débattre et sa tête suit Baz. Ses ailes battent avec moins de rage. On dirait qu'il se prélasse dans l'air tandis qu'il lâche de petites flammèches.

— Baz ! je crie. Non ! Tu es inflammable !

— Comme tout ! s'exclame-t-il.

— Baz !

Trop tard, il pointe déjà son bras vers le dragon et jette un sort : **Coccinelle, coccinelle, retourne chez toi, ta maison est en feu et tes enfants n'y sont pas !**

C'est un sort classique contre les insectes, les souris et autres nuisibles. Mais Baz continue. Il va formuler toute la comptine. Comme s'il était Houdini.

— **Coccinelle, coccinelle, retourne chez toi, ta maison est en feu et tes enfants n'y sont pas ! Tous sauf un, et c'est la petite Carole, car elle s'est glissée sous la casserole !**

Dans notre monde, rien n'a plus de pouvoir qu'une comptine, ces vers que les gens apprennent quand ils sont petits et qui restent gravées dans leur cerveau pour toujours. Un Mage puissant peut repousser une armée avec *Humpty Dumpty*.

— **Coccinelle, coccinelle, retourne chez toi, ta maison est en feu et tes enfants n'y sont pas !**

Le dragon ne s'envole pas vers sa maison : il est fasciné par Baz. Il atterrit devant lui et penche la tête. D'un seul souffle de feu, à présent, il peut l'anéantir.

Baz lui fait face.

— *Tous sauf un, et c'est le petit Pierre, car il s'est glissé sous une pierre !*

Je glisse du cou de la bête en tirant mon épée dans ma chute.

— *Coccinelle, coccinelle, retourne chez toi, ta maison est en feu et tes enfants n'y sont pas !*

Je me demande pourquoi personne ne l'aide et m'aperçois que les élèves et les professeurs de l'école sont aux fenêtres ou sur les remparts. Ils observent tous avec attention, comme je le leur ai ordonné. Même Penny. Ou peut-être est-elle sidérée, comme moi. Baz continue.

— *Tous sauf un, et c'est le petit Robert, car il s'est glissé sous une soupière !*

Le dragon trépigne, visiblement agacé, et déploie ses ailes.

Baz élève la voix. La sueur perle sur son front et ses tempes, sa main levée tremble. J'aimerais pouvoir l'aider, mais je risque plutôt de tout gâcher. L'idée me traverse l'esprit de profiter du fait que le dragon est distrait pour lui balancer un grand coup, mais Baz m'a intimé de ne pas le frapper. Je me déplace lentement pour me poster derrière Baz.

Le monstre secoue la tête et amorce un demi-tour. Je commence à croire qu'il veut vraiment partir. Que le sort va marcher.

— *Coccinelle, coccinelle, retourne chez toi, ta maison est en feu et tes enfants n'y sont pas !*

À présent, c'est tout le bras de Baz qui tremble. Je pose ma main sur son épaule pour le stabiliser. Et là, je fais un truc que je n'ai jamais fait avant, et que je ne tenterais pas avec quelqu'un que j'aurais peur de blesser.

Je saisis un peu de la magie qui cherche à sortir de moi et je la transmets à Baz. Son bras se tend comme un arc et sa voix résonne avec plus de force en plein milieu de la phrase : ***chez toi !***

Les ailes du dragon frémissent, il recule en vacillant.

J'envoie encore un peu de magie. Je serre les dents, redoutant qu'il y en ait trop, mais Baz ne s'effondre pas. Au contraire, je sens sous ma main son épaule solide, dure comme de la pierre.

— ***Coccinelle, coccinelle, retourne chez toi !*** tonne-t-il.

Les ailes du dragon qui battent avec vigueur le projettent en arrière, comme un avion qui décollerait à reculons.

J'arrête de fournir de la magie et ferme les yeux. Baz m'en reprendra s'il en a besoin. Je ne veux pas courir le risque de lui en donner trop et de le transformer en grenade dégoupillée. Quand je rouvre les paupières, le dragon n'est plus qu'un point rouge dans le ciel et des applaudissements s'élèvent des remparts.

Tels que vous étiez ! crie Baz en pointant sa baguette vers l'école et, aussitôt, la foule se disperse. Puis il s'éloigne de moi pour se dégager de mon emprise et me fait face. Il me dévisage comme si j'étais super bizarre. (Ce qui, nous le savons tous, est vrai.) Son sourcil droit est tellement levé qu'on dirait qu'il n'est plus relié à son œil.

— Pourquoi m'as-tu aidé ? dis-je.

— La trêve, répond-il.

Il secoue la tête, de la même manière que le dragon quand il essayait de repousser le sortilège de Baz.

— Et puis, ça n'est pas toi que j'aidais, mais le dragon, poursuit-il en se frottant la nuque. Tu l'aurais tué.

— Il attaquait l'école.

— Parce qu'il était obligé de le faire. Les dragons n'attaquent que quand ils sont menacés. En plus, ils ne vivent même pas dans cette partie de l'Angleterre.

Pénélope me rentre dedans comme une auto tamponneuse. Elle attrape ma main et la pose sur son épaule.

— Montre-moi, ordonne-t-elle. Vas-y, envoie la sauce !

Je retire ma main.

— Comment ça ?

Elle la saisit de nouveau.

— J'ai vu ce qui vient de se passer. Depuis quand tu sais faire ça ?

— Arrête !

Je lance un regard appuyé autour de moi pour lui signaler les oreilles indiscrètes.

La pelouse est remplie d'enfants qui cherchent les traces de brûlures, soulagés d'avoir échappé à la mort.

— Je le soutenais moralement, c'est tout, j'explique.

— Excellent travail, messieurs.

Mlle Possibelf est à côté de nous. Je ne l'ai pas vue arriver.

— J'ai rarement entendu une comptine aussi forte et aussi marquée, monsieur Pitch. Un sort particulièrement bien adapté à la situation, qui plus est.

Baz s'incline d'un air modeste. À la perfection. Les cheveux lui tombent sur le visage.

— Monsieur Snow, enchaîne-t-elle en se tournant vers moi, vous pourrez peut-être faire un rapport pour le directeur à son retour. Et cette semaine, en cours d'Élocution, nous travaillerons la modération.

Je baisse la tête.

— Oui, mademoiselle.

Quand je me tourne vers le château, j'aperçois Agatha. Elle est la seule à nous regarder encore, du haut des remparts.

45

SIMON

— TU AS EU UNE VISITE ! ET TU NE ME L'AS MÊME pas dit !

Pénélope est devant moi, les mains sur les hanches. Si Baz ne lui avait pas pris sa baguette, je parie qu'elle serait en train de m'envoyer un sort gratiné.

— Tu lui as raconté, à lui ? lance-t-elle en montrant Baz du doigt. Et pas à moi ?

— Il s'agissait de sa mère, dis-je.

— Ouais. N'empêche qu'il n'était même pas là.

— J'allais t'en parler, Penny. Mais il est revenu, et tout est devenu compliqué.

— Nous sommes justement en train de te raconter le truc, insiste Baz.

— *Nous* ? Depuis quand vous êtes un *nous*, tous les deux ?

— Nous n'en sommes pas un ! je m'exclame.

Baz lève les mains et se vautre sur son lit.

— Vous êtes insupportables, râle-t-il.

— Et depuis quand tu es une prise électrique sur laquelle les autres magiciens peuvent se brancher ? me demande Penny.

— Je ne sais pas. Je n'avais jamais essayé avant.

— Alors refais-le maintenant, lance-t-elle en s'affalant sur mon lit à côté de moi.

— Non, Penny. Je ne veux pas courir le risque de te faire du mal.

Elle place sa main sur mon épaule.

— Imagine un peu ce qu'on pourrait faire avec ton pouvoir et mes sortilèges, Simon ! On achèverait le Humdrum avant le dîner, et ensuite, on s'attaquerait à la faim et à la paix dans le monde.

— Pense à ce que le Mage fera quand il se rendra compte qu'il a une centrale nucléaire dans son jardin, chantonne Baz.

J'avale ma salive avec difficulté, les yeux rivés sur le mur. Penny enlève sa main. Je dois avouer que je n'ai aucune envie de raconter au Mage, ni à qui que ce soit, d'ailleurs, ce que j'ai fait aujourd'hui. Déjà que je n'arrive pas à contrôler mon pouvoir, si en plus il me file par les doigts...

Penny pose sa main sur la mienne.

— C'était un sortilège spécial ? murmure-t-elle.

— Non. J'ai juste... appuyé.

— Montre-moi.

Baz se dresse sur ses coudes pour nous observer. Je plonge mon regard dans celui de Penny.

— J'ai confiance en toi, dit-elle.

— Ça ne veut pas dire que je ne te ferai pas de mal.

Elle hausse les épaules.

— La douleur, ça ne dure pas.

— Mais je peux vraiment te bousiller.

Elle hausse de nouveau les épaules.

— Allez ! Nous devons comprendre comment ça marche.

— Nous ne *devons* pas. C'est toi qui *veux*.

Elle me presse la main.

— Simon...

Je scrute ses yeux. Je sais qu'elle ne me fichera pas la paix tant que je ne l'aurai pas fait. J'essaie de me rappeler ce que j'ai éprouvé quand j'étais sur la pelouse. C'était comme si j'étais ouvert, détendu. Et que je laissais filer, tout doucement…

J'appuie, le plus délicatement possible.

— La vache ! s'exclame-t-elle en se levant d'un bond. Putain, Simon, mais va te faire voir chez les trolls !

Elle secoue sa main dans tous les sens, les yeux brillants de larmes.

— Merde ! C'est pas vrai !

Je me lève et m'approche d'elle.

— Désolé, Penny ! Laisse-moi voir !

Baz se rallonge sur son lit en gloussant. Pénélope me tend son bras. Il est rouge et tout marbré.

— Oh ! là là, je suis vraiment désolé. Tu veux que je t'emmène à l'infirmerie ?

— Pas la peine. Je crois que ça passe.

Elle a le bras qui tremble. Baz quitte son lit pour jeter un coup d'œil.

— Ça t'a fait comme si je te lançais un sort ? je demande.

— Non, répondent-ils tous les deux en même temps.

— C'était plus comme un choc, précise Pénélope.

Tournée vers Baz, elle ajoute :

— Et toi ?

Il sort sa baguette.

— Je ne sais pas. J'étais concentré sur le dragon.

— Ça t'a fait mal ? interroge-t-elle.

— Ce n'est peut-être pas ce que tu crois avoir vu, lâche-t-il. Peut-être que Snow était seulement en train de me soutenir moralement ?

— En effet. Et peut-être que tu es le mage le plus doué depuis cinq générations, aussi ?

— Peut-être bien ! lance-t-il en tapant le bras de Penny avec sa baguette en ivoire. ***Bon rétablissement !***

— Et là, tu te sens comment ? dis-je.

— Mieux, avoue-t-elle à contrecœur.

Elle fronce les sourcils vers Baz et ajoute :

— Chaud.

Il sourit, son sourcil droit très haut, de nouveau.

— À bonne température, je voulais dire, indique-t-elle. Ta magie, c'est comme un baume pour les brûlures, Basil.

Il hausse les épaules et s'approche du tableau noir.

— C'est de famille.

Chaque magie est ressentie différemment. Celle de Pénélope est dense et a un goût de sauge. J'aime plutôt ça.

— Donc…, dit-elle en suivant Baz, tu as eu une Visite. Une vraie Visite : Natasha Grimm-Pitch était *là*.

Baz la regarde.

— Ça te fait de l'effet, on dirait, Bunce.

— Carrément. Ta mère était une héroïne. Elle a inventé un sort contre la fièvre gnomique. Et elle était la plus jeune directrice de l'histoire de Watford.

Baz dévisage Penny comme s'il la voyait pour la première fois.

— Et en plus, elle a dû défendre ton père dans trois duels avant qu'il n'accepte sa proposition, ajoute-t-elle.

— C'est assez barbare, dis-je.

— C'était la tradition, explique Baz.

— C'était génial, oui ! confirme Penny. J'ai lu le compte rendu.

— Où ça ? demande Baz.

— À la maison. Nous l'avons dans notre bibliothèque. Mon père adore les rituels du mariage. Toute la magie de la famille, en fait. Lui et ma mère sont liés dans cinq dimensions.

— Adorable, commente Baz.

Ce qui me terrifie, car il le pense vraiment.

— Quand je proposerai à Micah qu'on se marie, j'arrêterai le temps, confie Penny.

— Le petit Américain avec les lunettes épaisses ?

— Plus si petit.

— Intéressant, observe Baz en se frottant le menton. Ma mère a décroché la lune.

— C'était une légende ! lance Pénélope, rayonnante.

— Je croyais que tes parents détestaient les Pitch ? dis-je.

Ils m'ont tous les deux regardé comme si je venais de me renverser un bol de soupe sur la tête.

— C'est de la politique, ça, réplique Penny. Nous, on parle *magie*.

— Bien sûr. Mais où avais-je la tête ?

— Très loin d'ici, visiblement, ricane Baz.

— Et maintenant, qu'est-ce qui se passe ? dis-je. Qu'est-ce qu'on est censés faire ?

Pénélope croise les bras et lance un coup d'œil vers le tableau noir.

— Nous allons découvrir qui a tué Natasha Grimm-Pitch.

— La légende, ajoute Baz.

Penny lui adresse un regard gentil, du genre de ceux qu'elle me réserve.

— Pour qu'elle puisse reposer en paix.

46

BAZ

PÉNÉLOPE BUNCE EST UNE MAGICIENNE acharnée, je dois le reconnaître.

Je peux l'admettre, maintenant qu'elle est – provisoirement – de mon côté. Pas étonnant que Snow soit tout le temps sur ses talons comme un petit chien débile. Même si on ne sait rien de plus qu'on ne savait déjà, Bunce est tellement efficace et confiante qu'elle donne l'impression qu'on avance à grands pas, dans cette chambre. En plus, elle a réparé notre fenêtre, qui ne grince plus.

Une chose est sûre : elle me trouve toujours détestable et odieux. Mais Rome n'a pas été construite sur l'amitié. Elle s'y connaît en histoire de la magie – sa maison doit grouiller de livres interdits –, et si elle s'appelait Pitch et non Bunce, elle croupirait depuis longtemps au fond d'un donjon pour certaines de ses opinions.

(Le sang qui coule dans ses veines doit être très ordinaire, Bunce est le nom le moins magique du Royaume. Et il faut voir son père, le *professeur Bunce* : on dirait un livre ambulant, bourré de notes de bas de page ; ou une veste en patchwork. L'an dernier, il a donné un cours spécial sur le Humdrum, je crois que je n'ai pas réussi à suivre une seule de ses phrases jusqu'à la fin.)

Snow et Bunce m'ont envoyé chercher le dîner, car j'ai un lien avec Mme Pritchard, la cuisinière ; c'est une cousine éloignée. Quand je reviens dans la chambre, Bunce tient un morceau de craie verte et elle ajoute des notes aux miennes sur le tableau noir, de sa petite écriture appliquée :

Nicodemus
– Vérifier bibliothèque
– Demander Maman ? (Risqué ?)
– Demander Mage ? (Non.)
– Google ? Oui ! (Ça ne craint rien, Simon.)

Même dans ses notes elle s'adresse à Snow. C'est Dupond et Dupont, ces deux-là. Des siamois. Mmmh… je me demande si Wellbelove fera aussi partie de l'équipée.

— Simon a raison, à propos des vampires, lance Bunce face au tableau noir.

Le plateau tangue entre mes mains. Je me penche légèrement pour le stabiliser.

— Comment ça ?

— Les vampires, répète-t-elle en se tournant vers moi, les mains sur les hanches.

Sa jupe est couverte de craie.

Snow pose son livre et vient prendre le pichet de lait sur le plateau. Alors qu'il le porte à sa bouche, je lui donne un coup dans le tibia.

— Anathème du colocataire ! s'exclame-t-il.

— Je ne veux pas te faire de mal, au contraire, c'est pour ton bien. Pour te défaire de tes manières dégoûtantes. La chambre ne me punira pas, cette fois, gros balourd. Il y a des verres, là.

Il pose le lait sur la table basse entre nos lits, prend les verres et les serviettes en papier qui contiennent des sandwiches.

— Pritchard t'a donné tout ça ? s'étonne-t-il en déballant une pile de brownies.

— Elle m'aime bien, dis-je.

— Je croyais qu'elle m'appréciait moi, lâche-t-il en s'asseyant sur son lit. Je l'ai sauvée d'une attaque de lézards, un jour !

— Bah, moi, elle m'aime pour ce que je suis.

— *Les vampires*, répète Pénélope. Vous écoutez, oui ?

Je ricane. Par habitude.

— Avale un sandwich, Bunce.

— Comment peut-on découvrir qui a envoyé les vampires et ce qu'ils voulaient si on ne sait rien sur eux ? insiste-t-elle.

— Ils veulent du sang, répond Snow, la bouche pleine de rôti de bœuf.

— Mais ils peuvent en trouver autant qu'ils veulent à Soho, après minuit, réplique-t-elle.

Elle attrape un sandwich, s'assoit sur le lit de Snow et croise les jambes. En me penchant un peu, je pourrais voir sous sa jupe, si je voulais.

— En revanche, Watford en plein jour..., poursuit-elle, à mon avis, c'est ce qu'il y a de pire, pour un vampire qui cherche du sang.

Là-dessus, elle a bien raison.

— Donc pourquoi ont-ils essayé ? ajoute-t-elle.

Je prends une pomme.

— La rentrée n'avait pas encore eu lieu, je réponds. Du coup, personne ne se méfiait.

— D'accord, mais c'est Watford, quand même ! s'exclame-t-elle en secouant ses longs cheveux. À l'époque, il y avait déjà des tonnes de protections contre les créatures maléfiques.

— Il ne faut pas forcément chercher une raison logique, observe Snow. Le Humdrum a envoyé les vampires. Comme le dragon aujourd'hui. Lui non plus, il n'avait pas envie d'être là.

Je ne sais pas s'il a compris ça tout seul ou si c'est parce que je le lui ai dit. J'ai bien cru qu'il allait tuer de sang-froid cette dragonne devant toute l'école. Bon, c'est vrai, elle nous attaquait. Mais abattre un dragon, c'est grave. Ça l'est même pour ma famille. On n'assassine pas un dragon, sauf si on veut ouvrir la porte de l'enfer.

— Mais si Mme Grimm-Pitch parlait du Humdrum, pourquoi aurait-elle confié cette responsabilité à Baz ? demande Bunce. Elle attend de lui qu'il tue le Humdrum ? Et ce Nicodemus, dans tout ça ?

Snow fronce les sourcils.

— Il faut arrêter de croire que c'est une attaque isolée.

— C'est la seule attaque de vampires dans toute l'histoire de l'école, dis-je.

— Ouais, mais il s'est passé des tas d'autres trucs au même moment, rétorque-t-il. Le Mage a dit que les créatures maléfiques pensaient que nous étions plus faibles, elles en ont profité pour se déchaîner contre notre royaume.

— Quand a-t-il dit ça ? demande Penny.

— C'est dans *Le Dossier*, répond Snow. Le Mage a fait un discours devant le Conseil avant même l'invasion de l'école.

Il engloutit le dernier morceau de son sandwich et tend le bras pour attraper un livre près de Penny. Sa veste et son pull sont par terre, et un pan de sa chemise blanche sort de son pantalon. Il trouve rapidement la page qu'il cherche et nous la montre. Je reste debout à côté d'eux. Je ne me sens pas encore prêt pour m'asseoir sur le lit de Snow.

C'est la première page du *Dossier*. À côté du discours du Mage, reproduit intégralement, figure un tableau avec des dates et, en gras, toutes sortes d'atrocités. Il s'agit des attaques lancées contre la magie au cours des cinquante dernières années. « NOTRE TERRITOIRE EN DANGER ? » interroge le titre.

— Attends un instant…

Bunce lui prend le livre et lui tend son sandwich pour qu'il le tienne. Il mord dedans.

— Il n'y a rien sur le Humdrum.

Elle tourne les pages jusqu'à l'histoire de la mort de ma mère et parcourt les lignes avec son index.

— Pas de Humdrum là non plus, commente-t-elle.

Elle rabat la couverture du livre et cogne sa bague dessus. *Au peigne fin : Humdrum !* Le livre s'ouvre et les pages défilent. Le rythme s'accélère vers la fin. Puis l'ouvrage se referme sur ses genoux.

— Aucune mention du Humdrum, déclare Penny.

— Ça n'a aucun sens, dis-je. Il existait, à cette époque-là. La première zone morte est apparue à la fin des années 1990. Près de Stonehenge. On l'a étudié en cours d'Histoire de la magie.

— Je sais, répond-elle. Ma mère était enceinte de moi quand c'est arrivé. Avec mon père, ils ont visité les lieux.

Bunce récupère ce qui reste de son sandwich et en mange une bouchée. Tandis qu'elle mastique, elle me dévisage d'un air méfiant.

— Je me demande comment ils savaient…

— Qui ? dis-je. Quoi ?

— Comment ont-ils compris que c'était le Humdrum qui était derrière ça ? Derrière les attaques de créatures maléfiques et les zones mortes ? Comment pouvaient-ils savoir que c'était lui avant même d'être capables de reconnaître la sensation qu'il provoque ? C'est comme ça que nous l'identifions, maintenant. Par cette sensation.

— Tu as senti le Humdrum ? me demande Snow. Ce jour-là, à la crèche ?

— Je n'étais pas vraiment concentré…

— Qu'est-ce qu'ils t'ont dit ? questionne Bunce.

— Qui ?

— Ta famille. Après la mort de ta mère.

— Ils ne m'ont rien dit. Qu'est-ce qu'ils auraient pu dire ?

— Ils t'ont expliqué que c'était des vampires ?

— Ils n'ont pas eu besoin. J'y étais.

— Tu t'en souviens ? insiste-t-elle. Tu as vu les vampires ?

— Oui.

Je repose la pomme sur le plateau. Snow se racle la gorge.

— Baz, quand as-tu entendu dire pour la première fois que c'était le Humdrum qui avait envoyé les vampires ?

Ils s'imaginent que mon père m'a installé dans un fauteuil et m'a annoncé : « Basilton, je dois te dire… » ?

Il n'a jamais prononcé cette phrase.

Dans ma famille, personne ne *dit* quoi que ce soit. Tu sais, c'est tout. Tu apprends à savoir. Personne n'a eu à me le préciser quand nous parlions de ma mère, mais nous n'évoquons pas sa mort.

Personne n'a eu besoin de m'expliquer que j'étais un vampire. Je me souvenais que j'avais été mordu, j'ai grandi avec les mêmes histoires d'horreur que tout le monde, et, un matin, je me suis réveillé avec une folle envie de sang. Mais c'était inutile de m'indiquer que je ne devais pas prendre celui d'une autre personne.

— Je l'ai appris à l'école. Comme vous.

L'un et l'autre m'ont dévisagé d'un air surpris.

— Que sont devenus les vampires ? demande Snow. Pas ceux que ta mère a tués, les autres.

— Le Mage leur a fait quitter l'Angleterre. Je crois que c'est la seule fois où ma famille a coopéré avec lui pour ses descentes.

— Maman dit que la guerre a commencé avec les raids des vampires, déclare Bunce.

— Quelle guerre ? interroge Snow.

— Toutes, répond-elle.

Je prends un sandwich et la pomme et je me lève.

— Je vais prendre l'air.

J'attends d'être dans les catacombes pour dévorer. Je n'aime pas manger devant des gens.

47

SIMON

PENNY EST DE NOUVEAU DEVANT LE TABLEAU noir et elle écrit :

> *Parler à Papa aux vacances de Noël. OK pour attendre si longtemps ?*
> *Lui demander d'envoyer des notes ?*

— Pourquoi *toutes* ? je demande.

— Mmh ?

— Pourquoi *toutes* les guerres ? Et pourquoi ont-elles commencé avec les raids des vampires ?

— C'est à ce moment qu'a démarré la guerre avec les trucs maléfiques, répond-elle. C'était couru d'avance : les mages et les vampires ne se sont jamais entendus, nous avons besoin que les Normaux soient vivants, eux les veulent morts. Mais entrer dans Watford, c'était une déclaration de guerre. C'était aussi la première véritable attaque du Humdrum.

— Et la guerre avec les Anciennes Familles ?

— Eh bien, c'est quand ont débuté les réformes du Mage, m'explique-t-elle.

— Je préférerais qu'il n'y ait qu'une guerre. Et un seul ennemi sur lequel se concentrer.

— Qu'est-ce que tu vas bien pouvoir faire maintenant que tu n'as plus Baz ? demande-t-elle en se tournant vers moi.

— J'ai toujours Baz.

— Plus comme ennemi.

— C'est juste une trêve.

— Une trêve pour partager la magie.

— Penny !

Avec un soupir, je m'étends sur mon lit. Épuisé. Je la sens qui vient près de moi. Elle me prend la main.

— Essaie encore, insiste-t-elle.

— Non.

— Pourquoi as-tu essayé avec Baz ?

— Je n'ai pas essayé. Je voulais l'aider et je ne savais pas comment, alors j'ai posé ma main sur lui et j'ai juste *pensé* à comment l'aider.

— C'était extraordinaire.

— Tu crois que tout le monde va être capable de décrire ce qui s'est passé ?

— Je ne sais pas. Moi, je ne peux pas. Pourtant j'étais la plus proche. Mais j'ai vu comment il s'est redressé quand tu l'as touché. Puis le sort a commencé à faire effet. Impossible que Baz soit suffisamment puissant pour repousser un dragon…

Elle presse ma main.

— Essaie encore.

Je serre sa main à mon tour.

— Non. Je vais te faire du mal.

— Tu n'en as pas fait à Baz.

— Peut-être que si ? Il ne l'avouerait jamais.

— Peut-être que ça ne l'a pas blessé parce qu'il est déjà mort, dit-elle.

— Il n'est pas mort.

— En tout cas, il n'est pas vivant.

— Je… je pense que si. Il a de la magie. C'est de la vie.

— Imagine si tu pouvais le refaire, Simon. Si tu étais capable de contrôler ton pouvoir.

— C'était Baz qui le contrôlait.

— Pour la première fois, on aurait dit que tu étais concentré, que tu avais une direction. Tu te servais de lui comme d'une baguette.

Je ferme les yeux.

— Je ne me suis pas servi de lui.

48

BAZ

À MON RETOUR, BUNCE EST PARTIE. JE REMARQUE qu'elle s'est de nouveau assise sur mon lit : ça sent son odeur. Un mélange de sang, de chocolat et d'herbes aromatiques. Je ne vais pas la louper, demain.

Snow a pris une douche, l'air est humide dans la chambre. Les restes du dîner traînent encore sur la table et par terre. C'est comme si j'avais deux colocataires malpropres. Le tableau noir est rangé, lui : couvert de l'écriture serrée de Bunce et poussé contre le mur.

J'enlève ma veste et la nettoie à l'aide d'un sort avant de la suspendre dans mon armoire. Ma cravate est roulée en boule dans la poche. Je la sors et l'accroche au cintre.

J'ai fait passer mon sandwich avec quelques rats. Je vais devoir chasser dans les bois. Les rats se font plus rares, dans les catacombes, même si je veille à ne pas prendre les femelles. C'est compliqué de chasser dans les bois. Je suis obligé de le faire la journée car le Mage exige que le pont-levis soit relevé à la tombée de la nuit, et je ne peux pas *Flotter comme un papillon !* au-dessus des douves chaque soir comme aujourd'hui. Je n'ai pas assez de magie pour ça.

Je lance un coup d'œil à Snow, ce long machin sous une couverture.

Lui, il a la magie.

Il peut tout faire.

Sa magie continue de bourdonner en moi ; pourtant, il a ôté sa main il y a des heures. Il m'avait déjà jeté des sorts, avant, mais là, c'était différent. Comme si j'avais été irradié par une lumière bienveillante. Je me suis senti nettoyé. Sans fond…

Non, ça n'est pas exact. Pas sans fond : sans centre. Comme si j'étais plus grand à l'intérieur. Et que je pouvais lancer n'importe quel sort, tenir toutes les promesses. Au début, c'était comme si Snow me donnait de la magie. M'en envoyait. Mais ensuite, elle était simplement là. À moi. À cet instant, tout ce qui était à lui était à moi.

D'accord. Il faut que j'arrête d'y penser de cette manière. Comme si c'était un don. Jamais Snow ne se serait ainsi ouvert à moi s'il n'y avait pas eu ce dragon.

Je me demande si j'aurais pu lui prendre de la magie si j'avais essayé. À cette idée, j'ai des nœuds dans le ventre.

Je me change dans la salle de bains et me brosse les dents. Quand j'en sors, Snow est assis dans son lit.

— Baz ?

— Quoi ?

Je m'affale sur mon lit.

— Je… Tu peux venir là ?

— Non.

— Je peux venir, moi, alors ?

Je m'assois en tailleur, bras croisés.

— Non, tu ne peux pas.

Il soupire, exaspéré. *Bien*, me dis-je.

— Viens ici, OK ? insiste-t-il. Je dois essayer quelque chose.

— Tu te rends compte à quel point tu es ridicule ?

Il se lève. Il fait sombre dans la chambre, mais la lune est de sortie. De toute manière je le vois toujours mieux que lui. Il porte le bas de pyjama gris de l'école et sa croix en or. Dans la lumière blafarde, sa peau est aussi grise que la mienne, et elle brille comme une perle.

— Tu n'as pas le droit de te mettre sur mon lit, je proteste tandis qu'il s'assoit dessus. Bunce non plus. Il pue les brownies.

Il me tend la main.

— Qu'est-ce que tu me veux, Snow ?

— Rien.

Et il est sincère, l'ordure.

— Nous devons réessayer, ajoute-t-il.

— Pourquoi ?

— Pour être sûrs que ça n'était pas un coup de pot.

— Bien sûr que c'en était un. Tu combattais un dragon et je t'aidais : un coup de pot au carré.

— Mais par Merlin, Baz, tu ne veux pas savoir ?

— Si je peux te pomper comme un générateur ?

— Ça ne s'est pas passé comme ça. C'est moi qui t'y ai autorisé.

— Tu vas le refaire ?

— Non.

— Alors je me fiche de savoir si c'était un coup de bol !

Il est toujours assis sur mon lit.

— D'accord, lâche-t-il. Peut-être.

— Peut-être quoi ?

— Peut-être que je le referai. Dans une situation comme aujourd'hui, avec des vies en danger, et si c'est la seule solution.

— Et si je retourne ça contre toi ?

— Ma magie ?

— Oui. Si je prends ta magie et que je te lance un sort ? Un combat Baz contre Simon, une fois pour toutes.

Il me regarde, bouche bée. Sa langue brille d'un éclat sombre dans la nuit.

— Pourquoi tu es mauvais à ce point ?

Il a un air dégoûté.

— Pourquoi tu penses immédiatement à ça ? insiste-t-il.

— J'y ai songé quand je chantais ma comptine au dragon. Pas toi ?

— Non.

— C'est bien pour ça que je vais te battre.

— C'est la trêve, rappelle-t-il.

— Ça ne m'empêche pas de continuer à penser en ennemi. Je réfléchis tout le temps à des choses atroces contre toi.

Il attrape ma main. Je veux la retirer, mais je n'ai pas envie qu'il croie que j'ai peur. Et aussi, je n'ai pas envie de la retirer. Foutu Snow. Des pensées violentes me traversent.

— Je vais essayer maintenant, me prévient-il.

— D'accord.

— Est-ce que tu ne devrais pas jeter un sort ?

— Je ne sais pas. C'est toi qui mènes l'expérience.

— Alors ne le fais pas, conseille-t-il. Pas tout de suite. Mais dis-moi si ça te fait mal.

— Ça n'a pas été le cas, tout à l'heure, je murmure.

— Sûr ?

— Oui.

— Qu'est-ce que tu as ressenti ?

— Arrête de parler de sensations, dis-je en secouant sa main. Frappe-moi. Ou charge-moi. Comme tu veux.

Il se passe la langue sur les lèvres et ferme à demi les yeux. C'est à ça qu'il ressemblait, cet après-midi ? Par Crowley !

Je sens sa magie.

Au début, c'est un fourmillement au bout des doigts, puis une décharge électrique dans le bras. J'essaie de ne pas tressaillir.

— Ça va ? demande-t-il.

Sa voix est douce.

— Oui. Qu'est-ce que tu fais ?

— Je ne sais pas, chuchote-t-il. Je m'ouvre, peut-être ?

Dans mon bras, l'électricité se transforme en un puissant vrombissement, comme des étincelles dans les flammes. La sensation désagréable disparaît, même si la chaleur devient plus forte. Ça, je sais quoi en faire : c'est le feu.

— Ça va toujours ? questionne-t-il.

— Super.

— Qu'est-ce que tu veux dire ? Que tu peux l'utiliser ?

Je ris, d'un rire moins sarcastique que je ne le souhaitais.

— Je pense que je peux envoyer un sonnet.

— Vas-y.

Un pouvoir incroyable m'a envahi. J'ai l'impression d'être capable de voir sans ouvrir les yeux, de me transformer en nova si j'en ai envie et de posséder ma propre galaxie. Ça fait le même effet, d'être Simon Snow ? Comme si j'avais l'infini dans ma poche ?

Je parle d'une voix assurée :

— **Brille, brille, petite étoile !**

Le temps que j'arrive à la fin de la phrase, la chambre a disparu autour de nous et les étoiles semblent si proches qu'on pourrait les toucher.

— **Si haut au-dessus du monde !**

Simon me saisit l'autre main, ma poitrine se gonfle encore plus.

— Par Merlin et Morgane, souffle-t-il, sommes-nous dans l'espace ?

— Je ne sais pas.

— C'est un sort ? interroge-t-il.

— Je ne sais pas.

Nous regardons autour de nous. Je ne pense pas être dans l'espace : je respire normalement et je n'ai pas l'impression de flotter, même si je suis au bord de l'hystérie. Tant de pouvoir. Et d'étoiles. J'ai un goût de fumée dans la bouche.

— Est-ce que tu en retiens un peu ? je lui demande.

— Pas volontairement, en tout cas. Il y en a trop ?

— Non, dis-je en serrant sa main. J'ai l'impression qu'on forme une boucle. Je me sens comme si j'étais ivre.

— Ivre de pouvoir ?

J'éclate de rire.

— Arrête de parler, Snow, à la fin. Ça devient gênant.

— Tu préfères que je m'éloigne ?

— Non. Je veux regarder les étoiles.

— J'arrête, prévient-il.

Il le fait, et j'ai l'impression d'une mer qui se retire. Une mer d'héroïne et de feu. Je secoue la tête. Mais je ne lâche pas ses mains.

— Ça va ? s'inquiète-t-il.

— Ouais. Et toi ?

— Bien.

Nous sommes assis sur mon lit, Simon Snow et moi, en nous tenant les mains. Je n'arrive pas à soutenir son regard, alors je fixe sa croix.

— Ta mère…, commence-t-il. Quand elle est revenue, elle a prononcé cette phrase sur les étoiles : « Il m'a dit que nous étions des étoiles. »

— C'est une coïncidence, à mon avis.

— Ouais, répond-il en hochant la tête. Est-ce que tu as gardé de ma magie en toi ?

— Non. Juste une sensation. Très légère. Pas de pouvoir, en tout cas.

— Tu peux te concentrer sur tes extrémités ?

— Comment ça ?

— Nous sommes toujours en contact. Essaie de recevoir.

Je ferme les yeux et m'efforce de m'ouvrir, comme un vide, ou un trou noir. Rien ne se passe. Alors je tente de tirer sur Snow, d'aspirer avec ma propre magie. Toujours rien. J'ouvre les yeux.

— Non, je ne peux pas la prendre. Cela dit, je n'ai jamais entendu parler d'un magicien qui pouvait puiser dans la magie d'un autre. Tu imagines s'il y avait un sort pour ça ? On s'entre-déchirerait.

— C'est déjà le cas.

— Je n'arrive pas à la prendre, dis-je de nouveau.

— Tu crois que ma magie te fait du mal ?

— Je ne pense pas.

— Donc on pourra recommencer.

— C'est ce qu'on vient de faire, Snow.

Il hoche la tête. Je me demande s'il a oublié qu'il tenait encore mes mains, et ce que cela signifie. Peut-être a-t-il carrément oublié qui j'étais.

Je songe de nouveau à enlever mes mains, mais même si Snow mettait le feu à mes paumes, je ne pourrais plus m'éloigner. J'ai presque l'impression qu'il l'a fait.

— Baz…, dit-il, c'est absurde. Si nous devons travailler ensemble, tu ne peux pas continuer à faire comme si je ne savais pas.

Je retire vivement mes mains.

— Comme si tu ne savais pas quoi ?

— Ce que tu es.

— Dégage de mon lit, Snow.

— Ça ne changera rien…

— Vraiment ?

— Si, ça rendrait les choses plus faciles. Comment parler de ce qu'on sait sur les vampires alors que tu ne veux pas avouer que tu en es un ?

— Tire-toi de là.

Snow se lève mais ne lâche pas l'affaire pour autant.

— Je le sais. Je l'ai compris dès la cinquième. Comment veux-tu qu'on t'aide si tu gardes tous ces secrets ? Par exemple, pourquoi as-tu commencé l'année avec tant de retard ? Qu'est-ce qui t'est arrivé ? Et pourquoi tu boites ?

— C'est pas tes oignons.

— C'est vrai. Mais c'est toi qui m'as demandé de t'aider, donc ça me regarde, maintenant.

— Je te dirai quand ça aura un rapport.

— On est censés découvrir qui a envoyé des vampires suceurs de sang pour tuer ta mère, et il se trouve que tu en es un. C'est pas pertinent, ça ?

Comme si c'était facile de le reconnaître. À voix haute. Publiquement. Les autres magiciens seraient trop contents de pouvoir m'allumer s'ils l'apprenaient. Snow lui-même n'a-t-il pas tout fait pour me pourrir la vie depuis sept ans ?

Je serre les dents.

Je devrais partir. Retourner dans les catacombes. Mais la magie de Snow m'a anéanti, je ne suis pas sûr de pouvoir tenir debout. Je me contente de fermer les yeux.

— J'ai eu ma dose de toi, aujourd'hui, dis-je. J'ai été deux fois irradié ces douze dernières heures, maintenant ça suffit.

49

SIMON

AGATHA S'APPROCHE DE MOI APRÈS LE COURS de Formules magiques.

Depuis que nous avons rompu, elle ne m'a pas adressé la parole une seule fois. Elle me regarde à peine. Mon réflexe, c'est donc de baisser les yeux et de l'éviter. Elle est obligée de me tirer par la manche pour capter mon attention, ce qui nous met tous les deux mal à l'aise.

— Je peux te parler, Simon ? demande-t-elle.

Elle se mordille la lèvre d'un air nerveux. Pour être honnête, je me dis aussitôt que je lui manque. Qu'elle veut qu'on se remette ensemble. Je répondrai oui, évidemment. D'ailleurs, je ne vais pas attendre qu'elle me demande. On peut reprendre là où on s'est arrêtés. Peut-être même que je lui raconterai ce qui se passe avec Baz. Elle peut aider, qui sait ?

Puis je repense à elle quand elle venait près de ma chambre, tellement près que Baz pouvait sentir son pouls. Et je décide de ne rien lui dire. Pas tout de suite. Mais je veux bien la reprendre avec moi. C'est trop pourri, tout ça. S'ignorer. Être assis loin l'un de l'autre. Se comporter comme des ennemis alors que nous avons toujours été amis. Je la reprendrai. Juste à temps pour Noël.

Ces derniers temps, j'ai beaucoup pensé à Noël. Depuis ma première année à Watford, je l'ai toujours passé chez les Wellbelove. Au début, j'ai cru que son père faisait ça par générosité. C'est le genre de choses que le Dr Wellbelove fait : ouvrir sa maison aux orphelins pour Noël.

C'est comme ça qu'Agatha et moi nous sommes devenus amis. Si elle ne s'était pas retrouvée coincée avec moi chaque année pendant deux semaines, je ne suis pas certain qu'elle m'aurait adressé la parole. Ce n'est pas qu'elle soit bêcheuse… Enfin, si, elle l'est un peu. Je crois qu'elle aime être plus belle que les autres, porter des vêtements plus classe et avoir plus de chance.

Je ne peux pas le lui reprocher.

En fait, elle n'est pas très sociable. Surtout à l'école. Avant Watford, elle était très investie dans la danse, maintenant elle l'est avec les chevaux. Et je crois qu'elle est plus proche de ses amis normaux de l'été que de n'importe qui à l'école.

Elle n'est pas comme Penny : la politique du monde magique ne la passionne pas. Et, contrairement à moi, elle n'est pas obligée de s'en préoccuper. En vrai, je crois que la magie ne l'intéresse pas, point barre. La dernière fois que nous avons discuté de notre avenir, elle parlait de devenir vétérinaire.

M. Wellbelove est pour l'égalité Normaux-magiciens et trouve que ça dessert les mages de se considérer comme supérieurs aux Normaux. (« Je comprends ce que veut dire Welby, répliquerait la mère de Pénélope, mais nous savons faire tout ce que font les Normaux *plus* la magie. Comment ne pas penser qu'on vaut mieux qu'eux ? »)

Le père d'Agatha ne l'a jamais poussée à choisir une carrière de magicienne. Si elle voulait, je pense même qu'elle pourrait sortir avec un Normal. (Ça dérangerait plus sa mère, car les Normaux ne sont pas admis au club.)

Bref, j'adore aller chez les Wellbelove, tant qu'ils n'organisent pas un dîner mondain ou qu'ils ne me traînent pas à des festivités. Chez eux, tout est flambant neuf et à la pointe de la technologie. Ils ont une télévision qui occupe tout un mur, avec des enceintes énormes cachées derrière des tableaux de chevaux, et des canapés en cuir.

La mère d'Agatha passe son temps dehors et son père est généralement à la clinique. (Il est aussi médecin pour les Normaux, mais la plupart de ses patients sont des mages. Il est spécialisé dans les maladies anormales aiguës.) Ils ont un genre de femme de ménage, Helen, qui fait la cuisine pour Agatha et l'emmène là où elle doit aller. Personne ne la traite comme une femme de ménage. Elle s'habille avec des vêtements de ville, pas en uniforme, et elle est obsédée par *Doctor Who*.

Ils sont tous gentils avec moi, y compris Helen. La mère d'Agatha me donne de beaux vêtements à Noël et son père me parle de mon avenir comme si je n'allais pas mourir dans une boule de feu.

Je les apprécie vraiment. Et j'aime Noël, aussi. Et j'ai pensé à quel point ça allait être bizarre d'être assis à table avec eux et de leur parler, maintenant que nous avons rompu.

Agatha et moi, nous restons dans la classe de Formules magiques après le départ des élèves. Elle continue de se mordre la lèvre.

— Agatha…, dis-je.

— C'est à propos de Noël.

Elle glisse ses cheveux derrière l'oreille. De chaque côté de sa raie au milieu, ses cheveux raides encadrent son visage de manière régulière. (Penny prétend que c'est grâce à un sort. Agatha dit que non. Penny dit qu'il n'y a aucune raison d'avoir honte des sorts de beauté.)

— Mon père veut que tu saches que tu es toujours le bienvenu à la maison pour Noël.

— Ah, d'accord.

— Mais nous savons tous les deux que ça ne serait pas du tout agréable, poursuit-elle.

Elle-même a l'air très mal à l'aise en le disant.

— Pour l'un comme pour l'autre, précise-t-elle.

— C'est vrai.

J'imagine, en effet.

— Ça gâcherait Noël, ajoute-t-elle.

Je me retiens de lancer : « Ah oui ? Vraiment, Agatha ? C'est une grande maison et je resterai dans le salon télé tout le temps. »

— C'est vrai, dis-je à la place.

— Je lui ai donc expliqué que tu irais probablement chez les Bunce.

Elle sait très bien que c'est impossible. Au bout de deux ou trois jours maximum, la mère de Pénélope me traite comme un grand dogue allemand qui fait tout tomber avec sa queue. Leur maison est plutôt vaste, mais elle est pleine de gens, et de tonnes de choses. Des livres, des papiers, des jouets, de la vaisselle. À moins d'être un fantôme, c'est impraticable. Impossible de ne pas piétiner ou renverser quelque chose.

— D'accord, dis-je.

Elle garde les yeux rivés au sol.

— Je suis sûre que mes parents t'enverront encore des cadeaux.

— Et moi une carte.

— C'est gentil, merci, répond-elle.

Elle jette son sac sur son épaule et fait quelques pas. Puis elle s'arrête et écarte les cheveux de son visage.

— C'est incroyable la manière dont tu as combattu ce dragon, Simon. Tu lui as sauvé la vie.

Je hausse les épaules.

— Ben, c'est surtout Baz, non ? Moi, si j'avais pu, je lui aurais tranché la gorge.

— Mon père dit que c'est le Humdrum qui l'a envoyé.

Je hausse de nouveau les épaules.

— Joyeux Noël, Simon, lâche-t-elle.

Elle quitte la pièce.

50

SIMON

— ÇA SERAIT PLUS SIMPLE SI VOUS M'AUTORISIEZ à rester dans votre chambre, propose Pénélope.

— Non, répondons-nous en chœur, Baz et moi.

— Et tu dormirais où ? dis-je. Dans la baignoire ?

Le tableau noir occupe l'espace au bout de nos lits. À présent, il y a des piles de livres tout autour. Tous les livres de la bibliothèque de Watford dont nous pourrions avoir besoin se sont retrouvés ici, grâce à Baz et à Pénélope. Et je suis sûr qu'aucun n'a été emprunté dans les règles.

Nous avons travaillé ici tous les soirs.

— Ça ne me dérange pas de dormir dans la baignoire, réplique Pénélope. Un petit sort, et hop, je la rends moelleuse.

— Non, répète Baz. C'est déjà suffisamment la plaie de partager la salle de bains avec Snow.

— Tu as une chambre géniale, Penny, dis-je, ignorant la pique de Baz.

— Avec Mutine dedans, elle ne peut pas l'être, Simon.

— C'est ta colocataire ? demande Baz. La lutine ?

— Oui, lâche Pénélope.

Il a un petit sourire en coin.

— Imagine que tu es une lutine, lance-t-il. Je sais, c'est

309

horrible, mais imagine une seconde. Tu es une lutine, tu as une fille et tu l'appelles Mutine. Mutine la lutine.

— Je trouve ça plutôt mignon, dis-je.

— Tu trouves que Mutine, c'est mignon ? s'agace Penny.

— Ouais, dis-je en haussant les épaules.

— Je viens juste de manger, Snow, lâche Baz.

Je lève les yeux au ciel. Il doit estimer que les lutins sont une espèce inférieure, comme les gnomes et les trolls d'Internet.

— C'est un peu comme si une fée s'appelait Cléophée, ajoute-t-il.

— Ou un vampire, Gampire, dis-je.

— Gampire, c'est même pas un prénom, Snow. Tu es nul à ce petit jeu.

— À la décharge de Mutine, les lutins ne s'appellent sûrement pas « Lutin » les uns les autres à longueur de temps, intervient Penny, et je vois que ça lui coûte. Un humain qui s'appelle Romain ou un homme qui s'appelle Tom, ça ne choque personne.

— Je parie que ta chambre est couverte de poussière de lutin, remarque Baz avec un frisson.

— Ne commence pas à la provoquer, dis-je. Bonne nuit, Penny.

— C'est bon, soupire-t-elle en se levant, tenant à la main le livre qu'elle était en train de lire.

C'est une édition reliée du *Dossier*. Nous avons décidé de tous le lire pour chercher des indices. À force, nous sommes devenus imbattables sur les événements des dix dernières années.

Tout ça est trop bizarre…

Le fait de collaborer avec Baz, mais aussi qu'il soit toujours avec nous quand je traîne avec Penny. Cela dit, il continue à ne pas nous adresser la parole dès qu'on sort de la chambre. Il prétend que ça risque de perturber ses larbins de le voir pactiser avec l'ennemi. C'est comme ça qu'il les a appelés : « mes lar-bins ». C'était peut-être pour plaisanter...

Je n'arrive pas toujours à déterminer quand il se moque de moi. Il a une moue cruelle qui donne l'impression qu'il ricane même quand il est content. En réalité, je ne sais pas s'il est souvent content. On dirait qu'il ne connaît que deux émotions : être énervé et éprouver un plaisir sadique.

(Et comploter, mais est-ce que c'est un sentiment ? Si oui, ça fait trois.)

(Et être dégoûté, quatre.)

Bref. Pénélope et moi nous ne lui racontons pas tout. Par exemple, on ne parle jamais du Mage, ça tournerait immédia-tement au vinaigre. En plus, Pénélope ne veut pas qu'il sache que sa famille est en froid avec le Mage. (Même si Baz approu-verait probablement.)

Penny n'oublie jamais de me rappeler que Baz est toujours mon ennemi et que, lorsque la trêve s'achèvera, il pourra uti-liser contre moi tout ce qu'il a appris. Mais je ne suis pas sûr d'être celui qui a le plus besoin qu'on le lui rappelle. Quand nous sommes ensemble, je passe la majeure partie du temps à lire sur mon lit, pendant que Pénélope et Baz comparent leurs tops 10 des sorts préférés du XIXe siècle ou débattent de la valeur magique d'*Hamlet* par rapport à celle de *Macbeth*.

L'autre soir, il l'a accompagnée jusqu'au Cloître tandis qu'il se rendait aux catacombes. Quand il est revenu, il m'a dit qu'il n'y avait pas moyen de savoir comment elle parvenait à entrer dans le pavillon Mummers. Le lendemain, elle m'a confié qu'il n'avait absolument pas évoqué le fait qu'il s'apprê-tait à sucer le sang de rongeurs.

— Tu m'accompagnes ? lui dit-elle à présent, sur le pas de la porte.

— Non, je ne bouge pas de là, ce soir, répond-il.

Trop bizarre.

— Alors à demain pour le petit déjeuner, lâche-t-elle en fermant la porte derrière elle.

Si Baz ne va pas chasser ce soir, je ferais mieux de prendre une douche et de me coucher. Quand on n'est que tous les deux, on a tendance à se disputer de manière plus vicieuse.

Tandis que je prends mon pyjama, il lance :

— C'est quoi, tes plans, la semaine prochaine ? Pour les vacances ?

Mes mâchoires se crispent.

— Je vais probablement passer quelques jours chez Penny, puis le reste ici.

— Pas de fête en famille autour de la cheminée des Wellbelove ?

Je claque la porte de mon armoire. Nous n'avons encore jamais abordé le sujet d'Agatha, Baz et moi. Je ne sais pas s'ils se parlent, tous les deux. Ni s'ils se voient. Agatha ne descend même plus prendre ses repas au réfectoire. Je crois qu'elle mange dans sa chambre.

— Non, dis-je en passant devant son lit.

— Snow...

— Quoi ?

— Tu devrais venir chez moi, dans le Hampshire.

Je m'arrête net et le dévisage.

— Comment ça ?

Il tousse pour s'éclaircir la gorge et croise les bras en levant le menton pour bien montrer qu'il me prend de haut.

— Tu m'as promis de m'aider à trouver l'assassin de ma mère.

— Je t'aide.

— Oui, mais tu me serais plus utile là-bas qu'ici. La bibliothèque de la maison est bien trop vaste pour que je puisse m'en sortir tout seul. En plus, j'ai une voiture, sur place. On pourra vraiment mener l'enquête. Tu n'as même pas Internet, ici.

— Tu es en train de m'inviter chez toi ?

— Oui.

— Pour Noël ?

— Oui.

— Dans ta famille ?

Il lève les yeux au ciel.

— C'est pas comme si tu en avais une, hein ?

— Tu es un vrai malade, dis-je en me dirigeant de nouveau vers la salle de bains.

— Pourquoi ? demande-t-il. Tu me seras utile, alors qu'ici, il y a rien. Je suis sûr que tu apprécieras d'avoir de la compagnie.

Je m'arrête devant la porte et me tourne vers lui.

— Ta famille me hait.

— Oui, et alors ? Moi aussi.

— Ils veulent ma peau.

— Ils ne vont pas te tuer, tu seras un invité. Si tu veux, je pourrai même lancer le sort : *Fais comme chez toi !*

— Je ne peux pas habiter chez toi. Tu te fous de moi ?

— Ça fait sept ans qu'on partage la même chambre, Snow. Pourquoi ça te poserait un problème ?

— Tu es dingue ! dis-je, et je m'engouffre dans la salle de bains.

Totalement barjot.

— Ta mère n'a pas confiance en moi ? je demande tandis que nous marchons dans le couloir.

Pénélope me fait signe de parler moins fort.

— Bien sûr que si. Elle te fait confiance. Elle sait que tu es honnête et franc et que, si tu entends des trucs que tu ne devrais pas entendre, tu iras directement voir le Mage pour les lui dire.

— C'est pas vrai !

— Tu en es capable, Simon.

— Penny !

— Chut.

— Penny, dis-je plus doucement, je ne ferai jamais quoi que ce soit qui puisse créer des ennuis entre ta mère et le Mage. Et je ne peux pas croire qu'elle ait fait quelque chose qui la mette en difficulté avec lui.

— Elle a de nouveau renvoyé ses Hommes. Premal prétend que la prochaine fois le Mage viendra lui-même à la maison.

— Alors il vaut mieux que je sois là. Il ne lui fera aucun mal devant moi.

Elle s'arrête brusquement. Je l'imite.

— Tu crois vraiment qu'il pourrait lui faire du mal ?

— Bien sûr que non.

Elle se penche vers moi.

— Maman prépare un appel devant le Conseil. Elle pense que ça va s'arranger. Mais tu sais bien que je vais devoir faire des recherches sur la tragédie de Watford pendant que je serai à la maison et, avec tout ce qui s'est passé, Maman ne te laissera jamais entrer dans la bibliothèque. Elle t'appelle Mini-Mage.

— Pourquoi elle ne m'aime pas ?

— Mais si, elle t'aime, grogne Penny, les yeux levés au ciel. C'est lui qu'elle déteste.

— Ta mère ne m'apprécie pas, Penny, je t'assure.

— Elle trouve que tu attires les ennuis. Et c'est vrai, Simon.

— Oui, mais je n'y peux rien.

Pénélope se remet à marcher.

— Tu prêches une convaincue.

Ça ne m'ennuie pas de rester seul à Watford, pas tant que ça. Mais il n'y a personne ici, le jour de Noël. Je vais être obligé de forcer la porte de la cuisine pour manger. Ou alors je pourrais demander la clé à Mme Pritchard…

Nous sommes arrivés devant la salle où nous avons cours. Je donne un coup d'épaule dans le mur, à côté de la porte. (Les gens qui prétendent que cogner les objets ne fait pas du bien n'ont pas assez pratiqué.)

— C'est comme ça qu'on l'appelle, maintenant ? dis-je. La *tragédie de Watford* ?

Penny me dévisage d'un air interrogateur avant de se souvenir qu'elle en a parlé.

— C'est le nom qu'ils ont donné, à l'époque, répond-elle. Peu importe comment on l'appelle, non ?

— Bah… peut-être. Sauf qu'on fait tout ça parce que la mère de Baz est morte. Et la *tragédie de Watford*, ça donne l'impression d'une histoire arrivée il y a des siècles et dont on se fiche.

— Tu devrais prévenir le Mage que tu passes Noël ici. Il voudra rester avec toi.

L'idée me fait rire.

— Quoi ? demande Penny.

— Tu imagines ? Noël avec le Mage !

— À chanter des chants de Noël, glousse-t-elle.

— Et faire exploser des diablotins.

— Et écouter le discours de la Reine.

— Et les cadeaux, tu vois le tableau ? dis-je en riant. Il est capable d'emballer un mauvais sort juste pour voir si je peux le briser.

— Et même de te bander les yeux et de te laisser au milieu du bois en te disant de rentrer dîner à la maison.

— Ha ha ! Comme en troisième année.

Penny me pousse du coude.

— Parle-lui, me conseille-t-elle. C'est un grand malade, mais il tient à toi.

Baz est un des derniers élèves à partir pour les vacances. Il prend son temps pour faire sa valise. Il a la plupart de nos notes, là-dedans… Il n'a pas encore décidé s'il parlerait de tout ça à ses parents, mais il va faire son possible pour trouver des indices.

— Il y a forcément quelqu'un qui sait quelque chose sur Nicodemus.

Allongé sur mon lit, j'essaie de me convaincre que ça va être agréable d'avoir la chambre pour moi tout seul. Je m'efforce de ne pas le regarder. Je tousse pour m'éclaircir la gorge.

— Fais attention, hein ? dis-je.

On ne sait rien sur ce Nicodemus, et s'il est dangereux, on n'a pas intérêt à ce qu'il se rende compte qu'on le cherche.

— Je ne parlerai qu'avec des gens de confiance, répond-il.

— C'est bien le problème, non ? On ne sait pas à qui on peut se fier.

— Tu as confiance en Pénélope ?

— Oui.

— Et en sa mère ?

— Ce dont je suis sûr, c'est qu'elle n'est pas un démon.

— Eh bien, moi, j'ai confiance en ma famille, réplique-t-il. Peu importe ce que tu en penses.

— Je te dis juste d'être prudent.

— Arrête de te préoccuper de mon bien-être, Snow. Ça me met mal à l'aise.

Il boucle sa valise et fait claquer les serrures. Puis il me dévisage en fronçant les sourcils. Je connais ce regard : il vient de prendre une décision. Je pose la main sur la poignée de mon épée.

— Snow…

— Quoi ?

— Je crois que je dois te dire quelque chose. Pour préserver notre trêve.

Je le fixe. J'attends la suite.

— Le jour où tu nous as vus dans les bois, Wellbelove et moi…

Je ferme les yeux.

— Je ne vois pas en quoi c'est dans l'intérêt de la trêve.

Il continue :

— Ce jour-là, quand tu nous as vus dans les bois, ça n'était pas ce que tu as cru.

Je rouvre les yeux.

— Tu n'essayais pas de me piquer ma petite amie ?

— Non.

— Va te faire foutre. Tu essaies de te mettre entre Agatha et moi depuis le jour où elle m'a préféré à toi.

— Elle ne t'a jamais préféré à moi.

— Ferme ta gueule, Baz.

Il a l'air triste. C'est nouveau, ça.

— Ce que je veux dire, insiste-t-il, c'est que je n'ai jamais été une option pour elle.

J'enfouis ma tête dans mon oreiller.

— Je n'aurais jamais cru ça, mais visiblement je me suis trompé, dis-je. Écoute, la voie est libre pour toi, maintenant. Elle en a fini avec moi.

— Elle m'a interrompu, lâche-t-il. Ce jour-là, dans les bois.

Je ne relève pas.

— Elle a interrompu mon *repas*. Elle m'a vu. Et j'étais en train de la supplier de ne le dire à personne.

— En lui tenant les mains ?

— Ça, c'était pour t'énerver. Je savais que tu nous observais.

— Eh bien, ça a marché.

— Tu ne m'écoutes pas.

Il a l'air encore plus triste.

— Je ne me mettrai jamais entre toi et Wellbelove. Je voulais juste te faire enrager.

— Tu es en train de me dire que tu draguais Agatha uniquement pour me faire souffrir ?

— Oui.

— Elle ne t'a jamais intéressé ?

— Non.

Je grince des dents.

— Et tu crois que j'ai envie d'entendre ça ?

— Évidemment. Maintenant, tu peux te réconcilier avec elle et passer le meilleur Noël de ta vie.

— T'es vraiment un connard !

Je me lève d'un bond et lui fonce dessus.

— Anathème ! crie-t-il.

Je l'entends au moment où je m'apprête à lui défoncer la mâchoire d'un coup de poing. Je m'arrête juste à temps.

— Elle le sait ?

Il hausse les épaules.

— T'es vraiment un connard ! je répète.

— C'était de la drague, se défend Baz. C'est pas comme si j'avais essayé de la donner en pâture à une chimère.

— Ouais, mais tu lui plais. Je pense qu'elle t'aime plus que moi.

Il penche la tête et hausse de nouveau les épaules.

— Et pourquoi pas ?

— Ta gueule, Baz. Vraiment.

Je suis si près de lui que je lui postillonne à la figure.

— Pendant tout le temps où tu n'étais pas là, elle a trimballé partout ton foutu mouchoir, dis-je.

— Quel mouchoir ?

Je me dirige vers le tiroir où je l'ai caché, avec ma baguette magique et d'autres bricoles, et je l'agite sous ses yeux.

— Celui-là.

Il l'attrape ; je le lui reprends immédiatement. Aucune envie qu'il l'ait.

— Écoute, je vais arrêter, promet-il. À partir de maintenant, je la laisserai tranquille. Je m'en fiche, d'elle.

— C'est encore pire !

— Alors je vais continuer ! s'exclame-t-il, comme si c'était à lui d'être en colère. Tu préfères ? Je vais me marier avec elle, même, et on aura les plus jolis enfants que la magie ait jamais connus, et on les appellera tous Simon, juste pour te casser les pieds.

— Vas-y ! je hurle. Te gêne pas ! Et je n'en ai plus rien à foutre, de l'Anathème ! Je préfère ça à te supporter plus longtemps. Si je suis renvoyé de Watford, au moins je serai débarrassé de toi !

51

BAZ

J'ESSAYAIS DE RENDRE SERVICE À SNOW.

Un service qui ne m'arrangeait pas du tout. Vraiment pas du tout.

Évidemment que je devrais me marier avec Wellbelove. Mon père serait aux anges.

L'épouser. Lui donner ce dont elle a envie. Puis noyer mon chagrin auprès d'un millier d'hommes qui ressemblent à ce foutu Simon Snow et leur briser le cœur de toutes les manières possibles.

Wellbelove n'est pas très puissante, mais elle est magnifique. Et elle monte bien à cheval. Ma belle-mère et elle pourraient faire des balades ensemble. Mon père arrêterait enfin de pleurnicher sur le fait que le nom Pitch s'éteindra avec moi. (Même s'il est déjà mort avec moi. Je suis quasiment certain que les vampires ne peuvent pas avoir de bébés.) (Des bébés vampires, par Crowley ? Quel cauchemar !) (Et pourquoi Tante Fiona ne transmet-elle pas elle-même son putain de nom ? Si ma mère m'a donné le sien, Fiona peut sûrement fournir au monde quelques Pitch supplémentaires ?)

Je pense que si je me marie avec une fille d'une bonne famille, mon père se fichera que je sois gay. Et que j'aie engendré ses petits-enfants. Si l'idée de transmettre le nom de ma mère de cette façon ne me retournait pas l'estomac, je pourrais l'envisager.

Snow aurait une raison supplémentaire de me détester s'il savait que je pense aussi froidement à l'amour, au sexe et au mariage. À son Agatha si parfaite.

Mais franchement, qu'est-ce que ça peut faire d'avoir toujours des mauvaises pensées ? Mon chemin vers l'enfer n'est pas pavé de bonnes intentions, ni de mauvaises. C'est juste mon chemin.

Vas-y, Snow. Pardonne à ta petite amie. Je ne me mettrai pas en travers de ta route. Montez ensemble vers les sommets pourris et admirez les reflets du coucher de soleil sur le visage de l'autre. Moi, j'en ai marre d'être un fléau. Ras le bol. Pouce.

Je ne m'attendais pas à recoller les morceaux avec cette satanée… *collaboration*. Je n'espérais pas convaincre Snow, ni le changer. Mais je croyais qu'on progressait. Et que, peut-être, quand tout serait terminé, lui et moi, même si on serait toujours chacun d'un côté de la barrière, on arrêterait de se cracher dessus. On cesserait de se battre.

Je sais que, Simon et moi, nous serons toujours ennemis.

Mais je pensais qu'on franchirait peut-être une étape sans l'avoir voulu.

52

SIMON

DEPUIS QUE PENNY (ET BAZ) SONT PARTIS, JE
passe beaucoup de temps à arpenter le domaine. J'ai décidé de
chercher la crèche.

Baz pense que la Tour qui pleure l'a engloutie après la mort
de sa mère. Penny dit que ça arrive, quand un magicien est lié
à un bâtiment. Surtout si des sorts de sang y ont été lancés.
Lorsque le sang du magicien coule, le bâtiment en souffre aussi
et une sorte de kyste peut se former autour.

Je me demande ce qui se passerait si je mourais dans le
pavillon Mummers. J'ai si souvent fait couler mon sang pour
que notre chambre me reconnaisse.

C'est une des raisons pour lesquelles Penny n'aime pas
les serments et les sorts de sang. « Si tu es aussi bon que
tes formules, elles suffisent. » Toute la journée, j'ai eu des
conversations avec elle dans ma tête. Baz nous rejoint parfois
dans ces discussions imaginaires. En général, pour me traiter
de con, même s'il n'utilise jamais ce mot dans ma tête. Trop
vulgaire.

Alors que j'erre dans la Tour qui pleure en me parlant à moi-
même, quelque chose attire mon attention de l'autre côté de
la fenêtre. J'aperçois des chèvres qui avancent en file indienne

dans la neige, sur le pont-levis. Derrière elles se profile une silhouette, probablement Ebb.

Ebb…

Elle vit à Watford depuis qu'elle a onze ans. À présent, elle doit en avoir trente ou quarante. Elle devait être là quand Mme Pitch est morte, bien sûr. Elle n'a jamais quitté l'école.

Le temps que je sorte, les chèvres sont rentrées dans la grange. Je frappe à la porte pour ne pas surprendre Ebb qui vit là avec les bêtes. Je sais que c'est étrange, mais je ne peux pas l'imaginer au milieu de gens. Dans la grange, elle fait ce qu'elle veut, les chèvres s'en moquent.

— Salut, Ebb ! je crie en toquant plus fort. C'est moi, Simon.

La porte s'entrebâille et une chèvre pointe son museau avant qu'Ebb n'apparaisse.

— Simon ! s'exclame-t-elle en ouvrant grand pour me laisser entrer. Qu'est-ce que tu fais là ? Je pensais que tous les élèves étaient rentrés chez eux.

— Je passe juste te souhaiter un joyeux Noël.

Je la suis à l'intérieur. Il y fait un peu plus chaud, mais pas tant que ça. Pas étonnant qu'Ebb soit habillée avec des couches de pulls de Watford, une grosse écharpe aux couleurs de l'école et un bonnet en laine.

— Nom de Dieu, Ebb, il fait un froid de sorcière, ici !

— Non, c'est pas si terrible. Viens avec moi, je vais remettre du bois dans le poêle.

Nous passons au milieu des chèvres pour rejoindre le fond de la grange, qui sert de salon à Ebb. Il y a une petite table et un tapis, et même une télévision. La seule de Watford, à ma connaissance. Tout est installé autour d'un poêle massif qui n'est relié à aucune cheminée.

C'est ce que j'adore, chez Ebb : elle se fiche complètement de gâcher sa magie. Elle a beau balancer des sorts presque à chaque phrase, je ne l'ai jamais vue à sec ni fatiguée. Le poêle est ensorcelé, j'en suis certain, et, à mon avis, elle doit utiliser la magie pour voir des matches de foot.

« Pourquoi elle n'installe pas une douche magique ? » a demandé Agatha, la dernière fois qu'elle est venue voir Ebb avec moi, il y a de ça des années. Je ne sais pas comment elle se lave. Peut-être qu'elle fait *Propre comme un sou neuf !* tous les matins ?

(J'ai eu la même idée, à treize ans, mais Penny m'a expliqué que les sous n'étaient jamais très propres et que *Propre comme un sou neuf !* ne s'occupait que de la saleté apparente.)

Ebb ajoute quelques bûches dans le poêle.

— Joyeux Noël à toi aussi, lance-t-elle. Tu es passé au bon moment. Demain je vais chez moi.

— Voir ta famille ?

Elle hoche la tête. Elle vient de l'est de Londres.

— Tu veux que je surveille les chèvres ?

— Nan, pas la peine. Je vais les laisser se promener. Et toi ? Tu vas chez Agatha ?

— Non. J'ai préféré rester ici. C'est ma dernière année à Watford, je veux en profiter au max.

— Tu peux toujours revenir, Simon. Comme moi. Tu veux du café ? Désolée, mais je crois bien que c'est tout ce que j'ai. Ah non, attends… J'ai aussi des biscuits. On n'a qu'à les manger avant qu'ils soient tout mous.

Je retourne un seau et m'assois près du feu. Ebb farfouille dans les placards qu'elle a accrochés au fond de la grange. Il y a aussi quelques étagères remplies de figurines d'animaux couvertes de poussière.

Quand j'étais en deuxième année, je lui ai offert pour Noël une petite chèvre en porcelaine que j'avais dénichée l'été, dans un vide-greniers. Elle lui a tellement plu qu'à chaque Noël je lui en ai apporté d'autres : des chèvres, des moutons et des ânes.

J'ai honte d'être venu les mains vides quand elle me tend une tasse de café fumant et le paquet de biscuits.

— Je ne sais pas trop ce que je pourrais faire ici, dis-je. Je ne pense pas qu'il y ait besoin de deux gardiens pour les chèvres.

Une des plus petites chèvres s'approche de nous et renifle mes genoux. Je lui offre un biscuit sur ma paume ouverte. Ebb sourit et se cale dans son fauteuil.

— On te trouvera quelque chose. Quand Mme Pitch m'a permis de rester, il n'y avait pas franchement d'opportunité.

— La mère de Baz, dis-je en grattant la chèvre derrière l'oreille.

Finalement, ça sera peut-être plus facile que je ne l'imaginais d'amener Ebb à parler de tout ça.

— Elle-même. Ça, c'était une magicienne avec des pouvoirs.

— Tu la connaissais bien ?

Elle mord dans son biscuit.

— Bah, elle donnait les cours de Formules magiques quand j'étais à l'école, et c'était la directrice. Donc je la connaissais un peu. Nous ne venions pas du même milieu, c'est sûr, mais de toute manière, après la mort de mon frère Nicky, ma famille n'appartenait plus à aucun milieu.

Son frère est mort quand elle était à l'école. Elle parle souvent de lui, chaque fois ça la bouleverse et ça la rend triste. C'est en partie à cause de ça que Penny a du mal avec Ebb. « Elle est tellement mélancolique. Même les chèvres ont l'air déprimées. »

Moi je trouve qu'elles vont bien. Quelques-unes tournent autour du fauteuil d'Ebb tandis que la petite mendiante s'est couchée à mes pieds.

— J'avais peur de quitter Watford, poursuit Ebb. Mme Pitch m'a dit que je n'étais pas obligée. En y repensant, elle devait redouter les ennuis pour moi. J'ai toujours eu plus de pouvoir que de bon sens. J'étais un bâton de dynamite ambulant. Comme Nicky. Mme Pitch a rendu service à la magie en me prenant à Watford et en me disant de ne pas m'inquiéter pour la suite. « Le pouvoir ne doit pas être un fardeau, répétait-elle.

S'il est trop lourd pour tes épaules, Ebeneza, garde-le ailleurs. Dans un tiroir. Sous ton lit. Laisse-le partir. Ce n'est pas parce que tu es née avec que ça doit être ton destin. » Mon papa ne m'a jamais dit ça... Je me demande si Mme Pitch se serait montrée aussi indulgente avec l'un des siens.

J'éclate de rire en essayant de ne pas cracher de miettes.

— Qu'est-ce qu'il y a ? proteste-t-elle. C'est censé être une histoire émouvante.

— Tu t'appelles Ebeneza ?

— C'est un très beau nom ! Très ancien.

Elle se met aussi à rire et se fourre un biscuit entier dans la bouche, qu'elle fait passer avec du café.

— Elle avait l'air bien, la mère de Baz, dis-je.

— Bah... ouais. Mais bon, elle était aussi féroce qu'un lion, et terriblement sombre. Les Pitch le sont tous. Elle s'est battue bec et ongles contre les réformes. Elle aimait Watford. Et la magie.

— Ebb... comment est mort ton frère ?

Jamais je ne lui ai posé la question, par peur de la rendre encore plus triste. Elle s'avance aussitôt sur son siège et détourne le regard.

— Je ne dois pas parler de lui : ils ont enterré son nom et l'ont radié du *Livre de la Magie*. Mais c'était mon frère jumeau. C'est pas juste de faire comme s'il n'avait jamais existé.

— Je ne savais pas que c'était ton jumeau.

— Ouais. Partenaire pour les bêtises.

— Il doit te manquer.

— C'est sûr, renifle-t-elle. Quoi qu'en disent les gens, je n'ai plus communiqué avec lui depuis le jour où il est passé de l'autre côté.

— Évidemment, dis-je. Il est mort.

— Je sais très bien ce qu'ils racontent.

— Franchement, Ebb, je n'ai jamais entendu qui que ce soit évoquer ton frère, en dehors de toi.

Elle me fixe quelques instants, tendue. Puis elle semble se rappeler où elle se trouve. Elle se tourne vers le feu et s'avachit de nouveau.

— Les gens ont cru que je le rejoindrais. Que je ne pourrais pas vivre sans lui. Nicky voulait que je vienne.

— Il voulait que tu te tues aussi ?

— Il souhaitait que je l'accompagne...

Elle s'interrompt, lance un regard angoissé autour d'elle. Sa voix n'est plus qu'un faible murmure lorsqu'elle reprend :

— ... chez les vampires. Il a dit qu'il m'attendrait. Toujours.

Entre mes doigts, le biscuit se brise d'un coup.

— Chez les vampires ?

— Tu es certain que personne ne parle de lui, Simon ? Ou de moi ?

— Oui, Ebb.

Le frère d'Ebb est parti chez les *vampires* ?

Elle semble perdue.

— Ils ne l'ont plus jamais mentionné, même après tout ce qu'il a fait... Je suppose que c'est ce qui arrive quand on te raye du *Livre*. J'étais là, quand ça s'est passé. Mme Pitch m'a autorisée à garder ses formules.

Elle lève son bâton et, même si c'est Ebb, je sursaute, effrayé. La chèvre qui est à mes pieds se lève d'un bond et s'enfuit. Ebb ne le remarque pas. Je ne l'ai jamais vue aussi mélancolique. Les larmes coulent sur ses joues rebondies.

Elle agite son bâton au-dessus du feu et les mots jaillissent dans les flammes, sans se consumer.

Nicodemus Petty.

Je suis tellement stupéfait que je manque de tendre le bras pour les attraper. Nicodemus ! Nicodemus qui est parti chez les vampires !

— Nicky, murmure Ebb. Le seul magicien à avoir *choisi* la mort chez les vampires.

Elle s'essuie les yeux avec sa manche.

— Désolée, Simon. Je n'aurais pas dû parler de lui, mais je ne peux pas m'empêcher de penser à lui à cette époque de l'année. Les vacances. Là-bas, tout seul.

— Il est *vivant* ?

Pas la bonne question, ou peut-être lancée avec un peu trop de vivacité : les larmes redoublent sur les joues d'Ebb.

— Il est toujours là-bas, répond-elle. Je pense que je le saurais s'il était parti. Avant, je sentais toujours quand il avait des ennuis.

— Où est-il ?

Ma voix fuse, je dois paraître trop pressé de savoir, presque désespéré.

Ebb se tourne vers le feu.

— Je t'ai dit que je ne lui ai plus jamais parlé. Je te promets.

— Je te crois. Je suis vraiment désolé pour toi. Il… il doit te manquer.

— Comme si on m'avait enlevé mon cœur.

Elle plonge son bâton dans le feu et retire une à une les lettres.

— Il était avec les vampires qui ont tué la mère de Baz ? je demande.

Elle redresse aussitôt le menton.

— Non, s'exclame-t-elle, sur la défensive. J'ai moi-même demandé à Mlle Mary, la responsable de la crèche, avant sa mort. Elle m'a juré que Nicky n'était pas là. Il n'aurait jamais fait une chose pareille. Il ne voulait pas tuer des gens, seulement être éternel.

— Tu étais là quand c'est arrivé ?!

Elle s'est décomposée encore un peu plus.

— J'étais dehors avec les chèvres. Je n'ai pas pu aider Mme Pitch.

Craignant que, d'ici quelques instants, Ebb ne soit plus en mesure de répondre à mes questions tant elle pleure, j'insiste :

— Qu'est-il arrivé à la crèche ? Où est-elle passée ?

— Elle s'est cachée, dit-elle en reniflant de plus belle. Elle était dotée d'une protection pour les enfants, mais ça n'a pas marché. Alors la protection l'a fait disparaître. Elle l'a attirée dans les murs et dans le sol. Une fois, je l'ai trouvée dans la cave. Et ensuite au cœur de la Tour qui pleure. Et puis elle est partie.

Je devrais poser d'autres questions à Ebb. Penny ne s'arrêterait pas là. Baz, lui, aurait déjà dégainé sa baguette magique et exigé de tout savoir. Au lieu de ça, je reste assis à côté d'elle et je regarde le feu. Parfois, je la vois qui s'essuie les yeux avec le bout de son écharpe crasseuse. Comme pour salir son visage.

— Excuse-moi, dis-je. Je ne voulais pas faire remonter ces souvenirs douloureux. Il y a tellement de choses que j'ignore sur Watford.

— Personne ne sait rien sur Watford, soupire-t-elle. Même les nymphes des bois n'ont aucun souvenir de l'époque avant la chapelle Blanche.

— Désolé, dis-je encore une fois.

Ebb se penche vers moi et me prend par les bras. Elle fait ça de temps en temps. Quand j'étais enfant, j'adorais ça. Je me rapprochais d'elle pour que ça soit plus facile.

— Tu n'as rien fait remonter du tout, explique-t-elle. C'est toujours là, dans ma tête. D'une certaine manière, ça fait du bien d'en parler, de vider un peu mon sac. Ça me soulage le cœur pour un instant.

Je me lève. Elle me suit jusqu'à la porte et me donne de douces tapes dans le dos.

— Joyeux Noël, Simon. Tu peux m'appeler si tu te sens seul. Envoie-moi un signal, d'accord ? Je le sentirai.

Envoyer un signal ? Incroyable : Ebb doit être aussi puissante que le Mage.

— Ça va aller, dis-je. Merci, Ebb. Joyeux Noël.

Elle m'ouvre la porte et, dès qu'elle l'a refermée, je me mets à courir vers mon pavillon. Je laisse de la neige jusqu'en haut de la tourelle. Une fois dans la chambre, je prends l'argent que je cache en bas de mon armoire. Il n'y en a pas beaucoup, mais ça devrait suffire pour aller dans le Hampshire.

Je fais du stop pour me rendre à la gare, mais personne ne s'arrête. Pas de problème, je continue à courir jusqu'à la gare. J'achète mon billet et un sandwich. C'est seulement quand je suis dans le train, à une heure de Watford et une heure de Winchester, que je me rends compte que j'aurais pu simplement emprunter un téléphone et appeler.

53

BAZ

J'AIME BIEN JOUER DU VIOLON DANS LA bibliothèque. Mes frères et sœurs n'ont pas le droit d'entrer, et on peut voir les jardins par les grandes baies vitrées.

J'aime le violon. J'en joue bien. Et ça me permet de penser à autre chose, de m'éclaircir les idées. Je réfléchis mieux, quand je joue.

Mon grand-père jouait aussi. Il pouvait jeter des sorts avec son archet.

J'ai oublié mon violon ici quand je suis parti pour Watford – je n'étais pas dans mon état normal – et du coup je suis un peu rouillé. Manque de pratique. Je travaille une chanson de Kishi Bashi dont ma belle-mère, Daphné, dit qu'elle est « inutilement triste ».

— Basilton... *Monsieur Pitch.*

Je baisse mon violon et me retourne. Vera se tient sur le pas de la porte.

— Je suis désolée de vous interrompre. Mais votre ami est ici pour vous voir.

— Je n'attends personne.

— Un ami de votre école, insiste-t-elle. Il porte le même uniforme que vous.

Je pose mon violon et tire sur ma chemise.

Ça doit être Niall. Il vient parfois me rendre visite. Mais en général il envoie d'abord un message pour me prévenir... Toujours, même. Et il ne serait pas venu en uniforme. Personne ne ferait une chose pareille, c'est les vacances.

J'accélère le pas et traverse presque en courant le petit salon et la salle à manger, ma baguette magique à la main. Daphné est installée à la table avec son ordinateur. Elle me lance un regard étonné. Je ralentis l'allure.

Quand j'arrive dans l'entrée, Simon Snow est là, comme un chien perdu.

Ou comme quelqu'un frappé d'amnésie.

Il porte son manteau de Watford et de grosses chaussures en cuir. Il est couvert de neige et de boue. Vera a dû lui demander de rester sur le tapis parce qu'il est pile au centre. Il a les cheveux en bataille et le visage tout rouge, comme s'il était sur le point d'exploser à la moindre étincelle.

Je m'arrête sur le pas de la porte, glisse ma baguette dans ma manche et mes mains dans mes poches.

— Snow.

Il relève vivement la tête.

— Baz.

— J'essaie d'imaginer pourquoi tu es ici... As-tu roulé depuis le sommet d'une montagne et atterri dans notre entrée ?

— Baz..., répète-t-il.

J'attends la suite. Il va y arriver, ou pas ?

— Tu... tu portes un jean ?

Je hoche la tête.

— En effet. Et toi, tu as apporté la campagne avec toi, à ce que je vois.

— J'ai dû marcher depuis la route.

— Ah oui ?

— Le chauffeur de taxi a refusé de venir jusqu'à chez toi. Il pense que ta maison est hantée.

— Elle l'est.

Il avale sa salive. Snow a le plus long cou et la façon de déglutir la plus visible que je connaisse. Son menton s'avance puis sa pomme d'Adam monte et descend. Tout un spectacle.

— Bon, dis-je en haussant les sourcils de façon exagérée. C'était sympa à toi de passer...

Il laisse échapper un genre de grognement et avance d'un pas, en dehors du tapis, puis recule aussitôt.

— Je suis venu te parler.

Je hoche la tête.

— D'accord.

— C'est...

— D'accord, redis-je, en lui coupant la parole.

En réalité, j'ai soudain peur de le voir repartir, gêné et frustré. (Je n'ai jamais envie que Snow s'en aille.)

— Mais tu ne peux pas entrer dans la maison dans cet état, j'ajoute. Comment tu as fait ton compte ?

— Je t'ai dit : j'ai marché depuis la route principale.

— Tu aurais pu t'envoyer un sort pour rester propre.

Il fronce les sourcils. Snow ne jette jamais de sort à lui-même – ou à qui que ce soit – s'il peut l'éviter. Je sors ma baguette et la pointe vers lui. Il cligne des yeux mais ne m'interrompt pas. Je lance : ***Propre comme un sou neuf !*** sur ses bottes. La boue s'envole et j'ouvre la porte pour guider tout ça dehors avec ma baguette.

Quand je ferme la porte, Snow est en train d'enlever son manteau trempé. Il porte son pantalon de Watford et son pull rouge. Ses jambes et ses cheveux sont tout mouillés. Je lève de nouveau ma baguette.

— C'est bon, lance-t-il pour stopper mon geste.

— Enlève tes chaussures, dis-je. Elles dégoulinent encore.

Il s'accroupit pour défaire les lacets. Son pantalon humide est collé contre ses cuisses. Il se relève.

Simon Snow est là, debout dans mon entrée, avec ses chaussettes rouges.

Le sang me monte d'un coup à la tête, je sens mes oreilles et mes joues me chauffer.

— OK, Snow. Eh bien… parlons.

54

SIMON

JE SUIS BAZ À TRAVERS DES PIÈCES PLUS GRANDES les unes que les autres. Sa maison n'est pas un château, mais presque.

Nous traversons une salle à manger qui semble sortir tout droit de *Downton Abbey*. Une femme est assise à la table, elle travaille sur un ordinateur argenté.

Quand elle se racle la gorge, Baz s'arrête pour me présenter.

— Tu te souviens de mon colocataire, Simon Snow ?

Elle a dû me reconnaître, mais elle paraît tellement stupéfaite que je me demande quelle mouche m'a piqué de venir ici. Dans la maison de ces satanés Pitch. J'aurais dû y réfléchir quand j'étais dans le train, ou dans le taxi, ou le long de ce trajet interminable entre la route principale et la maison de Baz.

Je ne réfléchis jamais.

— Snow, je te présente ma belle-mère, Daphné Grimm, lâche Baz.

— Heureux de vous rencontrer, madame Grimm, dis-je.

Elle est encore sous le choc.

— Pareil pour moi, monsieur Snow. Vous êtes ici pour des raisons professionnelles ?

Je ne sais pas ce qu'elle entend par là. Baz secoue la tête et essaie de dissiper l'air bizarre qu'elle affiche.

— Il est juste venu me rendre visite. Nous travaillons ensemble sur un projet pour l'école. Et tu peux l'appeler Simon.

— Toi, tu ne m'appelles pas Simon, dis-je tout bas.

— Nous montons dans ma chambre, annonce Baz, ignorant ma remarque.

Sa belle-mère toussote à nouveau.

— Je te ferai prévenir quand le dîner sera servi.

— Merci, répond Baz, et il se dirige vers la porte.

Il me fait monter un escalier si large que des statues y ont été sculptées : des femmes nues qui portent des cercles lumineux. Je n'arrive pas à déterminer si c'est de la lumière électrique ou magique. Néanmoins, ça me semble une bonne idée d'avoir des lumières intégrées dans l'escalier quand on est entouré de bois noir ou rouge foncé. D'autant plus que les fenêtres sont si hautes que, lorsqu'on se trouve au milieu de la maison, on a l'impression d'être au fond de la mer.

Je le suis tant bien que mal. Je n'en reviens toujours pas de le voir en jean. Je me doute bien qu'il ne tient pas à mettre son uniforme en dehors de l'école, mais je m'étais toujours imaginé Baz avec des costumes trois pièces et des écharpes en soie autour du cou.

Bon, c'est vrai qu'on dirait un jean de marque, très cher. Noir. Bien coupé. Parfaitement ajusté de la taille aux pieds, sans paraître serré.

Une inquiétude me traverse : et s'il me tendait un piège ? Il ne savait pas que je viendrais, mais les maisons de ce genre ne sont-elles pas truffées de traquenards ? Il va sûrement tirer sur une corde noire à pompon et me balancer dans un donjon dès que j'aurai fini de lui raconter tout ce que je sais.

Nous suivons un long couloir et Baz ouvre une imposante porte voûtée qui mène à une chambre. Sa chambre.

Autre blague de vampire : les murs sont tapissés d'un tissu rouge et son lit monumental est orné de gargouilles. (Oui, il y a des gargouilles sur son lit.)

Il ferme la porte derrière moi et s'assoit sur un coffre au pied du lit, qui comporte également des gargouilles.

— Bon, Snow, qu'est-ce que tu fous ici ?

— Tu m'as invité, dis-je.

Nul. Pathétique. Comme toujours.

— C'est pour ça que tu es là ? Pour Noël ?

— Non. Je suis venu parce que j'ai quelque chose à te dire. N'empêche que tu m'as réellement invité.

Il secoue la tête, excédé par ma bêtise.

— Vas-y, raconte. C'est à propos de ma mère ?

— J'ai découvert qui est Nicodemus.

Il devient plus attentif, tout à coup, et se lève.

— C'est qui ?

— Le frère d'Ebb.

— Ebb, ta copine ?

— Ebb qui garde les chèvres.

— Elle n'a pas de frère.

— Si. Un jumeau. Il a été radié du *Livre de la Magie* quand il est devenu un vampire.

Je le vois blêmir, j'en suis sûr.

— Le frère d'Ebb a été *muté* ? Et ils l'ont viré du *Livre de la Magie* à cause de ça ?

— Non, il a rejoint lui-même les vampires. Volontairement.

— Quoi ? ricane-t-il. C'est pas comme ça que ça marche, Snow.

Je fais un pas vers lui.

— Comment, alors ?

— Tu ne les *rejoins* pas.

— C'est pourtant ce qu'a fait ce Nicodemus. Et il a essayé d'emmener Ebb avec lui.

— Ebb, la gardienne des chèvres, a un frère qui s'appelle Nicodemus et dont personne n'a jamais entendu parler…

— Je viens de te le dire : nous ne savons rien de lui parce qu'il a été radié. C'est pour ça qu'Ebb vit à Watford. Ta mère lui a donné un boulot pour l'empêcher de rejoindre son frère. Tous les deux, ce sont de sacrés super-héros, et j'imagine que tout le monde avait peur qu'ils forment une équipe de super-vampires.

— Ebb connaissait ma mère ?

— Ouais, c'est elle qui lui a donné son travail.

Baz est debout devant moi, tendu comme un arc, comme s'il voulait cogner.

— Et maintenant, il est où, ce Nicodemus ? demande-t-il.

— Elle ne sait pas. Elle n'est pas censée communiquer avec lui. Elle n'est même pas censée parler de lui, en fait.

Il ricane de nouveau, avant de me rappeler que lui est un super-vampire, un super-vilain.

— Elle ne sait pas, hein ? Eh bien, on va voir ça.

Je pose ma main sur son torse. Je n'ai pas besoin d'avancer pour le toucher.

— Non, dis-je. Ebb ne sait pas où il est. Inutile d'aller la voir pour lui poser des questions.

Baz passe sa langue sur ses lèvres gris-rose.

— Je le ferai si j'en ai envie, Snow.

— Pas si tu veux que je t'aide.

Je garde la main sur sa poitrine car je sens qu'il faut que je le retienne, un peu étonné qu'il ne réagisse pas. Soudain, à la vitesse de l'éclair, il m'attrape le poignet. (Comme s'il avait lu dans mes pensées.) (C'est un truc de vampire ?)

— Parfait, lâche-t-il en baissant mon bras. Alors comment va-t-on retrouver Nicodemus ?

— Je n'y ai pas encore réfléchi. Je suis venu immédiatement après avoir quitté Ebb.

— Et que pense Pénélope de tout ça ?

— Je ne lui ai encore rien dit.

— Où est-elle ?

— Je ne sais pas. Je ne lui ai pas parlé. Je suis venu directement ici.

Il a l'air troublé.

— Directement ?

— Tu aurais préféré que j'attende la fin des vacances pour te raconter ?

Il fronce les sourcils et se passe de nouveau la langue sur les lèvres. Je pose mes mains sur mes hanches, histoire de me donner une contenance.

— Et toi ? dis-je. Tu as fait des découvertes ?

Il détourne le regard.

— Non. J'ai juste lu beaucoup de livres sur les vampires.

Je me retiens de lancer : « Pour t'aider ? » À la place, je demande :

— Et qu'as-tu appris ?

— Qu'ils sont morts, et diaboliques, et qu'ils aiment tuer des bébés.

— Ah… Et ils parlent des chips au vinaigre ?

Baz en mange le soir, quand il me croit endormi, puis il nettoie les miettes tombées entre nos lits.

Il me jette un regard noir avant de s'éloigner vers son bureau.

— Ils ne savent rien sur les vampires, dit-il en jouant avec un stylo. Pas grand-chose, en tout cas. Je devrais peut-être aller leur en toucher un mot.

Un coup retentit à la porte, et elle s'ouvre brusquement. Une petite fille se tient sur le seuil.

— Tu dois frapper avant d'entrer ! s'énerve Baz.

Ce doit être sa sœur. Elle est encore trop jeune pour aller à Watford. Elle ressemble à la belle-mère de Baz – brune et jolie – mais pas à Baz ni à sa mère, qui ont des traits moins fins.

— C'est ce que j'ai fait, réplique-t-elle.

— Alors tu dois attendre que je t'autorise à entrer.

— Maman dit que vous devez descendre pour le dîner.

— D'accord, répond-il.

Elle ne bouge pas.

— On arrive, grogne-t-il. Va-t'en.

Elle lève les yeux au ciel et ferme la porte. Baz se replonge dans ses pensées en continuant de tripoter le stylo.

— Bon, je ferais mieux de rentrer à Watford, dis-je. Envoie-moi un message si tu apprends quelque chose. Tu peux essayer d'appeler mais je ne pense pas que quelqu'un réponde au téléphone pendant les vacances.

Il lève les yeux sur moi.

— Comment ?

— Je dis : envoie-moi un message si...

— Tu ne vas pas partir maintenant.

— Si. Je n'ai rien de plus à te raconter.

— Tu es venu par le dernier train, tu as marché plus d'une heure, tu n'as pas mangé de la journée et tes cheveux sont encore trempés. Tu ne pars pas ce soir, Snow.

— Mais je ne peux pas rester ici !

— Tu n'as pas encore disparu au milieu des flammes, que je sache.

— Écoute, Baz...

Il me coupe d'un geste de la main.

— Non.

55

BAZ

SNOW ÉTAIT UNE VRAIE LOQUE, AU DÉBUT DU dîner.

Si je n'avais pas crevé d'envie qu'il reste, ça m'aurait réjoui. Tout ce qui se trouvait dans son assiette semblait le perturber profondément. Tantôt il contemplait la nourriture d'un air perdu, tantôt il l'engloutissait à toute vitesse tellement il était affamé. Daphné s'est donné du mal pour le mettre à l'aise, tandis que les petits ne l'ont pas quitté des yeux. Ils ont déjà entendu parler de l'héritier du Mage.

Mon père a l'air de croire que je prépare un plan obscur. (Ce qui est vrai, sauf que, cette fois, il n'est pas question de mettre Snow hors d'état de nuire.) Quand il a quitté la table, il m'a pris à part pour savoir si je voulais qu'il appelle à l'aide les Familles.

— Non, ne le fais pas, s'il te plaît, ai-je répondu. Snow est là pour travailler avec moi à un projet pour l'école.

Papa m'a fait un clin d'œil. J'ai failli lui dire que Maman était revenue pour moi. Puis j'ai réfléchi : et s'il me demande pourquoi elle n'est pas venue le voir, lui ? Et s'il en parle aux Familles ? Elles ne comprendraient pas pourquoi je collabore avec Snow et Bunce. Et pour l'instant, ce sont mes meilleurs

343

alliés. Une fois qu'ils ont décidé de s'atteler à quelque chose, rien ne les arrête. Ils sont totalement fiables et se donnent sans compter. Je les ai vus plus d'une fois démonter des complots et repousser des monstres.

Snow est encore en train de manger. Daphné n'arrête pas de lui proposer de se resservir et il accepte. C'est la première fois que je me retrouve à table avec lui. Je m'autorise à le regarder, et à apprécier, pendant quelques instants. Depuis que nous avons commencé à collaborer, je m'accorde ce genre de petits plaisirs. Il est très mal élevé quand il mange, j'ai un peu l'impression de voir bâfrer un chien sauvage. À qui on aimerait couper la langue.

Après le dîner, nous allons dans la bibliothèque et je lui montre ce que j'ai trouvé sur les vampires. Il continue à se tenir à bonne distance de moi, je fais semblant de ne pas m'en apercevoir. Nous devrions appeler Bunce pour voir ce qu'elle pense de tout ça. Je le lui proposerai demain.

Il n'y a rien sur Nicodemus dans les livres de notre bibliothèque. J'ai déjà cherché, mais je recommence. Sur le seuil de la porte, je lance : ***Au peigne fin, Nicodemus Petty !*** Aucun ouvrage ne sort des rayons. Nous découvrons néanmoins quelques lignes sur la famille Petty. Il en existe une ancienne, qui vient des quartiers Est de Londres, et une autre, très grande, où, toutes les deux ou trois générations, un super-puissant se révèle. Comme Ebb. Si Snow n'avait pas débarqué, Ebb serait peut-être actuellement la magicienne la plus puissante de notre monde. Et dire qu'elle gâche tout ça avec des chèvres, en se morfondant...

— Tu penses que ça pourrait figurer dans *Le Dossier* ? interroge Snow. Le moment où Nicodemus est passé de l'autre côté ?

— Probablement pas. Ils ont sûrement voulu garder ça top secret. Et comme il ne semble pas avoir fait du mal à qui que ce soit...

— Pourquoi devenir un vampire si tu ne comptes pas t'en prendre à quelqu'un ? poursuit Snow.

— Pourquoi en devenir un tout court ? je réponds du tac au tac.

— Si tu le dis.

Je prends sur moi pour ne pas exploser et je me concentre sur le livre que j'ai entre les mains. Snow traverse la pièce et vient s'asseoir à la petite table, en face de moi.

— Sérieux, lâche-t-il, pourquoi Nicodemus a-t-il fait ça ?

— Pour être plus fort ? je suggère. Physiquement.

— Beaucoup plus fort ? enchaîne-t-il.

Je hausse les épaules.

— C'est à lui qu'il faut poser la question. Je ne peux pas comparer.

Parce que je ne me rappelle pas comment j'étais avant.

— Et quoi d'autre ? questionne Snow.

— Pour développer ses sens.

— Comme voir mieux, par exemple ?

— Oui, dans le noir. Et entendre plus de choses. Et sentir avec plus d'acuité.

— Pour vivre éternellement ?

Je secoue la tête.

— Je ne crois pas. À mon avis, ça ne marche pas comme ça. Mais il ne sera jamais malade.

Snow hausse les sourcils.

— Dans ce cas, pourquoi tout le monde ne passe-t-il pas de l'autre côté ? s'étonne-t-il.

— Parce que c'est la *mort*.

— Visiblement pas.

— Ils disent que ton âme meurt.

— N'importe quoi.

— Qu'est-ce que tu en sais, Snow ?

— Question d'observation.

— Mais tu ne peux pas observer une âme !

— Si, avec le temps.

— C'est la mort parce que tu dois tuer pour rester vivant.

— Comme tout le monde. Ça s'appelle manger.

— C'est la mort, parce que quand tu as faim, tu es obsédé par l'idée de manger d'autres gens, dis-je en m'efforçant de ne pas hausser la voix.

Snow s'adosse à sa chaise. Il a la bouche ouverte. Personne ne lui a jamais dit qu'il fallait la fermer ? Il pousse sa lèvre inférieure avec sa langue. L'idée d'en sucer le sang me traverse l'esprit.

— C'est la mort parce que quand tu regardes les autres, les vivants, tu as l'impression qu'ils sont à des années-lumière de toi. Sur une autre planète. De la même manière que les oiseaux peuvent te sembler très différents de ce que tu es, et posséder quelque chose que tu n'as pas. Tu peux le leur prendre, mais ça ne t'appartiendra pas pour autant. Pour nous, les autres sont remplis... et toi tu as faim. Tu n'es pas vivant. Juste affamé.

— Tu dois être en vie pour avoir faim, argumente Snow. Et pour changer.

— C'est peut-être toi qui devrais écrire un livre sur les vampires ?

— Peut-être, oui. Apparemment je suis le plus grand expert au monde sur la question.

Je lève les yeux. Il me regarde fixement.

Je sens la croix autour de son cou jusque dans ma salive, comme un courant électrique, mais elle ne m'a jamais aussi peu découragé. Je pourrais l'assommer illico. (L'embrasser ? Le tuer ? Improviser ?)

— Tu devrais interroger tes parents, ajoute-t-il.

— Pour leur demander si je suis vraiment vivant ?

C'est sorti tout seul.

Il ferme la bouche. Déglutit. C'est là que j'aimerais le mordre, au milieu de la gorge.

— Je voulais dire : tu devrais leur demander s'ils se souviennent de Nicodemus. Peut-être qu'ils savent où il est ?

— Je ne vais certainement pas leur poser des questions sur le seul magicien qui a déserté pour rejoindre les vampires ! Tu es complètement débile ou quoi ?

— Ah... je n'avais pas réfléchi à cet aspect-là des choses.

— Tu n'y avais pas réfléchi...

Je m'interromps net avant de m'écrier :

— Mais... Mais...

SIMON

Baz monte les marches quatre à quatre et je cours derrière lui. Depuis le dîner, nous n'avons vu personne. Cette demeure est tellement vaste qu'elle pourrait contenir une foule et paraître toujours aussi vide.

Nous sommes dans une autre aile de la maison, à présent. Un long couloir, de nouveau. Baz s'arrête devant une porte et lance des sortilèges de désarmement.

— Complètement parano, marmonne-t-il. Et tellement prévisible.

— Qu'est-ce qu'on fait, là ?

— On cherche Nicodemus.

— Tu penses qu'il vit ici ? dis-je.

— Non, mais...

La porte s'ouvre. Encore une chambre gothique et flippante. Du genre « Le gothique à travers les âges », cette fois : au-dessus des gargouilles sont affichés des posters de rock stars des années 1980 et 1990 maquillées à grand renfort d'eye-liner noir. Quelqu'un a même bombé « *Never mind the bollocks*[1] » en jaune fluo sur un des murs, abîmant ainsi pour toujours le papier peint ancien noir et blanc.

— C'est la chambre de qui ?

1. Titre d'un album des Sex Pistols.

Baz s'accroupit devant la bibliothèque.

— Ma tante Fiona.

Je recule d'un pas.

— Et pourquoi nous sommes là ?

— Pour chercher quelque chose…

La seconde d'après, il sort d'un rayon un grand album violet sur lequel est inscrit en lettres dorées « *Rappelle-toi la magie* ».

— Ah, voilà ! s'exclame-t-il. Je suis presque sûr que Fiona était dans la même classe qu'Ebb. Je me souviens de l'avoir entendue en parler. Et pas en bien, je te garantis. Mais elle n'a jamais évoqué son frère.

Il tourne les pages. Je me baisse à son niveau.

— Qu'est-ce que c'est ?

— Un album-souvenir. Avant l'arrivée du Mage, ils en distribuaient, à Watford, aux élèves qui avaient terminé l'école. Il y a les photos de classe de chaque année et des petites histoires.

Il reste un moment sur une page couverte d'images. J'aimerais bien avoir un truc comme ça. Je n'ai pas une seule photo de moi ou de mes amis. Agatha doit en avoir, j'imagine.

Il retourne le livre et étudie de près la photo de classe qui figure au dos ; il louche presque. Sous la grande photo, quelqu'un a scotché des petits tirages couleurs.

— Regarde, dis-je en en désignant un sur lequel on voit une fille assise au pied d'un arbre, le grand sapin.

Elle a des cheveux bruns en bataille avec une mèche blonde et elle sourit en fronçant le nez, la langue entre les dents. Un garçon tout maigre est assis à côté d'elle et la tient par les épaules.

— Ebb, dis-je, croyant la reconnaître.

Car elle a les mêmes cheveux raides et les mêmes pommettes saillantes. Mais je n'ai jamais vu Ebb avec un air si arrogant et je n'arrive pas à l'imaginer avec un sourire narquois comme celui-là. Sous la photo, quelqu'un a écrit *Moi et Nicky*, avec un cœur en guise de point au-dessus des i.

— Fiona ! s'exclame Baz en fermant le livre avec bruit.

Je le lui prends des mains, m'installe confortablement près du lit et le rouvre. Il y a quelques pages pour chacune des années que Fiona a passées à l'école, avec de grandes photos de classe et des pages blanches où on peut coller d'autres images ou des diplômes. C'est facile de repérer Fiona sur les photos de classe – sa mèche blonde doit être naturelle – et, ensuite, de trouver Ebb et Nicodemus, toujours l'un à côté de l'autre, à la fois très ressemblants et très différents. Sur toutes les photos, Ebb a cet air gentil et peu sûr d'elle que je lui connais. Nicodemus, lui, donne toujours l'impression d'être en train de préparer un coup. Même en première année.

Je tombe sur une autre photo de Nicodemus avec la tante de Baz. Cette fois, ils posent dans des vêtements démodés.

— Tu savais qu'il y avait une troupe de théâtre, avant, à Watford ? dis-je.

— Il y avait beaucoup de choses à Watford, avant le Mage, répond Baz en me reprenant le livre.

Il le range dans la bibliothèque.

— Viens.

— Pour aller où ?

— Maintenant ? Au lit. Demain ? À Londres.

Je dois être fatigué : aucune de ces propositions ne me semble logique.

— Viens, répète-t-il. Je vais te montrer ta chambre.

Pas de chance, ma chambre est encore pire que les autres. Au-dessus de la porte est peint un grand dragon qui brille dans l'obscurité et semble te suivre du regard.

Et il y a aussi quelque chose sous le lit.

Je ne sais pas exactement quoi, mais ça grogne, ça cliquette et ça fait trembler les montants du lit.

Je finis par aller dans la chambre de Baz pour lui dire que je rentre à Watford.

— Quoi ?

Debout devant la porte, il est à moitié endormi. Et tout rouge. Il a dû sortir chasser après que je suis allé me coucher. Ou peut-être qu'il y a des élevages pour lui dans la propriété.

— Je pars, dis-je. Cette chambre est hantée.

— Toute la maison l'est, je t'avais prévenu.

— Je m'en vais.

— Arrête, Snow. Tu peux dormir sur mon canapé. Les spectres ne traînent pas par ici.

— Pourquoi ?

— Je leur file les jetons.

— Moi aussi, tu me fous la trouille, je marmonne.

Il me balance un oreiller à la figure. (Qui sent son odeur.)

En m'installant sur le canapé, je me rends compte que je ne le pense pas : il ne me flanque pas la trouille.

Avant, oui. Mais maintenant, dans cette maison, Baz est ce qui m'est le plus familier et je m'endors immédiatement en écoutant sa respiration. Depuis le début des vacances, jamais le sommeil n'a été aussi facile à trouver.

56

FIONA

D'ACCORD, NATASHA, JE SAIS QUE JE N'AURAIS jamais dû lui raconter quoi que ce soit.

Tu ne l'aurais pas fait.

Il débarque direct dans mon appart, cherche les problèmes. C'est un problème à lui tout seul, chaque seconde de sa foutue vie.

— Parle-moi de Nicodemus, dit-il, visiblement au courant.

Il sait qu'il est mon préféré, c'est ça le souci. Et il le serait même si tu avais eu une portée de chiots. Aussi prétentieux que Mick Jagger, celui-là. Et malin comme un singe.

— Qui t'a parlé de Nicodemus ? je demande.

Il s'assoit à ma petite table cradingue et commence à boire mon thé en plongeant dedans mon dernier sablé à la lavande.

— Personne, répond-il.

Menteur.

— J'ai juste entendu dire qu'il est comme moi.

— Un sale gosse qui manigance ?

— Tu vois ce que je veux dire, Fiona.

— Joli costume, Basil. Tu vas où ?

— Danser.

Il est tiré à quatre épingles. Costume Hugo Boss, si je ne me trompe pas. Comme s'il était ici pour passer à la télé.

Je m'installe en face de lui.

— Il n'a rien à voir avec toi, dis-je.

— Tu aurais dû me prévenir que je n'étais pas le seul.

— C'est lui qui a choisi de passer de l'autre côté.

— Ça changerait quoi, Fiona, si j'avais aussi choisi ? Le résultat est le même.

— Pas exactement. Il a *quitté* notre monde. En expliquant qu'il allait évoluer.

(Il a dit qu'il irait au-delà de la magie.

« Tu es assez puissant pour ça, Nicky, ai-je alors répondu.

— Qu'entends-tu par "assez", mademoiselle Pitch ? »

Sa cravate aux couleurs de l'école roulée en boule dans la poche de sa veste. Ce sourire cruel et doux.)

— Il nous a trahis, Basil.

Je sens l'ancienne colère qui me monte à la gorge.

— Et il a été radié, enchaîne mon neveu.

— Parce que c'est un traître, dis-je.

— Parce que c'est un vampire, réplique Baz.

Je ne peux pas m'empêcher de sursauter en entendant ce mot.

Ça n'était pas censé être à moi, Natasha, d'expliquer à ce garçon comment faire sa place dans ce monde. Je ne suis pas douée pour ça. Regarde-moi. Trente-sept ans, et je me roule un joint en chemise de nuit au petit déjeuner – quand j'arrive à me lever. Je suis une catastrophe.

Qu'est-ce que tu lui dirais, toi, si tu étais là ?

Non… Laisse tomber. Je sais ce que tu lui dirais, et tu aurais tort.

Là-dessus, j'ai fait mieux que toi. J'ai été assez faible pour donner une chance à ton fils. Et regarde-le, maintenant : il est peut-être mort, mais il n'est pas perdu. Il est sombre comme un Pitch et affûté comme un rasoir, et il est gonflé à bloc par ta magie. C'est un feu d'artifice. Tu serais fière de lui, Tasha.

— Tu ne vas pas être radié, Basil, lui dis-je. C'est à ça que tu penses ? Personne n'est au courant, pour toi ; et même s'ils l'apprennent – et il n'y a aucune chance –, ils savent qu'ils ne peuvent pas se passer de toi. Les Familles sont enfin prêtes à contrer le Mage. Tout arrive.

Il se passe la langue sur la lèvre inférieure et regarde par ma petite fenêtre. Le soleil brille encore, et je sais que ça le dérange, même s'il ne s'en plaint pas. Je tire les rideaux, la pièce est plongée dans la pénombre.

— Il est toujours vivant ? demande Baz.

— Je pense que oui. Façon de parler : je n'ai pas entendu dire le contraire.

— Est-ce que tu l'aurais su, sinon ?

Il y a un paquet de clopes sur la table. J'en allume une avec ma baguette magique et tire quelques bouffées. Je fais tomber la cendre dans la soucoupe.

— Tu sais que les Familles utilisent mes connexions de Londres…

— Comment ça ?

— Je discute ici avec des gens à qui personne n'adresse la parole. Des indésirables. Je n'ai pas peur de me salir les mains, moi.

Et là, sœurette, il hausse un sourcil, comme toi.

— Pfff… Arrête ça, espèce de taré, dis-je en envoyant un nuage de fumée.

— Donc Nicodemus est un indésirable ? questionne-t-il.

— Nous n'avons pas le droit de parler de lui. C'est une règle des mages.

— Tu pourrais couper les ponts avec moi aussi facilement ?

— Merde, Baz, tu sais bien que non. Qu'est-ce que tu cherches, là ?

— Simple curiosité, c'est plus fort que moi.

Il se penche vers moi par-dessus la table.

— Est-ce qu'il est vivant ? Est-ce qu'il chasse ? Est-ce qu'il a vieilli ? Est-ce qu'il a muté quelqu'un ?

Je le menace avec ma cigarette.

— Nicodemus Petty n'a aucune réponse pour toi, mon p'tit.

J'écrase la clope avant de le transformer en torche.

— C'est un gangster à deux balles, un voyou de troisième catégorie digne d'un film de Guy Ritchie. Il était convaincu de devenir un super-mage et il se retrouve à jouer aux dés dans l'arrière-salle d'un bar pour vampires à Covent Garden. Il a gâché sa vie et fait souffrir tous ceux qui l'ont aimé, et tu n'as absolument rien à apprendre de lui, Basil. Sauf à être un vampire de merde.

Baz a toujours son sourcil levé. Il termine mon thé.

— C'est bon, dit-il. Tu as gagné la partie.

— Parfait. Retourne chez toi et travaille.

— Je suis en vacances.

— Alors rentre et trouve une solution pour faire tomber le Mage.

— Je t'ai dit que j'allais danser.

Je jette à nouveau un coup d'œil sur son costume et ses chaussures noires qui brillent.

— Tu as rencontré un mec, Basil ?

Il sourit. Un problème à lui tout seul, c'est sûr. On aurait dû le balancer dans la Tamise avec une pierre attachée autour du cou. Ou l'abandonner aux fées.

— Quelque chose comme ça, lâche-t-il.

57

AGATHA

JE SUIS ASSISE À LA TABLE DE PÉNÉLOPE ET J'ÉTALE un glaçage rose sur un biscuit en pain d'épice.

— Pourquoi les biscuits qui représentent des filles doivent absolument être roses ? demande Penny.

— Et pourquoi pas ? J'aime bien le rose.

— Uniquement parce que tu as été conditionnée pour ça avec les Barbie et les Lego pour filles.

— N'importe quoi. Je n'ai jamais joué aux Lego.

C'est plus facile que je ne pensais de traîner avec Penny, en fin de compte. Quand elle m'a piégée dans la cour avant de partir en vacances, j'ai cru qu'elle allait me démolir parce que j'avais laissé tomber Simon.

— J'ai entendu dire que Simon n'allait pas chez toi pour Noël, a-t-elle lancé.

— Parce que nous ne sommes plus ensemble, Pénélope. Tu es contente ?

— D'une manière générale, oui, a-t-elle répondu. Mais pas parce que vous avez rompu.

C'est impossible de couper court à une discussion avec Penny. Tu as beau être désagréable ou l'ignorer, elle ne lâche pas l'affaire.

— Agatha, a-t-elle ajouté, tu crois sincèrement que j'ai envie d'être avec Simon ?

Ce que je pense, c'est qu'elle veut être celle qui compte le plus pour lui. C'est un oui ou un non ?

— Je ne sais pas, Pénélope. Ce dont je suis certaine, c'est que tu ne voulais pas que moi, je le sois.

— Mais vous aviez l'air tellement malheureux !

— Ça ne te regardait pas !

— Bien sûr que si ! Vous êtes mes amis, non ?

J'ai levé les yeux au ciel, exaspérée, mais cela ne l'a pas empêchée de continuer.

— Bref, ce n'est pas de ça que je voulais te parler, a-t-elle dit. Simon ne sera pas chez toi pour Noël, et il ne peut pas venir chez moi parce que ma mère est furieuse contre le Mage. Mais j'ai pensé que toi et moi on pourrait quand même être ensemble : faire des gâteaux pour Noël et se donner des cadeaux.

C'est ce que nous avions l'habitude de faire chaque année, tous les trois.

— Sans Simon ?

— Oui. Je te dis, ma mère ne veut pas entendre parler de lui en ce moment.

— Mais on n'a jamais fait ça sans lui.

— Parce qu'il était toujours dans les parages, a répliqué Penny. Mais c'est pas parce que vous avez rompu que nous ne sommes plus amies, toi et moi.

— On est amies ?

— J'espère bien ! J'ai seulement trois amis ; sans toi, il m'en reste que deux.

— Qu'est-ce que vous faites, toutes les deux ? demande la mère de Penny en entrant dans la cuisine avec son ordinateur.

Elle ne peut même pas s'en séparer le temps de se préparer une tasse de thé.

Ses cheveux noirs sont relevés en une sorte de chignon approximatif et elle porte encore le gilet et le pantalon de sur-vêtement qu'elle avait à mon arrivée, hier. Même dans sa salle de bains, ma mère ne supporterait pas un tel désordre.

Mme Bunce enseigne l'Histoire médiévale dans une univer-sité pour Normaux et elle est historienne de la magie. Les nom-breux ouvrages qu'elle a publiés sur le sujet remplissent une étagère complète, mais cela ne lui rapporte pas un sou. Il n'y a pas assez de magiciens pour faire carrière dans le domaine des arts et des sciences de la magie. Mon père s'en sort, en tant que médecin magique, parce qu'il est un des rares à avoir la bonne formation et que tout le monde a besoin d'un médecin. Le père de Penny était professeur de Linguistique dans une uni-versité de la région, mais maintenant il travaille à plein-temps pour le Conseil, à traquer le Humdrum. Il a sa propre équipe d'enquêteurs qui travaille avec lui dans le labo, à l'étage. Ça fait presque deux jours que je suis là et je ne l'ai pas encore vu.

« Il ne sort que pour se ravitailler en thé et en sandwiches », m'a expliqué Penny.

Elle a des frères et sœurs plus jeunes qu'elle, je les connais de Watford. Il y en a un dans la salle à manger, en train de s'enfiler une saison complète de *Game of Thrones*, et au moins un autre en haut, branché sur Internet en mode perfusion. Ils sont tous hyper indépendants, c'est presque effrayant. J'ai l'impression qu'ils ne prennent jamais leurs repas ensemble, ils vont et viennent dans la cuisine avec des bols de céréales et des morceaux de pain et de fromage.

— On fait des biscuits en pain d'épice, répond Penny à sa mère. Pour Simon.

— Laisse-le tranquille, Pénélope, murmure Mme Bunce en posant son ordinateur sur la table. Tu le revois dans une ou deux semaines, ne t'en fais pas, il te reconnaîtra. Agatha, fran-chement, c'est indispensable que les biscuits en forme de filles soient roses ?

— J'aime bien le rose, dis-je.

— Ça fait plaisir de vous voir ensemble, toutes les deux, commente-t-elle. Et de savoir qu'on réussit le test de Bechdel.

— Surtout parce que ta maison est blindée avec tes amies filles à toi, marmonne Penny.

— Je n'ai pas d'amis, répond sa mère. Seulement des collègues. Et des enfants.

Elle me prend un des biscuits-filles et mord dedans.

— Bah, moi je ne fuis pas particulièrement les autres filles, juste les gens en général, lâche Penny.

— Et moi j'ai plein d'amies filles, dis-je. J'adorerais aller à l'école avec elles.

Pour la ixième fois de la journée, je me dis qu'au lieu d'être là pour faire plaisir à Pénélope je pourrais être avec mes vrais amis, des Normaux.

— J'imagine que tu les retrouveras l'année prochaine à l'université, me rassure sa mère. Qu'est-ce que tu comptes faire ?

Je hausse les épaules : je ne sais pas encore. Pourquoi serais-je obligée de me décider maintenant ? Je n'ai que dix-huit ans. Je ne suis pas *destinée* à quelque chose. Et mes parents ne me mettent pas la pression pour que j'atteigne des sommets. À mon avis, Mme Bunce, elle, sera légèrement déçue si Penny ne devient pas un grand manitou du cancer ou une chercheuse de renommée internationale sur les fées.

En voyant mon air indécis, la mère de Penny fronce les sourcils.

— Mmh… Je suis sûre que ça va s'arranger.

L'interrupteur de la bouilloire remonte avec un claquement sec et elle se verse du thé.

— Vous en voulez encore, les filles ?

Penny tend sa tasse et sa mère me sert également.

— J'avais aussi des amies filles, à ton âge, me dit-elle. Et une meilleure amie, Lucy…

Elle rit à ce souvenir.

— On s'entendait comme larrons en foire, toutes les deux.

— Vous êtes toujours amies ? je demande.

Elle pose sa tasse et me dévisage comme si elle n'avait qu'à moitié prêté attention à notre conversation jusque-là.

— Elle est partie en Amérique au bout de quelques années. De toute manière, après notre sortie de Watford, nous ne nous revoyions déjà plus beaucoup.

— Pourquoi ? s'enquiert Penny.

— Je n'aimais pas son petit copain, explique sa mère.

— Pourquoi ? répète Penny.

Ses pauvres parents ont dû entendre cette question un milliard de fois !

— Je trouvais qu'il était trop autoritaire.

— C'est pour ça qu'elle a quitté l'Angleterre ?

— Je pense qu'elle est partie quand ils ont rompu.

Elle hésite un instant avant de poursuivre :

— En fait… Lucy sortait avec le Mage.

— Le Mage avait une petite amie ? s'exclame Penny.

— Eh bien, à l'époque, on ne l'appelait pas le Mage. Son nom était Davy.

— Le Mage avait une petite amie, redit Penny en éclatant de rire. Et un nom. Je ne savais pas que tu étais à l'école avec lui, Maman !

Mme Bunce boit une gorgée et hausse les épaules.

— À quoi il ressemblait ? interroge Penny.

— À ce qu'il est aujourd'hui, mais en plus jeune.

— Il était beau ? dis-je.

Elle fait une moue.

— Je ne sais pas… Tu le trouves beau, maintenant ?

— Euh… non, lâche Penny.

Tandis que je dis « Oui ! » au même moment.

— Il était pas mal, reconnaît Mme Bunce. Et charismatique, d'une certaine manière. Lucy en était dingue. Elle trouvait que c'était un visionnaire.

— Tu dois bien admettre que c'est vrai, Maman.

Mme Bunce fait carrément la grimace, cette fois.

— Déjà à cette époque, il fallait que les choses soient comme il voulait. Tout était soit blanc soit noir avec Davy. Et si Lucy n'était pas d'accord… Mais en fait elle était toujours d'accord. Elle s'est perdue en lui.

— Davy…, murmure Pénélope. Trop bizarre.

— Et Lucy, elle était comment ? je demande.

La mère de Penny sourit.

— Brillante. Elle était vraiment puissante.

Une lueur s'allume dans son regard lorsqu'elle prononce ce mot.

— Et forte, aussi. Elle jouait au rugby avec les garçons, je me rappelle. Une fois, j'ai dû lui réparer la clavicule au bord du terrain, c'était dingue ! C'était une fille de la campagne, blonde, carrée d'épaules, et avec les yeux les plus bleus que j'ai vus de ma vie…

À cet instant, le père de Penny entre dans la cuisine.

— Papa ! lance Penny. Est-ce qu'on peut parler, maintenant ?

M. Bunce s'approche de la bouilloire et l'allume. La mère de Penny l'éteint et la remplit d'eau dans l'évier. Avec un sourire, il l'embrasse sur le front.

— Bravo, ma chérie.

— Papa, répète Penny.

— Mmh…, répond-il en fouillant dans le réfrigérateur.

Il n'est pas grand du tout, plus petit, même, que sa femme. Avec des cheveux blond cendré grisonnants et un grand nez très mignon. Il a des lunettes cerclées d'or, complètement démodées, remontées sur le sommet du crâne. Dans la famille de Penny, tout le monde a des lunettes démodées.

Le bruit court qu'il est deux fois moins puissant que Mme Bunce. Ma mère dit qu'il a pu entrer à Watford uniquement parce que son père y était prof. J'ai du mal à croire que Mme Bunce ait pu épouser un raté, elle qui est tellement exigeante en ce qui concerne le pouvoir.

— Papa, tu te rappelles que j'ai besoin de te parler ?

Il entasse toutes sortes de victuailles dans ses bras : deux yaourts, une orange, un paquet de chips à la crevette. Il attrape un biscuit en pain d'épice et s'aperçoit alors de ma présence.

— Oh, bonjour, Agatha.

— Bonjour, monsieur Bunce.

— Martin, dit-il en partant. Appelle-moi Martin.

— Papa...

— Oui, accompagne-moi en haut, Penny. Et apporte-moi mon thé, s'il te plaît.

Elle attend que le thé infuse, prend deux biscuits supplémentaires – ils les engloutissent plus vite que je ne les décore – et monte le rejoindre.

— Pourquoi ont-ils rompu ? je demande à Mme Bunce après son départ.

Elle est absorbée par son ordinateur, sa tasse de thé à la main, pas tout à fait à la hauteur de la bouche, oubliée en chemin.

— Mmh ?

— Lucy et Davy, pourquoi se sont-ils séparés ?

— Ah... Je ne sais pas. Nous n'étions déjà plus proches. Je suppose qu'elle s'est finalement rendu compte que c'était un sale type et elle a dû traverser l'océan pour être le plus loin possible de lui. Avoir le Mage comme ex, tu imagines ? Il est partout.

— Comment avez-vous appris qu'elle était partie ?

Elle a l'air triste.

— Sa mère me l'a dit.

— Je me demande pourquoi le Mage n'est plus sorti avec personne, après...

— Qui sait ? lâche-t-elle en secouant la tête avant de retourner à son ordinateur. Peut-être qu'il a des petites amies normales en cachette ?

— Ou peut-être qu'il a réellement aimé Lucy et qu'il ne s'en est pas remis, dis-je.

— Peut-être, répond-elle d'un air distrait.

Elle pianote un instant sur son clavier puis lève les yeux sur moi et ajoute :

— Tu viens de me rappeler une chose à laquelle je n'avais pas pensé depuis des années. Attends ici.

Elle sort de la cuisine et je me dis qu'elle ne va pas revenir. Les Bunce font ça, parfois.

Pourtant si, elle revient. Une photo à la main.

— C'est Martin qui l'a prise.

On voit trois élèves de Watford – deux filles et un garçon –, assis dans l'herbe. Il me semble que c'est à côté du terrain de foot. Les filles sont en pantalon. (Maman dit que personne ne portait les jupes de l'école dans les années 1990.) L'une d'elles est clairement la mère de Pénélope : avec ses longs cheveux fous, elle lui ressemble. Elle a le même front large, le même sourire. (J'aurais bien aimé que Penny soit avec moi pour pouvoir la taquiner là-dessus.) Quant au garçon, c'est le Mage. On le reconnaît bien, malgré ses cheveux longs et l'absence de moustache. (Le Mage a la pire moustache au monde.)

La fille du milieu, en revanche, est une inconnue.

Elle est jolie.

Des cheveux blonds à hauteur d'épaule, bouclés et épais. Des joues roses et de grands yeux si bleus qu'on en perçoit l'intensité dans la photo. Elle a un sourire chaleureux et tient la main de la mère de Pénélope. Elle est penchée vers le garçon, qui a son bras autour de ses épaules.

Franchement, le Mage était à tomber. Bien plus beau que les deux filles. Et son demi-sourire et son regard presque penaud lui donnent un air très doux que je ne lui ai jamais vu.

— Lucy et moi, nous ne nous sommes jamais vraiment disputées, dit Mme Bunce. Quand je la cherchais, elle changeait aussitôt de sujet, donc ça ne tournait jamais à la bagarre. Je pense qu'elle a cessé de me parler parce qu'elle en avait assez de devoir toujours prendre la défense de Davy. Au moment où nous avons quitté l'école, il était extrême, prêt à prendre d'assaut le palais et à dresser la guillotine.

Je me rends soudain compte qu'elle parle plus à elle-même et à la photo qu'à moi.

— Et il ne la fermait jamais ! poursuit-elle. Je ne comprends toujours pas comment elle pouvait le supporter.

Elle lève les yeux sur moi et fronce les sourcils.

— J'ai trop parlé, Agatha. Ce que je viens de dire reste entre nous, d'accord ?

— Bien sûr. Et ne vous en faites pas, ma mère aussi se plaint du Mage.

— Ah oui ?

— Il ne vient jamais à ses soirées et, quand il le fait, il est en uniforme, avale un morceau de cake avec une tasse de thé et part très tôt. Ma mère, ça lui donne la migraine.

Mme Bunce éclate de rire.

Son portable sonne. Elle prend l'appel.

— Mitali, à l'appareil… Attends, je regarde ça.

Elle prend l'ordinateur, le cale contre son ventre et, le portable coincé entre l'oreille et l'épaule, elle sort de la pièce.

La photo est restée sur la table. Je les regarde, tous les trois. Ils ont l'air si heureux. Difficile d'imaginer qu'ils ne se parlent plus, maintenant.

Je jette un dernier coup d'œil à Lucy, à ses joues roses et à ses yeux bleus, et je glisse la photo dans ma poche.

58

LUCY

J'AURAIS BIEN AIMÉ QUE TU LE CONNAISSES jeune.

Il était beau, évidemment. Il l'est toujours. Sauf que maintenant, tout le monde peut s'en rendre compte…

À l'époque, j'étais la seule.

J'étais mal pour lui, je suppose que ça a commencé comme ça. Il parlait tout le temps et personne ne l'écoutait.

Moi, j'aimais l'écouter. J'aimais ses idées, il avait raison sur bien des points. C'est toujours le cas.

— Comment se passe la révolution, Davy ?

— Ne te moque pas, Lucy. Je n'aime pas ça.

— Je sais. Mais je le fais quand même.

Il était assis sous le grand sapin, tout seul. Je me suis installée à côté de lui. La première fois où nous avons discuté, je l'avais retrouvé là pour que personne ne puisse nous voir ensemble. Pour qu'on ne m'aperçoive pas avec ce crétin de Davy.

Ensuite, j'ai aimé nos rendez-vous, là sous l'arbre : c'était comme être tout seuls ensemble.

— Tu es bien silencieux ces derniers temps, dis-je.

— Je n'ai rien d'autre à dire. Personne n'écoute.

— Moi, si.

— J'ai émis mes doléances devant le Conseil, lâche-t-il. Ils m'ont ri au nez.

— Je suis sûre qu'ils n'ont pas ri, Davy…

— Ça n'est pas nécessaire de rire tout haut pour se moquer. Ils m'ont traité comme un enfant.

— Mais c'est ce que tu es. Tous les deux, nous sommes des enfants.

Il plonge ses yeux dans les miens. Le regard de Davy est particulier. Magique, en quelque sorte. Je ne peux jamais m'en détourner.

— Non, Lucy. Nous ne sommes pas des gamins.

Après cette réunion avec le Conseil, Davy a passé son temps dans la bibliothèque, ou penché sur un livre dans le réfectoire, jusqu'à faire tomber de la sauce sur un ouvrage vieux de quatre cents ans.

Je m'asseyais parfois avec lui, et cela lui arrivait de me parler.

— Tu savais que Watford avait son propre oracle, Lucy ? Dans la pièce qui est en haut de la chapelle, avec la fenêtre qui donne sur le mur d'enceinte de l'école. C'est là que travaillait l'oracle. Il était aussi important que le directeur.

— Jusqu'à quelle époque ?

— Mille neuf cent quatorze. Il y a eu une mesure d'austérité. L'idée, après, c'était que l'oracle n'offrirait ses services qu'en cas de besoin.

— Je ne connais pas d'oracle, ai-je dit.

— C'est celui de Watford qui formait les autres oracles. Ça n'existe plus, maintenant. À la bibliothèque, il y a un département entier consacré à leurs prophéties.

— Depuis quand tu t'intéresses aux boules de cristal et aux tarots ?

— Je me fiche de ces enfantillages, mais ça…

Ses yeux ont brillé, et il a ajouté :

— Tu savais que la Grande Famine avait été prophétisée ?

— Non.

— Et l'Holocauste ?

— Sérieux ! Quand ?

— En 1511. Et tu savais que les oracles ont tous eu la même vision depuis le début de Watford ?

— Je n'étais même pas au courant qu'il y avait des oracles il y a trente secondes !

— Que le Mage Suprême allait venir.

— Comme dans la chanson pour les enfants ? ai-je dit. « Et viendra celui qui en finira avec nous / Et celui qui provoquera sa chute / Laissez régner la plus grande puissance de toutes les puissances / Pour qu'elle puisse nous sauver tous. »

— Oui.

— Ma grand-mère nous parlait du Mage Suprême.

— Il existe des dizaines de prophéties, a continué Davy. Toutes concernent un seul mage : l'Élu.

— Comment sais-tu qu'elles évoquent toutes le même ? ai-je demandé. Et comment sais-tu qu'il – ou elle – n'est pas déjà venu et reparti ?

— Tu crois vraiment qu'on raterait quelqu'un qui sauve notre peuple ? Qui répare notre monde ?

— Répare quoi ? Ils l'expliquent ?

— Les prophéties disent qu'il y aura une menace, que nous serons divisés, que la magie elle-même sera en danger, et que viendra un mage plus puissant que ce qu'on peut rêver, un magicien qui tirera son pouvoir du centre de la terre. « Il marche comme un homme ordinaire, mais son pouvoir est supérieur à tous les autres. » Un des oracles l'a décrit comme un « vaisseau » suffisamment large et puissant pour contenir toute la magie.

Plus il parlait, plus Davy s'emballait. Ses yeux étincelaient et il butait sur les mots, emporté par sa fougue. Il a fait un geste en direction des livres, comme si leur seule présence était une preuve irréfutable des prophéties.

J'ai senti un frisson me parcourir.

— Tu ne… ?

— Quoi ? a demandé Davy.

— Tu… tu ne penses pas… ?

— Quoi, Lucy ? Je ne pense pas que quoi ?

— Eh bien… que c'est toi le Mage Suprême ?

Il a ricané.

— Moi ? Non. Ne sois pas stupide. Je suis plus puissant que tous ces crétins…

Il lance un regard alentour avant de poursuivre.

— … mais mon pouvoir ressemble à ce qu'on connaît.

J'ai eu un petit rire.

— D'accord. Alors…

— Alors ?

— Pourquoi est-ce si important pour toi, dans ce cas ?

— Parce que le Mage Suprême arrive, Lucy. Au moment où nous en avons le plus besoin. Alors que les mages « se tiennent par la gorge les uns les autres avec leurs doigts griffus », et que « la tête de notre grand animal s'est perdue en chemin ». C'est pour bientôt. Pour maintenant. Cela devrait être notre principale préoccupation ! Nous devrions nous préparer pour ce moment !

59

PÉNÉLOPE

J'AIME LE LABO DE MON PÈRE DANS LE GRENIER. Personne n'a le droit de ranger, ici. Même pas ses assistants. C'est un vrai foutoir, mais Papa sait où se trouve chaque chose et, si tu déplaces un livre d'une pile à l'autre, il pique une crise.

Sur un des murs est affichée une immense carte de la Grande-Bretagne. On voit que les trous dans l'atmosphère de la magie ne se sont pas encore répandus au-dessus de l'eau, mais chaque année ils gagnent du terrain. À l'aide d'épingles et de fil, Papa dessine le périmètre de chaque trou. Il utilise des fils de différentes couleurs pour montrer l'agrandissement des trous. Des petits drapeaux indiquent la date de la mesure. Certains grands trous sont apparus au fil des ans. Il ne reste presque plus de magie dans le Cheshire.

En ce moment, les assistants de mon père sont en mission sur le terrain. Il vient d'embaucher une nouvelle personne, un anthropologue de la magie, pour examiner les effets du vide sur les créatures magiques. Il voudrait étudier de quelle manière les trous affectent les Normaux, mais il n'arrive pas à trouver les fonds.

Je m'approche de la carte. Il y a deux trous à Londres : un grand à Kensington et un plus petit à Trafalgar Square. Je n'ose même pas penser à ce qui se passerait si le Humdrum lançait une attaque près de notre maison, à Hounslow. De nombreuses familles magiques devraient déménager ; mais parfois, cela les affaiblit. La magie s'installe dans un endroit et elle est là pour nous soutenir.

Je m'assois à une des tables hautes. Papa aime rester debout, quand il travaille, c'est pour ça que les tables sont toutes hautes. Il a un livre ouvert devant lui et inscrit des nombres dans un carnet. Même s'il se sert d'un ordinateur, il continue de noter à la main.

— Dans le cadre d'un projet pour l'école, j'ai fait des recherches dans des vieux numéros du *Dossier*, dis-je.

— Mmh…

— Et j'ai lu un article sur la tragédie de Watford.

Il lève la tête.

— Ah oui ?

— Tu te souviens quand c'est arrivé ?

— Bien sûr, répond-il en retournant à ses écritures. Ta mère et moi étions encore à l'université. Tu étais petite.

Mes parents se sont mariés juste après Watford et ont eu très vite des enfants, alors qu'ils étaient étudiants et que Maman voulait faire carrière. Papa dit que Maman veut toujours tout, tout de suite.

— Ça a dû être horrible, dis-je.

— En effet. Personne n'avait osé attaquer Watford avant ce jour. Pauvre Natasha Grimm-Pitch !

— Tu la connaissais ?

— Pas personnellement. Elle était plus âgée que nous. Sa sœur Fiona était quelques années en dessous de moi, à l'école, mais je ne la fréquentais pas non plus. Les Pitch sont toujours restés entre eux.

— Donc tu ne l'aimais pas, Natasha Grimm-Pitch ?

— Je n'appréciais pas sa politique. Elle estimait que les magiciens peu puissants devaient abandonner leurs baguettes.

Les magiciens peu puissants. Comme mon père.

— Pourquoi les vampires ont-ils attaqué Watford ? je demande.

— C'est le Humdrum qui les a envoyés, répond Papa.

— Mais ça n'est pas comme ça que c'est raconté dans les récits qui en ont été faits aussitôt après l'attaque, je rétorque en me penchant vers lui par-dessus la table. On a dit que c'était juste les vampires.

Il me regarde de nouveau, visiblement intéressé.

— C'est vrai, confirme-t-il avec un hochement de tête. Au début, nous ne savions pas. Nous pensions que les créatures maléfiques avaient profité du fait que nous étions très mal organisés. C'était une autre époque. L'atmosphère était plus détendue. Le Monde des Mages ressemblait davantage à… un club, ou une association. Il n'y avait pas de ligne de défense. En ce temps-là, les loups-sirènes agressaient même à l'intérieur de Londres. Tu imagines ?

— Donc personne ne soupçonnait le Humdrum d'être derrière l'attaque de Watford ?

— Non. Au début, nous ne savions pas que le Humdrum était une entité.

— C'est-à-dire ?

— Eh bien, quand les trous sont apparus…

— En 1998.

— Oui, c'est à ce moment-là que nous les avons enregistrés pour la première fois. Il y a dix-sept ans. Nous avons d'abord pensé que c'était un phénomène naturel, ou une conséquence de la pollution. Comme les trous dans la couche d'ozone. Je me souviens que c'est le Dr Manning qui a défini le terme en premier. Il avait observé le trou dans le Lancashire et l'avait décrit comme « une monotonie insidieuse, une trivialité perfide qui s'insinue au plus profond de l'âme ».

Papa sourit. Il apprécie les phrases bien tournées.

— J'ai commencé mes recherches peu de temps après, ajoute-t-il.

— Et quand avez-vous compris que le Humdrum était un individu ?

— Nous ne savons toujours pas si c'en est un.

— Tu vois ce que je veux dire : à quel moment vous êtes-vous rendu compte que c'était un être avec des intentions ? Capable de nous attaquer ?

— Ça ne s'est pas passé un jour précis, explique-t-il. En gros, tout a basculé en 2008. Pour moi, le Humdrum est devenu plus puissant à cette époque-là. Nous suivions à la trace ces petits trous semblables à des bulles dans l'atmosphère magique, et tout à coup, ils se sont multipliés à la vitesse de l'éclair, comme les métastases d'un cancer. En même temps, le monde des ténèbres est devenu fou. Je suppose que c'est quand les créatures maléfiques ont commencé à venir exprès pour Simon que nous avons su avec certitude qu'il était question d'esprit malin et d'intelligence, et non d'une catastrophe naturelle. C'est également là que la sensation est apparue, cette sensation particulière liée aux trous et aux attaques.

Il me dévisage attentivement, les lèvres pincées.

Après que le Humdrum m'a kidnappée avec Simon, l'an dernier, mon père a voulu connaître le moindre détail de l'incident. Je lui ai raconté tout ce que je pouvais sur le Humdrum, à quoi il ressemblait. Papa pense qu'il a pris l'aspect de Simon pour se moquer de lui.

Je pose mes coudes sur la table.

— À ton avis, pourquoi le Humdrum déteste à ce point Simon ?

Il plisse le nez.

— Visiblement, il hait la magie. Et Simon en possède plus que quiconque.

— C'est bizarre de penser que Humdrum n'est pas son vrai nom, dis-je.

— Tu crois vraiment qu'une créature maléfique prendrait un nom qui évoque la banalité ?

— Je n'y ai jamais réfléchi, dis-je. Pour moi, c'est comme ça depuis toujours.

Mon père pousse un soupir et remonte ses lunettes sur son nez.

— Ça me brise le cœur de penser que tu n'as pas connu le monde sans le Humdrum. J'ai peur que ta génération ne s'habitue à lui, au point de ne plus voir la nécessité de le combattre.

— En ce qui me concerne, ne t'inquiète pas, Papa. Cette chose dingue m'a quand même kidnappée, et elle essaie toujours de tuer mon meilleur ami.

Il fronce les sourcils et, sans me quitter des yeux, dit :

— Tu sais, Pénélope, une équipe d'Américains va venir pour quelques semaines. J'ai enfin réussi à attirer leur attention, lorsque nous sommes allés les voir, cet été.

Pendant que nous étions chez Micah, il a rencontré le plus grand nombre possible de scientifiques de la magie. Un géologue magique s'est beaucoup intéressé à ses travaux.

Les mages américains sont bien moins organisés que nous. Ils vivent aux quatre coins du pays et travaillent chacun dans leur coin. Mais ils ont plus de moyens. Papa a essayé de convaincre d'autres scientifiques internationaux que le Humdrum constituait une menace pour tout le monde magique, et pas seulement en Grande-Bretagne.

— J'adorerais que tu puisses nous accompagner dans certaines de nos missions, déclare-t-il. Tu pourrais rencontrer le Dr Schelling. Il a son propre labo à Cleveland.

Je comprends tout de suite son calcul : mon père fait ça pour me mettre à l'abri du Humdrum. Il veut me cacher dans l'Ohio.

— Pourquoi pas ? dis-je. Si je peux être dispensée des cours.

— Je te ferai un mot.

— Est-ce que Simon pourrait venir aussi ?

Il pince les lèvres et remonte de nouveau ses lunettes.

— Je ne suis pas sûr de pouvoir écrire un mot pour Simon, lâche-t-il en prenant son stylo. Tu m'as dit que ton projet pour l'école était sur quoi, déjà ?

— La tragédie de Watford.

— Préviens-moi si tu trouves quelque chose qui évoque le Humdrum. Je me suis toujours demandé si quelqu'un avait senti sa présence là-bas.

Il se replonge dans son registre. Je descends de la chaise pour m'en aller. Une fois à la porte, je me retourne.

— Ah, Papa… Un dernier truc : tu as connu un magicien qui s'appelle Nicodemus ?

Il lève la tête, le visage figé. Je comprends qu'il fait exprès de ne montrer aucune réaction.

— Pas vraiment, répond-il. Pourquoi ?

Ça ne lui ressemble pas de me mentir.

Moi non plus.

— C'est juste un nom que j'ai vu dans *Le Dossier*, et ça ne me disait rien.

— Ah… Je ne… je ne pense pas qu'il soit important.

60

SIMON

NOUS ALLONS PATIENTER JUSQU'À MINUIT PASSÉ
pour nous mettre à la recherche des vampires.

La tante de Baz n'a pas voulu lui expliquer où ils traînent,
mais il pense pouvoir les trouver, et il dit qu'ils auront probablement fini de chasser, après minuit.

Ça me terrifie de penser à tous ces meurtres.

Si les vampires sortent chasser les Normaux tous les soirs,
pourquoi ne faisons-nous rien ? Le Conseil doit être au courant. Si la tante de Baz l'est, le Conseil sait forcément.

Je me dis que Baz n'est pas la bonne personne à qui en parler
maintenant.

Après qu'il a quitté sa tante, pour tuer le temps, nous nous
rendons à la bibliothèque – la grande –, puis dans la salle de
lecture du British Museum, où Baz vole une bonne demi-
douzaine de livres.

— Tu ne peux pas faire ça ! je proteste.

— C'est pour la recherche.

— C'est une trahison, oui.

— Tu vas cafter à la Reine ?

Après la fermeture des musées, nous nous promenons dans

un parc, puis nous trouvons un restaurant où je dévore un curry pendant qu'il parcourt les livres qu'il a volés.

— Tu devrais manger quelque chose, dis-je.

Il me regarde en haussant un sourcil.

— Va te faire foutre.

Je me demande si c'est pour ça qu'il n'a jamais eu de petite amie : parce qu'il lui donne rendez-vous dans une bibliothèque puis insiste pour rester à côté d'elle pendant qu'elle dîne seule.

J'ai fini mon curry, plus deux plats de samosas, et maintenant je le regarde lire. J'ai vraiment l'impression qu'il se lèche les canines en réfléchissant. Il ferme le livre d'un mouvement brusque et se lève.

— Allez, Snow. On va chercher un vampire.

— Merci, mais je n'en peux plus, dis-je en m'essuyant la bouche avec la manche.

Il se dirige déjà vers la sortie. Je le rattrape.

— Hé.

Comme il m'ignore, je lui agrippe le bras. Il fronce les sourcils.

— Tu ne peux pas saisir les gens comme ça quand tu veux attirer leur attention, grogne-t-il.

— J'ai dit « Hé » !

— Quand même.

— Je réfléchissais, dis-je. Si on fait ça, tu dois commencer à m'appeler par mon nom.

Je ne sais pas pourquoi ça me semble important. Simplement, si on entre ensemble dans un repaire de vampires, il faut qu'on arrive à dépasser certains trucs et à être sincèrement alliés.

— C'est ton nom, Snow, réplique Baz. Peut-être. D'ailleurs, qui t'a donné ton nom ?

Je détourne le regard. C'était inscrit sur mon bras : Simon Snow. Probablement par celui qui m'avait laissé à l'orphelinat. Peut-être était-ce ma mère ?

— Tu dois m'appeler Simon.

Il ouvre la portière de sa voiture et s'installe au volant, comme s'il ne m'avait pas entendu. Mais je sais que si.

— D'accord. Monte, Simon.

J'obéis.

Cela nous a pris presque deux heures pour trouver cet endroit. Baz l'a cherché à l'odeur, c'était comme courir dans Covent Garden avec un chien de chasse.

— Ils sont ici ? je demande.

Il rectifie son col et tire sur ses manches. Nous nous trouvons devant un vieux bâtiment plein d'appartements. À côté de l'entrée il y a une rangée de noms et une fente en cuivre dans la porte pour glisser le courrier.

— Reste à côté de moi, murmure-t-il, et il frappe à la porte.

Un homme imposant l'entrouvre. En apercevant Baz, il l'ouvre davantage. Un autre individu, debout derrière un long bar, lance un coup d'œil et cligne des yeux. D'un signe de la tête, le vigile nous invite à entrer.

Je suis Baz dans la vaste pièce basse de plafond et sombre. Au milieu se trouve le bar. De chaque côté, le long des murs, sont alignés des box privatifs éclairés par des lumières jaunes.

Ceux qui y sont assis se retournent pour nous regarder. Près de la porte, une femme laisse tomber son verre, et l'homme qui est à côté d'elle le rattrape.

On ne dirait pas des vampires.

Le sont-ils tous ?

Ils paraissent surtout riches. Et… gris. Mais ils ne sont pas beaux, minces et avec des pommettes saillantes, comme dans les films.

C'est Baz qu'ils inspectent de la tête aux pieds, pas moi. Il devrait être effrayé, ou nerveux, mais il ne donne pas cette impression. À mon avis, plus il est en danger, moins il flippe. (Quand c'est moi qui le menace, ça me rend dingue, mais là, c'est plutôt appréciable.)

Ils doivent tous être terriblement jaloux de lui. Il est comme eux, la magie en plus. Et il regarde la scène comme s'il était né pour être une sorte de roi des ténèbres.

Il s'arrête à la hauteur du premier box.

— Nicodemus, dit-il simplement, sans même prendre un ton interrogateur.

Un homme au teint et aux cheveux gris, vêtu d'un costume également gris, croise le regard de Baz et, d'un geste du menton, indique le fond de la salle. Puis il me regarde et ricane. Je me demande si c'est ma croix ou mon odeur qui l'irrite. Ou peut-être sait-il qui je suis ? L'héritier du Mage. (Le Mage tue les vampires et ne considère pas que c'est un meurtre.) (Pourquoi n'a-t-il pas tué ces vampires-là ?)

Je traverse la pièce derrière Baz en regrettant de ne pas porter le costume chic qu'il a essayé de me faire endosser avant qu'on quitte le Hampshire. J'ai mon pantalon de Watford et un pull scandinave que j'ai accepté d'enfiler quand il m'a dit que dans l'uniforme de Watford j'avais l'air d'avoir douze ans.

Il avance si lentement que je n'arrête pas de lui marcher sur les talons. On dirait qu'il cherche à ce que toutes les personnes présentes le remarquent. (Peut-être aussi essaie-t-il de cacher le fait qu'il boite.) Plus nous nous enfonçons dans la salle, plus il fait sombre. Je cherche Nicodemus du regard dans chacun des box, mais je ne suis pas sûr d'être capable de le reconnaître. Est-ce qu'il a encore l'air d'une version masculine et méchante d'Ebb ?

Lorsque nous atteignons le mur du fond, je m'apprête à faire demi-tour, mais Baz franchit une porte que je n'avais pas remarquée. Je descends derrière lui les marches d'un escalier en colimaçon. Le temps d'arriver en bas, j'ai la tête qui tourne.

Ça ressemble à une grotte, plus grande que la salle au-dessus, mais avec un plafond encore plus bas et des petites lumières bleues dans le sol, comme au cinéma.

Difficile de dire combien ils sont, ici, parce que j'ai du mal à voir, mais j'ai l'impression d'être dans une pièce remplie de gens. J'entends une musique électro, si douce qu'elle semble venir de très loin.

Debout au pied de l'escalier, une main dans la poche de son pantalon, Baz parcourt la salle du regard comme s'il cherchait un ami.

S'ils le voulaient, les vampires pourraient se jeter sur nous et nous mettre en pièces. Nous n'aurions même pas le temps de lancer le moindre sort. Je n'ai de toute manière pas ma baguette avec moi, même s'ils ne peuvent pas le deviner. (Baz est au courant. Il ne pouvait pas croire que je l'avais laissée à Watford.) (J'étais trop pressé !)

Je pourrais en dégommer quelques-uns avec mon épée, mais pas tous. Et je risque d'exploser, or là, qui sait ce qui pourrait arriver ?

Baz commence à marcher. Les tenues sont moins chics, ici. Est-ce que ces vampires-là ont la poisse ? Comment des vampires peuvent-ils avoir la poisse ? Tout a l'air propre : l'endroit, les personnes… Je ne sais pas à quoi je m'attendais. Des taches de sang ? Des cocktails de sang ? La plupart des gens semblent plutôt boire du gin. J'aperçois des bouteilles de Bombay Sapphire sur les tables. Je croise le regard de quelqu'un. Il soutient le mien. Je laisse alors la magie m'envahir. Il détourne les yeux.

Nous nous sommes enfoncés si profondément dans la caverne que je ne sais plus de quel côté est l'escalier. Baz tire un individu par la manche, un homme deux fois plus grand que lui.

— Nicodemus, dit Baz, toujours sur le même ton.

L'homme tourne la tête pour indiquer une direction. Baz continue d'avancer.

Nous marchons jusqu'à atteindre une rangée de tables de billard.

Baz s'arrête. Il sort un paquet de clopes de sa veste et s'en allume une avec sa baguette magique. Tous ceux qui sont autour de la table font un bond en arrière. Baz tire longuement sur sa cigarette – le bout incandescent rougeoie – et envoie un nuage de fumée au-dessus de la table.

Je ne savais pas qu'il fumait.

— Nicodemus, dit-il en soufflant la fumée.

Et soudain, je le vois. Ebb en plus fruste et plus élancé. Avec ses cheveux blonds plaqués en arrière. Il porte un costume, mais de mauvaise qualité, aux manches élimées.

Il sourit à Baz et le dévisage de haut en bas.

— Regarde-moi ça. Quelle réussite !

Baz prend une nouvelle bouffée et plonge son regard dans celui de Nicodemus avec indolence.

— Je m'appelle Tyrannus Basilton Pitch. Et je suis ici pour te parler de ma mère.

— Bien sûr, monsieur Pitch, lâche Nicodemus dans un murmure. Je m'en doute.

Il sourit toujours, et je remarque les trous dans son sourire : il lui manque les canines supérieures. Sa langue vient buter contre un des trous.

Les hommes qui étaient avec lui autour de la table se sont éloignés, nous laissant seuls, tous les trois dans le noir.

— Qu'est-ce que tu me veux ? demande Nicodemus.

— Je veux savoir qui a tué ma mère.

— Tu le sais très bien.

À travers les trous, sa langue vient taquiner sa gencive.

— Tout le monde le sait, ajoute-t-il. Et tout le monde est au courant de ce que ta mère a fait à ceux qui se trouvaient là.

Baz lève la cigarette à sa bouche, aspire la fumée, puis redescend sa main et fait tomber la cendre sur le sol.

— Raconte-moi le reste. Dis-moi qui est responsable.

Nicodemus lâche un rire sec.

— Sinon quoi ? Tu vas me mordre ?

Il observe la cigarette.

— Je suis censé réfléchir au fait que tu es le fils de ta mère ? Et que tu vas tous nous faire brûler ? Tu ne t'es pas encore suicidé, monsieur Pitch. Je ne crois pas que tu choisiras de le faire aujourd'hui.

Baz lance un coup d'œil alentour. Comme pour évaluer combien de vampires il pourrait tuer avec lui.

— Raconte-lui le reste, dis-je. Sinon c'est moi qui vais te tuer.

Nicodemus me dévisage par-dessus l'épaule de Baz, et son rire devient aigre.

— Tu te crois invincible à ce point, avec tout ton pouvoir ? lance-t-il. Comme si rien ni personne ne pouvait te détruire ?

— Jusqu'à maintenant, c'est le cas, dis-je.

Il rit de nouveau. Rien à voir avec le rire d'Ebb : Nicodemus rit comme s'il se fichait de tout, Ebb comme si tout était important.

— D'accord. Je vais te raconter. En partie.

Il pose sa queue de billard sur la table.

— Les vampires ne rentrent pas à Watford comme ils veulent. Nous ne pouvons aller nulle part sans être invités. Seulement à la maison. Quelques semaines avant le raid, quelqu'un est venu me voir pour me proposer de passer un accord. C'est ce que je fais pour vivre : conclure des accords, présenter des gens les uns aux autres. Il n'y a pas trop de boulot, en général, pour un vampire qui ne peut pas mordre ou un magicien sans baguette.

Sa langue s'enfonçait sans cesse dans les trous de ses dents.

— C'était bien payé, mais j'ai refusé, poursuit-il. Ma sœur vit à Watford, jamais je n'enverrais la mort chez elle, à moins qu'elle ne me le demande.

Il décoche à Baz un sourire de citrouille d'Halloween.

— Je me demande si toi tu faisais partie du plan, monsieur Pitch. Difficile de croire que les magiciens aient autorisé ça...

Et pourquoi encore aujourd'hui ? Qu'est-ce qu'ils espèrent faire de toi ?

— Qui était-ce ? interroge Baz.

Je crois qu'il n'a pas cligné une seule fois des yeux depuis que nous sommes entrés dans ce lieu.

— Qui est venu te voir ? insiste-t-il. Le Humdrum ?

— Le Humdrum ? Oui, monsieur Pitch, c'était bien le père Fouettard. Le monstre caché sous ton lit.

— Était-ce le Humdrum ? répète Baz en détachant chaque mot.

Nicodemus secoue la tête, sans cesser de sourire.

— C'était l'un des vôtres, répond-il. Mais son nom ne vaut pas ma vie. Peut-être que tu me tueras si je ne te le révèle pas, mais si je le fais, je mourrai à coup sûr.

Baz coince sa cigarette entre ses lèvres et sort sa baguette de sa manche.

— Je peux te forcer à me le dire.

— Ça serait illégal, indique Nicodemus.

Il a raison : les sortilèges de contrainte sont interdits.

— Et dangereux, ajoute-t-il.

Encore raison.

— Que ferait le Conseil si tu lançais un sort interdit, Tyrannus Basilton ? ricane Nicodemus. Tu crois qu'il pardonnerait à quelqu'un comme toi ?

— Je devrais te tuer illico, lance Baz en bombant le torse. Personne ne m'en empêcherait. Ni ne te regretterait.

Je pose ma main sur l'épaule de Baz.

— Allons-y.

— Il ne nous a rien dit, siffle Baz.

— Je t'en ai assez dit comme ça, réplique Nicodemus.

— Allez, viens, j'insiste en tirant Baz en arrière.

— Ouais, pars, lance Nicodemus à Baz. Va avec ton coloc.

Baz jette sa cigarette sur la table de billard et Nicodemus fait un bond en arrière. Pour la première fois, il perd le contrôle. Il se démène pour attraper son verre au plus vite et le verse sur la cigarette. Baz est déjà en train de s'éloigner.

Je dévisage Nicodemus.

— Tu manques à ta sœur, dis-je.

Puis je fais demi-tour et me dépêche de rattraper Baz. Il m'attend en haut des marches. (On pourrait penser que je suis son meilleur ami, j'imagine que c'est ce qu'il veut que les gens croient, ici.) Il se dirige vers la porte.

Une fois dehors, la nuit londonienne me paraît si claire que j'en suis ébloui.

Nous rejoignons la Jaguar de son père ; Baz met le contact avant même que j'aie ouvert la portière. À peine me suis-je assis qu'il démarre comme un fou furieux et sort du parking à toute allure. Dans les rues encombrées, il conduit le plus vite possible. Il dépasse en trombe un taxi et, d'un coup de volant brutal, s'engage dans la rue suivante.

— Hé, dis-je.

— Ferme-la, Snow.

— Écoute...

— *Ferme-la !*

Cette fois, il y a mis de la magie. Mais comme il n'a pas sa baguette à la main, ça ne donne rien. Il l'attrape, et je me dis qu'il va me lancer une malédiction. Au lieu de ça, il la brandit vers un bus. *Dégagez la route pour le roi !* Le bus change de voie, mais il y a une voiture juste devant. Baz la désigne avec sa baguette et répète la formule. Quel gâchis de magie.

— Tu vas craquer avant qu'on ait pu quitter West End.

Sans m'écouter, il pointe sa baguette devant lui et appuie sur l'accélérateur. La fois suivante, lorsqu'il lance un sort, je pose ma main sur son biceps pour lui envoyer un peu de magie.

— *Dégagez la route !* dit-il.

Aussitôt, les voitures s'écartent sur les côtés, comme si la rue lui appartenait. Je n'ai jamais vu un truc pareil.

Ni même éprouvé une telle sensation.

À chaque feu rouge, je ferme les yeux et prie pour qu'il passe au vert. Baz enfonce la pédale, pied au plancher.

On vole.

La magie dure aussi longtemps que je touche le bras de Baz. Je me sens pur.

Puissant comme un torrent.

Je ne sais pas ce que ressent Baz. Son visage est figé. Quand nous sortons de Londres, des larmes brillent dans ses yeux. Il ne les essuie pas, ne bat pas des paupières pour les évacuer ; elles coulent sur ses joues.

Une fois que nous arrivons dans la campagne, il n'a plus besoin de ma magie pour libérer la voie. Je le lâche. Il prend des routes de plus en plus étroites, jusqu'à ce que nous longions un bois.

Baz quitte soudain la route et serre brusquement le frein à main en dérapant à moitié dans un fossé. Puis il sort de la voiture comme s'il venait de faire un simple créneau et se dirige vers les arbres.

J'ouvre ma portière et commence à le suivre, avant de revenir rapidement à la voiture pour couper le contact et prendre les clés. Je cours ensuite derrière lui en me repérant à ses traces de pas dans la neige, mais quand je franchis la lisière du bois, je me retrouve plongé dans l'obscurité.

— Baz ! Baz !

Je continue d'avancer et manque de me casser la figure sur une branche. Puis je tombe pour de bon.

— Baz !

Je vois un halo de lumière – un feu – plus loin devant moi, au milieu des arbres.

— Va te faire foutre, Snow ! je l'entends hurler.

Je cours en direction du feu et de sa voix.

— Baz ?

Une nouvelle flambée s'élève dans les branches et illumine Baz, assis sous un arbre, la tête entre les mains.

— Qu'est-ce que tu fous ? dis-je. Éteins ça !

Il ne répond pas. Il tremble.

— Tout va bien, Baz. Nous obtiendrons son nom par quelqu'un d'autre. Ça n'est pas fini. Nous ferons ce que ta mère nous a demandé.

Il agite sa baguette en criant et envoie du feu tout autour de nous.

— C'est ça que ma mère veut pour moi, imbécile !

Je me laisse tomber à genoux devant lui.

— Mais qu'est-ce que tu racontes ?

Il ricane en me montrant ses dents. Toutes ses dents. Ses canines sont aussi pointues que celles d'un loup.

— Ma mère est morte en tuant des vampires, dit-il. Quand ils l'ont mordue, elle s'est tuée. C'est la dernière chose qu'elle a faite. Si elle avait su ce que je suis… jamais elle ne m'aurait laissé vivre.

— C'est pas vrai. Elle t'aimait. Elle t'appelait son « garçon bouton de rose ».

— Elle m'aimait tel que *j'étais* ! hurle-t-il. Je ne suis plus ce garçon. Je suis un des leurs, maintenant.

— Non, c'est faux.

— Tu n'as pas cherché à me prouver que je suis un monstre depuis qu'on est petits, peut-être ? Tu l'as, ta preuve, désormais. Va dire au Mage, à tout le monde, que tu avais raison !

Les flammes dansent sur son visage. Je sens leur chaleur dans mon dos.

— Je suis un vampire, Snow ! Tu es content ?

— Non, tu n'en es pas un ! dis-je.

Sans savoir pourquoi j'affirme ça, ni pourquoi, soudain, je me mets à pleurer.

Baz me regarde, étonné. Et agacé.

— Quoi ? lance-t-il.

— Tu n'as jamais mordu personne.

— Va te faire foutre.

— Non !

Il enfouit de nouveau sa tête entre ses mains.

— Va-t'en. Ce feu n'est pas pour toi.

Je prends son poignet et je tire.

— Tu as raison, c'est pas pour moi. Tu as toujours dit que tu ferais en sorte de m'achever en public.

Je tire plus fort pour qu'il se lève.

— Allez, viens !

Il ne résiste pas mais s'effondre en avant. Un nuage d'étincelles jaillit près de lui ; je leur grogne dessus pour les chasser.

J'attrape son menton et lui relève la tête.

— Baz.

— Va-t'en, Snow.

— Tu n'es pas un monstre.

Entre mes doigts, son visage est froid comme celui d'un cadavre.

— Je me suis trompé durant toutes ces années. Tu es un tyran. Et un snob. Et un vrai connard. Mais tu n'es pas un des leurs.

Il essaie de se dégager, mais je l'en empêche. Il ouvre les yeux. Ils sont gris et noir, et pleins de douleur. Je ne le supporte pas. Je grogne de nouveau. Le feu recule.

— C'est tout ce que je mérite, lâche-t-il.

Je secoue la tête.

— Pas moi, dis-je.

— Alors pars !

Je vois le feu briller dans ses yeux : il doit être tout près et nous encercler.

— Sûrement pas. Je n'ai jamais fui devant toi. Et ça n'est pas maintenant que je vais commencer.

61

BAZ

ET VOILÀ. JE VAIS DEVOIR LANCER UN SORT POUR que cet idiot s'éloigne de moi. Ma dernière action sera de sauver la vie de Simon Snow. Ma famille aura honte.

Il me tient le visage et s'imagine que je vais rester en vie simplement parce qu'il me l'ordonne. Parce qu'il est ce fichu Simon Snow et qu'il lui suffit de grogner assez fort pour obtenir ce qu'il veut.

Je crois que je vais l'embrasser avant de l'expédier au loin.

(Puis-je le renvoyer sans lui casser d'os ? Quel sort le maintiendra à distance pour qu'il ne revienne pas au galop dans le feu ?)

Je suis à deux doigts de l'embrasser. Il est juste là. Et il a les lèvres entrouvertes (il respire par la bouche) et ses yeux sont vivants. Archi vivants.

Tu es si vivant, Simon Snow.

Tu as eu ma part.

Il secoue la tête, et il dit quelque chose, et je pense que je pourrais l'embrasser.

Parce que je n'ai jamais embrassé personne. (J'avais peur de mordre.) Et je n'ai pas eu envie d'embrasser quelqu'un d'autre que lui. (Je ne le mordrai pas. Je ne lui ferai pas de mal.)

Je veux juste l'embrasser, puis m'en aller.

— Simon…, dis-je.

Et là, c'est lui qui m'embrasse.

SIMON

Je veux juste qu'il se taise, qu'il arrête de parler autant. Qu'il se lève et me suive loin d'ici. Je veux être dans notre chambre, à Watford, savoir qu'il est là, qu'il ne fait de mal à personne et que personne ne lui en fait.

BAZ

Est-ce un bon baiser ? Je ne sais pas.

La bouche de Snow est chaude. Tout est chaud.

Il se presse contre moi. J'en fais autant.

Sa croix cogne contre ma langue, contre ma mâchoire. Son pouls bat dans ma gorge. Et sa bouche anéantit toute pensée en moi.

Simon Snow.

SIMON

La bouche de Baz est plus froide que celle d'Agatha.

Parce que c'est un garçon, me dis-je. Non, parce que c'est un monstre.

Ça n'est pas un monstre. Juste un méchant.

Même pas un méchant. Un garçon, c'est tout.

Je suis en train d'embrasser un garçon.

D'embrasser Baz.
Il est tellement froid, et le monde est tellement chaud.

BAZ

Je vais mourir en embrassant Simon Snow.
Par Aleister Crowley, j'ai une vie enchantée !

SIMON

Si Baz croit que je vais le laisser partir, il se trompe. C'est comme ça que je le veux. Sous ma coupe. Entre mes mains. Et pas en train de mijoter des coups et de parler de vampires.

Je te tiens, maintenant. J'ai fini par avoir ce que je voulais de toi.

BAZ

Snow a déjà fait ça avant.

Ce truc agréable avec son menton. Un mouvement de va-et-vient. Il penche la tête. Il me pousse en arrière, encore plus.

Je n'essaie pas de l'imiter. Je le laisse faire, c'est tout.

Je vais mourir en embrassant Simon Snow…

Simon Snow va mourir en m'embrassant.

SIMON

Baz me prend par les épaules et me repousse.

Il y arrive parce que je ne m'y attends pas.

Il glisse sa main dans sa manche et sort sa baguette. Il la pointe par-dessus mon épaule et crie : *Fais un vœu !* Le feu est tout autour de nous, à présent ; il rampe dans l'herbe, de plus en plus proche.

Le sortilège de Baz atterrit et un des arbres se déracine, avant de s'enflammer rapidement. Baz prend une grande inspiration et je pose mes deux mains sur son torse pour qu'il puise en moi ce dont il a besoin. *Fais un vœu !* crie-t-il, et sa voix est puissante comme le tonnerre.

Le feu meurt dans un souffle. Comme aspiré. Mes oreilles se débouchent et la fumée se dissipe.

Je regarde Baz.

C'est tout ? Il avait simplement besoin que je l'embrasse pour se sortir de son délire suicidaire ?

Il range sa baguette, attrape le haut de mon pull (le sien) et le tire vers le bas. De son autre main, il ouvre brusquement le col de ma chemise en faisant sauter le bouton, et saisit ma croix. D'un coup sec, il arrache la chaîne et la jette au loin.

Puis il me dévisage, avec cet air qu'il a généralement quand il s'apprête à m'attaquer.

BAZ

Simon Snow mourra en m'embrassant, c'est sûr.

Mais pas aujourd'hui.

62

SIMON

JE FINIS ASSIS PAR TERRE, EN TRAIN D'EMBRASSER Basil. Il me tient par les épaules depuis un petit moment et n'est pas près de me laisser partir.

Pour être franc, je ne sais pas exactement ce que nous sommes en train de faire, mais au moins, plus rien ne brûle. Et j'ai l'impression que nous avons peut-être résolu quelque chose. Même si c'est aussi un nouveau problème...

Pendant une seconde, je songe à Agatha, et j'ai l'impression d'être un salaud. L'instant d'après, je me rappelle que nous ne sommes plus ensemble, il n'y a donc pas de trahison. Ensuite, je me demande si ce qui est en train de se passer signifie que je suis gay. Mais comme Baz et moi sommes cachés par les arbres et que personne ne peut nous voir, je décide qu'il n'est pas indispensable de répondre à cette question pour le moment. Je n'ai rien d'autre à faire que de m'accrocher à Baz. J'y suis obligé.

Mes mains sont toujours sur ses joues. Celles-ci sont moins froides, maintenant. En tout cas sous mes doigts. Et quand j'aspire ses lèvres avec mes baisers, elles deviennent presque roses. Pendant quelques secondes.

Je me demande depuis combien de temps il espérait ça.

Et moi ?

Je dirais que j'y pense pour la première fois. Mais si c'est vrai, alors pourquoi ai-je en tête la liste de tout ce que j'ai toujours voulu faire à Baz ? Comme ça, par exemple : je passe ma main dans ses cheveux, ils sont doux sous ma paume. Je referme mes doigts dans les mèches et il bloque son visage contre le mien puis écarte brusquement sa tête.

— Désolé, dis-je.

(Mon souffle s'accélère. C'est gênant.)

Baz lâche mon pull et secoue la tête, la main sur le front.

— Non… C'est… Où est ta croix ?

Je sens qu'elle est par terre, quelque part. Une fois que je l'ai trouvée, je la brandis entre nos visages.

— Remets-la, dit-il.

— Pourquoi ? Tu as l'intention de me mordre ?

— Non. Est-ce que je t'ai déjà mordu ?

— Non, mais tu ne m'avais pas non plus embrassé.

— C'est toi qui m'as embrassé, Snow.

Je hausse les épaules.

— Alors ? Tu vas me mordre ?

Baz se lève.

— Non… Mais il vaut mieux que je n'y pense pas trop. J'ai besoin de boire. Ça fait…

Il regarde alentour, mais l'obscurité est trop dense pour que je distingue quoi que ce soit.

— … trop longtemps.

Il me jette un rapide coup d'œil avant de détourner le regard d'un air penaud.

— Écoute, je dois… chasser. Tu peux m'attendre ?

— Je viens avec toi, dis-je.

— Par Crowley, pas question !

Je bondis sur mes pieds.

— Ça peut être n'importe quoi ? je demande.

— Comment ça ?

— N'importe quoi, du moment qu'il y a du sang, c'est ça ?

— Ouais, répond-il après une hésitation.

Je lui prends la main.

— Lance quelque chose. Il doit bien exister des sortilèges pour la chasse.

— Oui, il y en a, confirme-t-il. Mais ils ne marchent que sur une courte distance.

Je presse sa main.

Il sort sa baguette et me dévisage comme si j'étais un débile super spécial. *Cerf, cerf !* crie-t-il en pointant sa baguette vers les arbres. Ma magie vibre tout autour de nous.

À peine une minute plus tard, un cerf apparaît au milieu du feuillage.

Baz frémit.

— Il faut que tu arrêtes ça, lâche-t-il.

— Quoi ?

— Ces apparitions divines de magie.

— Pourquoi ? C'est agréable.

— C'est effrayant.

Je lui souris.

— Non, c'est bien.

— Ne regarde pas, m'ordonne-t-il en se dirigeant vers le cerf.

Je continue de lui sourire. Il se retourne et fronce les sourcils.

— Ne regarde pas !

BAZ

J'emmène le cerf plus loin dans les bois, là où il fait trop sombre pour que Snow me voie. Quand j'en ai fini avec ma proie, je pousse le cadavre dans un ravin.

Je ne me souviens pas d'avoir jamais bu avec autant d'avidité.

À mon retour, Snow est toujours assis au milieu du rond de cendres. Je sais qu'il ne peut pas me distinguer dans l'obscurité, alors je crie pour le prévenir.

— C'est moi, Snow.

— Tu m'appelais Simon, tout à l'heure.

Il m'aperçoit enfin. J'allume une flamme dans ma main. (Pas *dans* ma main, mais autour.)

— Non, dis-je.

— Si, je t'assure.

— Allons à la voiture. Les voisins doivent déjà être en train de s'imaginer qu'on a fait une cérémonie de magie noire, ici.

— Je me demande aussi si ça n'est pas le cas…, répond-il en me suivant.

Snow est silencieux tandis que nous marchons jusqu'à la voiture. Moi aussi, tout bêtement parce que je ne sais pas quoi faire. Comment enchaîner après : « Je dois arrêter de t'embrasser pour pouvoir boire un peu de sang » ?

— Tu es un vampire, lâche-t-il finalement.

(J'imagine que c'est comme ça qu'on enchaîne.)

Je ne réponds pas.

— Tu en es vraiment un, répète-t-il.

Nous montons dans la voiture. Je démarre.

— Je le savais, depuis des années, poursuit-il. Mais tu en es un pour de bon…

Il me touche la joue.

— Tu es plus chaud, maintenant.

— C'est le sang, dis-je.

— Si je te soulève, tu es plus lourd ?

— J'imagine que oui. Je viens de m'enfiler un cerf.

Je lui jette un coup d'œil. Il continue de ressembler à quelque chose que je voudrais manger.

— N'essaie pas, j'ajoute.

— Comment ça marche ? demande-t-il.

— Je ne sais pas… La magie du sang. Le virus. Magique aussi.

— Tu dois souvent boire ?

— Pour me sentir bien, chaque soir. Tous les deux ou trois soirs pour tenir le coup.

— Est-ce que tu as déjà mordu quelqu'un ?

— Non. Je ne suis pas un meurtrier.

— Est-ce que la morsure est forcément fatale ? Tu ne pourrais pas juste boire un peu du sang de quelqu'un puis t'en aller ?

— Je n'arrive pas à croire que tu me poses une question pareille, Snow. Toi qui es incapable de tourner le dos à un demi-sandwich.

— Donc tu ne sais pas ?

— Je n'ai jamais essayé. Je ne suis pas… comme ça. Mon père me tuerait si je touchais un cheveu d'une personne.

(Je pense vraiment qu'il le ferait, si je mordais quelqu'un. Du reste, il devrait le faire.)

— Hé, proteste-t-il sans me quitter des yeux. Ne fais pas ça.

— Quoi ?

— Réfléchir. Arrête.

Je soupire, excédé.

— Pourquoi ça ne te dérange pas, tout ça ?

— Tout quoi ?

— Je suis un vampire.

— Ça me gênait, avant, répond-il. Quand je pensais que tu me viderais de mon sang, un soir ou l'autre. Ou que tu me transformerais en zombie. Mais ces derniers jours ont été instructifs, non ?

— Donc maintenant que tu es certain que je suis un vampire, tu t'en fiches ?

— Maintenant que je sais que tu traînes dans le coin à t'enfiler des animaux de compagnie en restant dans les règles, oui, ça ne me pose plus de problème. Je ne suis pas franchement un végétarien militant.

— Et tu ne crois toujours pas que je suis mort ?

Il secoue la tête avec assurance.

— Non, toujours pas.

Nous arrivons devant l'allée qui mène à ma maison, à présent. Je tourne pour y entrer.

— La lumière du soleil me brûle, dis-je.

Il hausse les épaules.

— Moi aussi.

— Tu es bête, Snow.

— Tu m'as appelé Simon, tout à l'heure.

— Non, c'est pas vrai.

SIMON

Je ne suis pas sûr de comprendre pourquoi je suis si heureux. Rien n'a changé.

Ou bien si ?

Embrasser. Ça, c'est nouveau. L'envie d'embrasser.

Regarder Baz et observer la manière dont ses cheveux ondulent sur son front…

Oui. Non. J'y pensais déjà avant.

Baz est un vampire, c'est pas nouveau.

Apparemment, c'est le vampire le moins suceur de sang au monde, ce qui est quelque peu étonnant.

Et aussi le plus beau. (Maintenant que j'en ai vu d'autres.)

J'ai envie d'embrasser un mec. Ça, c'est un vrai changement. Mais je n'ai pas envie d'y réfléchir pour l'instant.

… *Encore.* Je veux encore l'embrasser.

Nous laissons la voiture dans une vieille grange transformée en garage, puis nous entrons dans la maison par la porte de la cuisine. Sans faire de bruit, pour ne réveiller personne.

— Tu as faim ? demande Baz.

— Ouais.

Il fouille dans le réfrigérateur. Comme un vampire ado pris d'une fringale sur les coups de minuit. Il me met une cocotte entre les mains et prend deux fourchettes.

— Du lait ? Un Coca ?

— Du lait, dis-je en souriant.

Je n'arrête pas de sourire.

Il pose la bouteille de lait sur la cocotte, attrape des serviettes de table dans un tiroir et se dirige vers l'escalier. Je le suis tant bien que mal.

J'aimerais bien savoir à quoi il pense.

BAZ

Je ne sais pas ce que j'en pense.

SIMON

Lorsque nous arrivons dans sa chambre, Baz allume une lampe – comme l'abat-jour est rouge, elle n'éclaire pas beaucoup – et il s'assoit par terre, au pied du lit, alors que la pièce est remplie de sièges confortables.

Je m'installe à côté de lui. Il me prend la cocotte, lance un rapide *Réchauffe-toi !* puis soulève le couvercle et me tend une fourchette. C'est du hachis parmentier.

— Tu as *besoin* de manger ? Ou c'est juste par plaisir ?

— J'en ai besoin, répond-il sans me regarder dans les yeux. Mais moins que les autres.

— Comment sais-tu que tu n'es pas immortel ?

Il pointe sa fourchette vers moi.

— Pas d'autres questions.

Nous engloutissons le hachis parmentier directement dans la cocotte posée sur les genoux de Baz. Lorsqu'il mâche, il met sa main devant sa bouche. J'essaie de me rappeler si je l'ai déjà vu manger… Je vide la bouteille de lait. Il n'en veut pas.

Quand nous avons fini, il dépose la vaisselle dans le couloir, devant sa porte, et allume un feu dans la cheminée avec sa baguette.

Je viens me mettre près de lui.

— Tu es un pyromane, dis-je.

Il hausse les épaules en contemplant le feu.

— Tu ne songes pas à brûler la maison, j'espère ?

— Non, Snow. Je n'ai pas d'envies morbides comme ça. Je préférerais, pourtant ; ça me simplifierait la vie.

— Arrête de dire ça.

Il reste silencieux un moment. Puis il se tourne vers moi.

— C'est pour ça que tu m'as embrassé ? Pour que je ne me tue pas ?

Je secoue la tête.

— Pas exactement. Enfin… bien sûr que je voulais t'en empêcher.

— Alors pourquoi ? demande-t-il.

— Pourquoi je t'ai embrassé ?

— Oui.

— Parce que j'en avais envie, j'imagine, dis-je en haussant les épaules.

— Depuis quand ?

Je hausse de nouveau les épaules, ce qui l'agace. Il balance une bûche dans le feu.

— Et toi, tu espérais que je le fasse ? dis-je.

— Non. Pourquoi une telle idée m'aurait traversé la tête ? Genre : « Hé, tu sais ce qui pourrait arranger cette situation pourrie – les vampires, ta mère, la guerre, le déclin de la magie ? Rouler une pelle à ton crétin de coloc. Celui-là même qui va foutre en l'air ta vie un jour ou l'autre. Ça, c'est une riche idée. »

— Pourquoi tu joues à l'imbécile ? On est dans le même camp.

— Pour l'instant, lâche Baz. Tu vas m'aider à trouver qui a tué ma mère, je vais tuer ce salaud, et ensuite tu te débrouilleras pour que je sois balancé du haut d'une tour pour avoir fait ça. Tu as déjà gagné : dès que tu auras révélé au Mage que je suis un vampire, il m'arrachera les canines et me prendra ma baguette. Je vais finir à Covent Garden à faire de la lèche à Nicodemus. Et encore, si j'ai de la chance.

Il pense sérieusement que je vais faire ça ? Maintenant ?

— Ces vampires étaient impressionnés par toi, dis-je. Ils auraient pu te couronner.

— Tu sous-entends que je suis passé de l'autre côté ?

— Non. Je veux juste dire que tu as été incroyable, aujourd'hui.

— Tu ne m'écoutes pas du tout, en fait, lance-t-il.

— Si ! Mais tu te trompes. Plus rien ne peut être comme avant. C'est impossible, hein ?

— Parce que maintenant nous sommes amis ?

— Nous sommes plus que ça.

Baz prend le tisonnier et arrange les bûches.

— Pour toi, il suffit d'un baiser pour chambouler le monde ?

— Deux baisers, dis-je en posant la main sur sa nuque.

BAZ

Je ne sais pas quelle heure il est.

La lumière de la pièce a changé, comme si le soleil se faufilait doucement vers nous. Nous sommes étendus sur le dos à côté du feu – ce qu'il en reste –, main dans la main.

Avec un soupir, Snow me presse la main. Je laisse échapper un gémissement. Il fronce les sourcils et lève mon bras au-dessus de nous : il y a une brûlure en forme de croix sur ma paume. C'est quand j'ai arraché sa chaîne, hier. (Sa croix est à l'autre bout de la pièce. Cette fois, c'est Snow qui s'en est chargé.)

Il approche ma main de sa bouche et y dépose un baiser.

— Je ne pensais pas que tu étais gay, dis-je doucement.

Il hausse les épaules. La moitié du temps, c'est sa manière de parler.

— Qu'est-ce que ça veut dire ? je murmure.

— Je ne sais pas, répond-il en fermant les yeux. Je crois que je n'ai jamais vraiment réfléchi à ce que je suis. J'ai trop à faire.

Ça me fait rire. Snow rit avec moi.

— Tu as trop à faire ?

— Et toi, tu es gay ? demande-t-il en me regardant, toujours hilare.

— Ouais. Complètement.

— Donc tu fais ça tout le temps ?

Je lève les yeux au ciel.

— Non.

— Alors comment tu peux être sûr que tu es gay ?

— Je le sais, c'est tout. Et toi, pourquoi tu penses ne pas l'être ?

— Sais pas.

Il entrecroise ses doigts avec les miens.

— J'essaie de ne pas réfléchir, ajoute-t-il.

— Sur le fait d'être gay ?

— Sur tout. Je fais la liste des choses auxquelles je ne dois pas penser.

— Pourquoi ?

— Parce que c'est douloureux de songer à ce que tu ne peux pas avoir. Mieux vaut ne pas s'y appesantir.

De mon pouce, je caresse le dos de sa main.

— Et je suis sur ta liste ?

Il secoue la tête en riant, ses cheveux me chatouillent.

— Peu de risques, dit-il d'une voix endormie. Essayer de ne pas penser à toi… c'est comme tenter d'oublier qu'il y a un éléphant sur ma poitrine.

Je médite là-dessus. Sur Snow pensant à moi.

Je souris.

— Je ne sais pas si je dois prendre ça comme un compliment, dis-je.

— Moi non plus.

— Donc tu ne réfléchis pas.

— Ça ne sert à rien.

Je prends appui sur mon coude et le regarde.

— Je ne te comprends pas. Tu es le magicien vivant le plus puissant. Le plus puissant de toute l'histoire, sans doute. Tu peux avoir tout ce que tu veux. En quoi ça ne sert à rien d'y songer ?

Snow se redresse à demi et approche sa tête de la mienne.

— Parce que ça n'est pas important. Au final, je fais simplement ce qu'on attend de moi. Quand le Humdrum vient me provoquer, je le combats. Quand il envoie des dragons, je les tue. Quand tu me pièges avec une chimère, j'explose. Je ne peux ni choisir ni prévoir. Je fais face. Et un jour, quelque chose me prendra au dépourvu, ou sera trop difficile à affronter. Je me battrai quand même. Jusqu'au bout. Jusqu'à ce que je ne puisse plus. Dis-moi pourquoi je devrais penser à tout ça ?

Simon se laisse retomber par terre. Je m'approche et, tout doucement, j'écarte les boucles de son front. Il ferme les yeux.

— J'ai toujours pensé que tu me tuerais, dis-je.

— Moi aussi.

Je glisse mes doigts dans ses cheveux. Ils sont plus épais que les miens, et plus bouclés. Ils ont des reflets dorés dans la lumière du feu. Il a sur la joue un grain de beauté que je rêve d'embrasser depuis que j'ai douze ans. Je le fais.

— Ça fait longtemps, dis-je.

— Mmmmh ? marmonne-t-il en ouvrant un œil.

— Ça fait longtemps que j'avais envie de le faire. Depuis qu'on se connaît, presque…

Snow ferme les paupières et ne peut s'empêcher de sourire. Moi aussi, parce qu'il ne peut pas me voir.

— Je pensais que ça me tuerait.

63

AGATHA

PÉNÉLOPE A TIRÉ MA COUVERTURE POUR ME
réveiller. Je l'ai rabattue sur moi en grognant.

— Lève-toi, Agatha. On doit y aller.

— Plus tard. Je dors.

— Non, il faut qu'on parte maintenant. Allez, viens.

Je suis étendue au bout de son lit. Nous avons dormi comme
ça et elle n'a pas arrêté de me donner des coups de pied dans
le dos.

— Va-t'en, Pénélope.

— C'est ce que j'essaie de faire, mais j'ai besoin de toi pour
m'emmener en voiture, réplique-t-elle.

J'ouvre les yeux.

— T'emmener où ?

— Je ne peux pas te le dire pour l'instant. Mais je le ferai.

— Quelque part dans Londres ? dis-je.

— Non.

— C'est le réveillon de Noël, Penny. Je dois rentrer chez
moi.

— Je sais !

Elle est déjà habillée. Elle a une grosse queue de cheval toute
frisée, qui pourrait être joliment ondulée si elle n'avait pas mis

un produit sur ses cheveux. De la crème pour les mains ? De la mousse à raser ?

— Tu peux rentrer chez toi, Agatha. Mais d'abord je veux que tu me conduises quelque part.

— Pourquoi ?

— C'est une surprise, dit-elle.

— Pas question.

— Une aventure ?

— Je rentre à la maison.

Penny soupire.

— On doit aller aider Simon.

Je ferme les yeux et roule sur le côté pour lui tourner le dos.

— Agatha ? Allez… Ça veut dire oui, ou non ? Si c'est non, est-ce que je peux prendre ta Volvo ?

64

BAZ

JE ME RÉVEILLE AU MOINS UNE HEURE AVANT Snow.

Difficile de ne pas le regarder dormir.

Je l'ai énormément fait, avant, mais alors j'étais persuadé que je n'obtiendrais jamais rien de lui. Espionner Snow était mon lot de consolation.

Je ne suis pas sûr de comprendre ce qui se passe entre nous. Hier soir, nous nous sommes embrassés. Ce matin aussi. Beaucoup. Est-ce que cela veut dire que nous recommencerons aujourd'hui ? Il ne sait même pas s'il est gay. (Ce qui est stupide. Mais il est stupide. Donc voilà.)

Il est allongé sur mon canapé et je suis assis au bout, à ses pieds. Il roule sur le côté et enfouit sa tête dans les coussins.

— Tu n'es pas obligé de me regarder dormir juste parce qu'on s'est roulé une pelle, lance-t-il.

— Je ne te regarde pas : je réfléchis à comment te réveiller sans que tu dégaines direct ton épée.

— C'est bon, je suis réveillé, maintenant, lâche-t-il en mettant un coussin sur sa tête.

— Allez, dépêche-toi. Bunce est en route.

Il soulève le coussin.

— Comment ça ?

— Je lui ai dit que nous avions du nouveau. Elle aussi. On fait une réunion.

— Et elle vient ici ?

— Oui.

— Dans ta demeure gothique ?

— Pas gothique, victorienne.

Il se passe la main dans les cheveux.

— C'est un piège ? Tu nous attires ici pour nous tuer ?

Il a l'air sincèrement méfiant.

— Explique-moi comment je t'ai attiré ici ? C'est toi qui as frappé à ma porte.

— Tu m'avais invité, réplique-t-il.

— Oui. Tu m'as démasqué : je suis un méchant.

Je me lève et j'ajoute :

— On se retrouve dans la bibliothèque quand tu auras fait ta toilette.

J'essaie de quitter la pièce tranquillement, mais sitôt que je suis sorti je dévale l'escalier.

Qu'est-ce que j'espérais ? Que Snow ouvrirait les yeux et m'attirerait à lui pour me donner un de ses baisers incroyables en disant : « Bonjour, Chéri » ?

Jamais Simon Snow ne m'appellera *Chéri*.

Il vient pourtant de rappeler qu'on s'est roulé une pelle...

Nous n'avons pas de tableau noir dans la maison mais ma belle-mère a un grand tableau blanc dans la cuisine dont elle se sert pour noter l'emploi du temps de mes frères et sœurs. Je prends une photo avec mon portable avant d'effacer le tableau et de le décrocher du mur.

Ma petite sœur de sept ans me regarde faire.

— Je vais le dire à Maman, prévient-elle.

— Si tu le fais, je vais boucher toutes les cheminées et le père Noël ne pourra pas entrer.

— Il y en a trop, réplique-t-elle.

— Pas pour moi. Je prendrai le temps qu'il faudra.

— Il passera par la porte.

— Ne sois pas stupide, Mordelia : le père Noël n'entre jamais par la porte. Et s'il le fait, je lui expliquerai qu'il s'est trompé de maison.

Je manœuvre avec précaution pour faire passer le tableau par la porte de la cuisine.

— Je vais le dire à Maman ! répète-t-elle.

J'ai monté le tableau dans la bibliothèque. Je suis en train de dessiner des colonnes – *Ce que nous savons* et *Ce que nous ne savons pas encore* – quand Snow entre dans la pièce. Je l'ignore.

— C'est pas que je pense que tu vas nous trahir, dit-il.

Je ne réponds rien, j'émets simplement un bruit curieux, genre « Warf ».

Simon entortille une boucle de cheveux autour de son doigt.

— C'est toujours un peu bizarre, entre nous, non ?

Je continue de me taire.

— Tu n'as pas dit... que rien n'avait changé pour toi. Tandis que moi, j'ai dit que je ne te tuerais pas.

— C'est faux, tu ne l'as pas dit.

— Ça allait de soi.

— Non.

— Bon, d'accord.

Il s'éclaircit la gorge avant de déclarer :

— Je ne vais pas te tuer, Baz. Je ne vais plus du tout te combattre. Ça te va ?

— Parfait, dis-je en reculant d'un pas pour contempler mes colonnes sur le tableau blanc. Voilà qui va rendre les choses plus faciles.

— Quelles choses ?

— Par Crowley, je ne sais pas. Ce que les Familles concoctent. C'est probablement à moi qu'elles vont demander de mettre du poison dans ton Coca, maintenant que tu me fais confiance. La seule chose que je puisse te promettre, Snow, c'est d'éclater en sanglots sur ton cercueil.

— Ou pas, lâche-t-il.

— D'accord, je pleurerai tout seul dans mon coin.

— Ou pas, insiste-t-il.

Je le regarde.

— Snow. Qu'est-ce que tu essaies de me dire, là ?

— Que nous ne sommes pas obligés de nous battre.

— Tu te rends compte que ton mentor a fait deux descentes chez moi ce mois-ci ?

— Ouais… Enfin, non, je n'avais pas percuté… Mais ce qui compte, c'est que ça n'est pas moi qui ai fait une descente chez toi.

Il fait un pas vers moi avant de poursuivre.

— Et si je t'aidais à trouver qui a tué ta mère et que tu m'aidais ensuite à combattre le Humdrum et qu'on oubliait tout le reste ?

Je me retourne.

— *Le reste* ? Ça me semble un peu rapide pour résumer une décennie de corruption et d'abus de pouvoir.

— Tu veux parler du Mage ?

— Oui.

Il a l'air peiné.

— J'aurais préféré qu'on évite le sujet…

— Comment veux-tu ne pas en parler quand je m'adresse à son héritier ?

— C'est comme ça que tu me vois ?

— Tu ne te vois pas comme ça ? Ah, c'est vrai, j'oubliais : tu refuses de réfléchir.

Simon émet une sorte de grognement et se passe la main dans les cheveux.

— Toujours prêt à envoyer une vacherie, hein ? Ça t'arrive de te dire : « Je vais peut-être éviter de lui lancer le truc le plus cruel juste maintenant » ?

— J'essaie d'être efficace.

Il s'appuie contre l'étagère où j'ai installé le tableau blanc.

— C'est vicieux.

— Ça te va bien de dire ça, Snow, toi qui donnes toujours le coup fatal.

— Dans un combat. Là, je ne me bats pas contre toi…

— On se bat en permanence, dis-je.

J'écris au tableau. Il est à ma droite, tourné vers la pièce. Il se penche légèrement vers moi, sans me regarder, et me donne un coup de coude. Ma main dérape sur le tableau.

— Ou pas, lâche-t-il de nouveau.

J'efface le mot et je recommence. Je suis en train de remplir la colonne *Ce que nous ne savons pas encore*. Je suis tenté d'écrire : *Tout ce qui est important*. Et aussi : *Simon Snow est-il vraiment gay ?* Ou encore : *Vais-je vivre éternellement ?*

— Je vais t'aider à trouver qui a tué ta mère, déclare-t-il, comme s'il préparait un plan. Et toi, tu vas me donner un coup de main pour éliminer le Humdrum. C'est un deal équitable, non ? Et on se préoccupera du reste plus tard.

— C'est ta méthode pour arriver à tes fins ? Répéter encore et encore jusqu'à ce que ça se réalise ?

— C'est pas comme ça qu'on jette un sort ?

Je me tourne vers lui, exaspéré.

— Simon…

— Aaaah ! crie-t-il en bombant le torse et en pointant un doigt vers moi.

Ça me flanque une trouille terrible. Je l'ai vu tuer un chien avec moins que ça. (Il a prétendu que le chien était *habité*. Je crois qu'il était juste excité.)

— Tu viens de le refaire ! s'exclame-t-il.

— Refaire quoi ? dis-je en écartant son doigt menaçant.

Il brandit son autre main.

— M'appeler Simon !

— Tu veux que je dise *l'Élu*, plutôt ?

— J'aime mieux Simon. Je… Ça me plaît.

J'avale ma salive. Ma nervosité ne lui échappe pas : il scrute ma gorge tandis que ma pomme d'Adam monte et descend.

— Simon, dis-je en tentant de maîtriser ma déglutition, tu es vraiment stupide.

— Parce que je préfère *ça* à la bagarre ?

— Il n'y a pas de « ça » !

— Tu as dormi dans mes bras, lance-t-il.

— Par intermittence.

Il laisse retomber sa main, et je la prends. Parce que je suis faible. Que je ne sais pas faire autrement que de me décevoir. Surtout : parce qu'il est à vingt centimètres de moi, avec sa peau mate, ses grains de beauté et son haleine matinale.

— Simon…, dis-je encore.

Il me presse la main.

— Moi aussi, je préfère *ça*. Mais…

Je soupire.

— Je ne peux même pas l'imaginer. Ma famille est contre tout ce qui concerne le Mage.

— Je sais, répond-il avec ardeur. Mais je pense que, pour l'instant, nous avons des problèmes plus importants. Si nous identifions l'assassin de ta mère et que nous combattons ensuite le Humdrum, nous parviendrons peut-être à convaincre tout le monde que nous sommes plus forts unis. Et alors…

— Et alors le Monde des Mages comprendra à quel point c'est mieux de travailler les uns avec les autres, et nous chanterons un hymne à la coopération.

— Je croyais qu'on arrêtait de se lancer des sorts et de s'enfermer l'un l'autre dans des tours !

Il tire sur mon bras et je vacille. Ou je défaille, plutôt ?

— Comment peux-tu me faire confiance, après tout ça ? dis-je dans un souffle.

— Je ne sais pas si j'ai confiance, murmure-t-il à son tour.

Il tend le bras et me touche le ventre. Je le sens s'effondrer. (Mon ventre, évidemment.)

— Mais…, inspire-t-il en haussant les épaules.

Il me caresse le ventre, et je ferme les yeux, pour savourer. (C'est si bon.) Et aussi parce que j'ai envie qu'il m'embrasse de nouveau.

Cette nuit, il m'a tellement embrassé que ma bouche me faisait mal, et que j'ai eu peur de le muter, avec toute ma salive. J'avais une envie folle de sa bouche, encore et encore. Et j'en ai toujours autant envie. Pour lui, je suis prêt à tout. À franchir toutes les lignes jaunes.

Je suis amoureux de lui.

Et il aime mieux ça que se battre.

65

SIMON

SI PÉNÉLOPE ÉTAIT LÀ, JE LUI DIRAIS QU'ELLE se trompe sur moi. Elle croit que je peux tout résoudre avec mon épée. Visiblement, je peux aussi arranger les choses avec ma bouche : jusqu'à maintenant, chaque fois que je me penche vers Baz, il se tait et ferme les yeux.

Si Pénélope était là, elle m'obligerait à m'expliquer.

Heureusement, elle n'est pas encore là.

Je viens de glisser mes doigts sous la chemise de Baz. Sa peau est à la température de la pièce.

Soudain, quelqu'un tousse légèrement. Baz se redresse et sa bouche se détache de la mienne. Je m'écarte si vite que je me demande si je ne me suis pas téléporté.

La femme de ménage – ou gouvernante, ou cuisinière, ou Dieu sait quoi d'autre – est là, sur le pas de la porte. En robe noire avec un tablier blanc.

— Monsieur Pitch, dit-elle sans ciller.

Elle doit être payée pour faire comme si elle ne remarquait rien. Deux garçons qui s'embrassent, c'est de la rigolade, par rapport à ce qu'elle a dû voir : des sacrifices de chèvres et autres rituels.

— Vous avez des invités, annonce-t-elle. Deux jeunes demoiselles.

— Merci, Vera, dit Baz sans la moindre gêne. Envoyez-les ici.

Il tire sur sa chemise et se passe la main dans les cheveux.

— *Deux* demoiselles ? je m'étonne. Qui est l'autre ?

— Agatha, lance Baz en regardant par-dessus mon épaule. Bienvenue. Salut, Bunce.

Je me retourne.

Pénélope et Agatha sont sur le seuil de la bibliothèque. Visiblement, elles n'ont pas attendu que la dame en robe noire revienne les chercher. Penny est déjà en train de contempler les étagères de livres avec un air gourmand. Agatha, elle, me regarde.

— Qu'est-ce que tu fais ici ? dis-je.

— Baz nous a appelées, lâche Penny.

Elle entre dans la pièce et me tend une assiette de gâteaux de Noël en pain d'épice recouverte d'un film plastique.

— Et *toi*, qu'est-ce que tu fais là ? me demande Agatha.

— Elle était chez moi, explique Penny, ignorant la question d'Agatha. Et elle avait sa voiture, alors…

— Entre, Agatha, propose Baz. Vous voulez boire quelque chose ?

— Je veux bien du thé, répond Penny.

— D'accord, dit-il en sortant.

— C'est quoi, cette histoire ? s'exclame Agatha. Pénélope n'a pas voulu me dire où nous allions. Qu'est-ce que tu fais là, Simon ?

Je lance un regard noir à Penny.

Elle retire le film qui recouvre les biscuits et en prend un.

— Je ne savais pas ce que j'avais le droit de dire ou pas ! Et je ne crois pas qu'elle aurait accepté de m'emmener si je lui avais dit où on allait. Faut que vous dépassiez ça, tous les deux. Si tu es capable de faire la paix avec Baz, tu peux aussi la faire avec Agatha.

— Une paix provisoire, précise Baz en revenant déjà, avec du thé et une assiette de fruits.

Il a dû utiliser la magie.

— Je vous sers, dit Penny.

— Comment ça, une paix provisoire ? questionne Agatha.

Penny lui tend une tasse de thé.

— Mais vous êtes tous possédés, ou quoi ? ajoute-t-elle en refusant la tasse. Je ne bois pas ça.

Baz me lance un regard.

— À toi, Simon. Tu lui fais confiance ?

Agatha explose.

— S'il me fait confiance ?

— Évidemment, dis-je.

Et c'est vrai, dans une certaine mesure. Elle n'est pas un démon, là-dessus je n'ai pas de doutes. En revanche, je n'ai pas confiance quand elle est seule avec Baz. Quoique… Je devrais peut-être changer d'avis sur le sujet compte tenu des récentes évolutions.

— Nous essayons de découvrir qui a tué la mère de Baz, annonce Penny.

— Le Humdrum, bien sûr, réplique Agatha.

Penny lève sa tasse de thé.

— D'après elle, non.

Agatha fronce les sourcils, l'air perdu. Et un peu énervé.

Je regarde Baz. Ça serait plutôt à lui, me semble-t-il, de se charger d'expliquer cette partie-là de l'histoire, s'il le souhaite. Mais il est retourné au tableau et écrit dans la colonne *Tout ce que nous savons* : *fantômes, Visiteurs, vampires*. Penny se lève d'un bond quand il ajoute *Nicodemus* à la liste.

Je m'assois à sa place à côté d'Agatha.

— Quand est-ce que tout ça a commencé ? me demande-t-elle.

— Quand le Voile s'est soulevé, dis-je. Natasha Grimm-Pitch l'a franchi pour venir voir Baz, mais c'est sur moi qu'elle est tombée. Elle veut qu'il trouve celui qui l'a tuée. Quand Baz est revenu, je lui ai dit que je l'aiderais.

Les sourcils d'Agatha se rejoignent presque au milieu, maintenant, et son nez est tout plissé.

— Pourquoi ?

— Parce que ça me semblait normal.

— Ah oui, vraiment ?

Je hausse les épaules.

— Ouais. C'était quand même une attaque contre Watford. Et un meurtre.

— Et qu'a dit le Mage de tout ça ?

— Rien.

Je baisse les yeux sur mes genoux et me gratte la nuque avant d'ajouter :

— Il n'a rien dit, parce que Penny et Baz pensent qu'il vaut mieux ne pas lui en parler.

— *Baz* ?

— Il s'agit de sa mère. Je me sens obligé de respecter son souhait sur la question.

— Mais il te hait !

Je hoche la tête.

— Je sais. On fait… un genre de trêve.

— Non mais tu t'entends, Simon ? Une trêve ?

— Vous êtes allés dans un bar pour vampires ? crie Penny à l'autre bout de la pièce.

Baz a dû la mettre au parfum.

— Vous êtes des vrais débiles ! ajoute-t-elle. Vous avez pris des photos, au moins ?

— On ne voit pas les vampires, sur les photos, dis-je.

— Non, c'est dans les miroirs, abruti, ricane Baz.

— Tu ne peux pas te voir dans un miroir ?

Il ignore ma question et reprend le fil de son récit sur Nicodemus pour Penny.

— Mais…, commence Agatha en les regardant tous les deux. Baz est maléfique. Il est le *Mal*.

— Je pensais que tu ne l'avais jamais cru.

— Je l'ai toujours su. Tu nous as dit que c'était un vampire, Simon. Mais, attends…

Elle s'interrompt pour lancer un coup d'œil vers Baz avant de poursuivre :

— … il ne vient pas d'avouer qu'il était un vampire ?

Je tire sur les petits cheveux de ma nuque. Je n'ose même pas imaginer la tête que j'ai : un vrai demeuré.

— Ça n'est pas aussi évident…

— Que Baz soit un vampire ?

— Là-dessus, il n'y a aucun doute. Ça, au moins, c'est simple. Attention, tu ne dois pas le répéter à qui que ce soit.

— Mais tu as passé ton temps à le dire à tout le monde, Simon ! Depuis qu'on est en troisième année, tu le racontes à qui veut l'entendre.

— Ouais, sauf que personne ne me croyait.

— Moi, si.

— Qu'est-ce que Nicodemus entend par « un des vôtres » ? questionne Pénélope d'une voix forte. Qu'un mage a laissé entrer les vampires ? Et pourquoi pas un Pitch, un membre de ta famille… ?

— Ça ne peut pas être quelqu'un de ma famille ! proteste Baz. Jamais de la vie.

— Il y a pourtant de fameux traîtres, chez vous, réplique Penny. À une certaine époque, vers 1700, ils n'étaient même pas autorisés à signer des contrats.

— Oui, mais nous ne nous sommes jamais trahis les uns les autres.

Baz continue de parler de Nicodemus à Penny. Et d'Ebb.

— C'est Simon qui a tout découvert, dit-il. Sans même ouvrir un livre.

— Comme d'habitude, bougonne Penny.

Baz ne lui raconte pas que Nicodemus l'a menacé. Il évoque à peine Fiona. Et ne dit rien sur le fait qu'il s'est hyper maîtrisé dans le bar, ni comment il a pété un câble dès qu'on est sortis.

Ni que je l'ai embrassé pour lui sauver la vie. Et ensuite parce que j'en avais envie, tout simplement. (Je me rends compte seulement maintenant que j'aurais peut-être pu lui sauver la vie d'une autre manière…)

— Et donc tu habites ici ? me demande Agatha.

— Non, j'étais simplement venu raconter à Baz, pour Nicodemus. Et après, je n'avais plus de moyens de repartir.

— C'est qui, Nicodemus ?

— La personne qui sait qui est le traître, répond Penny avant de se tourner vers moi. Je ne peux pas croire que vous l'avez laissé comme ça, les gars, en sachant qu'il avait la réponse ! S'il vous avait juste dit qui a essayé de l'embaucher, on en aurait fini, à l'heure qu'il est.

— On ne pouvait pas l'obliger à nous le dire, dis-je. On était entourés de vampires.

Pénélope croise les bras.

— J'imagine, ironise-t-elle.

— Un peu de sens moral, Bunce ! lance Baz.

— Et toi, Penny, qu'est-ce que tu as donc découvert ? je demande.

— Pas grand-chose, comparé à vous.

Elle s'assoit contre une étagère et croise les jambes.

— J'ai posé des questions à mon père sur le Humdrum. Il confirme que c'est seulement des années plus tard qu'on l'a désigné comme responsable de la tragédie de Watford. Au début, ils ont simplement cru à une attaque de vampires. Agatha, c'est bon, tu es au courant de l'affaire, maintenant ? On peut peut-être demander à tes parents ? Ton père doit se souvenir de quelque chose…

— Je ne suis pas encore à jour, répond Agatha.

— Bah, dépêche-toi, alors. Tout est sur le tableau. Je dois dire que ça fait du bien de t'avoir de nouveau avec nous.

— Je ne suis pas tout à fait certaine d'être *avec vous*, murmure Agatha.

Je suis le seul à l'entendre.

— Pour être franc, c'est vraiment agréable de travailler avec Baz, plutôt que de me battre contre lui, j'avoue à Agatha.

— C'est pour ça que tu le cherchais l'autre nuit, sur les remparts ? C'était à cause d'une Visite ?

— En quelque sorte...

Penny et Baz continuent à écrire sur le tableau. Ils se disputent le feutre. Je me dis que je devrais rester avec Agatha pour répondre à ses questions, mais elle est silencieuse à présent. Et elle ne boira pas de thé, je le sais.

Penny bombarde Baz de questions. Quand elle apprend l'existence de l'album-souvenir de la classe de Fiona, elle veut absolument le voir. Elle passe une heure, avec Agatha, à regarder les photos.

La belle-mère de Baz nous apporte des sandwiches. Quand elle entre dans la pièce, aussitôt Baz et Penny se placent devant le tableau. Baz, calmement ; Penny, avec un air coupable.

J'essaie de les convaincre que c'est idiot d'exposer ainsi nos notes et que nous devrions les effacer, maintenant, mais ils sont complètement accros au truc.

Un peu plus tard, le père de Baz arrive du bureau. Ma présence le déconcerte toujours autant ; en revanche, il semble ravi de rencontrer Penny et Agatha, même si je sais qu'il ne s'entend pas vraiment avec leurs parents. Il est peut-être poli, c'est tout ? Baz n'arrête pas de lever les yeux au ciel.

En fin d'après-midi, nous sommes vidés et nous n'avons pas fait de réels progrès. Même Penny a abandonné le tableau. Je suis assis sur le canapé, à côté d'Agatha. Baz s'est installé dans un fauteuil, en face de nous. Agatha et moi le dévisageons souvent, mais lui ne regarde que rarement dans notre direction.

Pénélope se laisse tomber sur l'accoudoir du fauteuil de Baz. Je le vois se crisper, mais il ne s'écarte pas. Il n'a mordu personne jusqu'à présent, je n'ai donc pas de raison de m'inquiéter.

— Nous devons retourner voir Nicodemus, déclare Penny. C'est ce que Mme Grimm-Pitch t'a dit de faire.

— On ne peut pas le forcer à parler, j'objecte. Il ne nous révélera rien de plus.

— Peut-être que vous n'avez pas su vous y prendre, les gars, réplique-t-elle en haussant les sourcils. On peut être plus *gentils*.

— Excellente idée, Pénélope ! s'exclame Baz. On va t'envoyer le draguer.

— Non, dis-je.

— Je pensais plutôt à Agatha..., précise Penny.

— Même pas en rêve, se récrie Agatha. Et je vous préviens : quand vous vous retrouverez devant le Conseil, je dirai que je n'étais pas avec vous.

— Nous n'avons enfreint aucune loi, dis-je.

— Comme si ça comptait, rétorque-t-elle.

— C'est bien vrai, approuve Baz. Je me suis toujours attendu à être un jour jugé à tort par le Conseil, mais je n'aurais jamais imaginé me retrouver en si bonne compagnie.

— Personne ne draguera un vampire, dis-je.

Baz me regarde en fronçant les sourcils.

— Sauf si nous arrivons à convaincre ta tante, j'ajoute.

— Non.

— Je ne sais pas comment vous comptez vous y prendre pour que ce vampire reconnaisse un meurtre, alors que vous ne parvenez même pas à faire avouer à Baz où il était pendant deux mois, lance Agatha.

— Il était malade, intervient Penny.

Elle se tourne vers Baz.

— N'est-ce pas ? C'est ce que tu nous as dit. Et tu n'avais pas l'air bien, en effet.

— Il n'était pas malade, la contredit Agatha. Dev m'a raconté qu'il avait disparu.

Baz fait une grimace.

— Il t'a dit ça ?

— Tes proches sont des traîtres…, observe Penny.

Il ricane.

— Il a balancé ça à Agatha uniquement parce qu'il a flashé sur elle.

— Vous voyez ? s'exclame Penny. Quand je vous dis qu'on peut utiliser Agatha pour séduire…

— Tu as prétendu que tu étais malade, dis-je à Baz.

Il me dévisage, les yeux brillants de colère, puis détourne le regard.

— Et c'est vrai, lâche-t-il en croisant les jambes et en passant la main sur son pantalon noir. Mais j'avais aussi disparu.

— Tu étais où ? je demande.

Il me fusille du regard.

— Je ne pense pas que ça soit pertinent…

— Tout est important, réplique Penny.

— Je…

Il s'éclaircit la gorge et baisse les yeux.

— … J'ai été kidnappé.

Je me redresse d'un coup.

— Kidnappé ?

— Oui, kidnappé, répète-t-il. Par des numptys.

— Ah bon ? s'étonne Penny. C'était une erreur ? Ils t'ont pris pour une bouillotte ?

— Ils m'ont mis un sac sur la tête au moment où je quittais le club, en fait.

— Pourquoi tu n'as prévenu personne ? dis-je.

— J'ai essayé. Mais visiblement personne ne m'a entendu crier à l'intérieur du cercueil.

Je laisse tomber le sandwich que j'ai à la main.

— Les numptys t'ont gardé dans un cercueil ? Pendant deux mois ?

— Six semaines, murmure-t-il. Et, à mon avis, ils ont estimé que c'était un traitement de faveur.

Penny lui donne un coup d'épaule.

— Pourquoi tu ne nous as rien dit, Basil ?

— Pourquoi ? lance-t-il en la dévisageant d'un air furieux. Réfléchis un peu. Qui a pu payer des numptys pour qu'ils kidnappent l'héritier des Pitch ? Qui en a contre ma famille, en ce moment ? Qui a fait deux descentes en un mois dans ma maison et enfermé mon cousin dans une tour ?

— Pas le Mage, dis-je.

— Bien sûr que si, le Mage !

Les mains dans les poches de son pantalon, jambes croisées, il se penche en avant.

— Il pensait pouvoir faire peur à mes parents pour qu'ils acceptent de collaborer à sa dernière campagne. Ça doit le rendre fou de me voir à l'école en sachant que j'ai réussi à lui échapper ! Pourquoi je ne vous ai rien dit ? « Hé, Simon, ton maître Jedi veut ma peau, on fait toujours la trêve ? »

— Comment as-tu réussi à t'enfuir ? je demande.

— Fiona m'a trouvé. Elle n'a peur de rien.

— C'est pour ça que tu étais si maigre. Et pâle. Et que tu boites. Ils t'ont blessé ?

Il recule dans son fauteuil.

— Pas volontairement, je pense. Ils m'ont fait quelque chose à la jambe quand ils m'ont capturé, et ça ne guérit pas.

— Tu devrais dû aller voir mon père, suggère Agatha.

— C'est un docteur pour vampires, maintenant ?

— Ils ont exigé une rançon ? demande Penny.

— Ouais. Mais ma famille n'aurait pas payé. Les Pitch ne négocient pas avec les preneurs d'otages.

— Si un jour je suis kidnappée au club, dites à mes parents de verser la rançon, déclare Agatha.

— Ma tante m'a trouvé grâce à un sortilège de recherche trafiqué, explique Baz. Elle a passé tout Londres au peigne fin.

— J'aurais pu aider, dis-je. Ça aurait été plus rapide.

— Tu n'aurais jamais aidé ma famille, réplique Baz avec dédain.

— Bien sûr que si ! Ça me rendait dingue de ne pas savoir où tu étais. J'avais l'impression que tu allais surgir à chaque instant.

— Ça n'était pas le Mage…, lâche Penny d'un air songeur.

— C'est exactement pour ça que je ne vous en ai pas parlé. Je savais que vous ne me croiriez pas. Vous êtes tellement convaincus que le Mage est un héros.

— Non, coupe Penny. Ça n'est pas le Mage, Baz, qui t'a fait kidnapper, c'est l'assassin !

— Je croyais que c'était des numptys…, dit Agatha.

— C'est la même personne que celle qui a envoyé les vampires à ta mère ! continue Penny en se levant d'un bond. Il ou elle savait que le Voile était en train de se lever et qu'il y avait de bonnes chances pour que ta mère vienne te parler. Tu penses bien ! Un secret dangereux, un crime, tous les éléments étaient là pour une Visite. Le traître redoutait la Visite de Natasha Pitch et savait qu'elle viendrait te voir. Alors il ou elle t'a caché. Ça arrive tout le temps, ce genre de choses ! En Écosse, une famille a perdu plusieurs de ses membres parce que, tous les vingt ans, l'assassin tuait celui ou celle qui risquait le plus de dévoiler les meurtres précédents. Personne ne voulait de rançon pour toi, Baz, ils cherchaient simplement à te tenir à l'écart jusqu'à la fin des Visites.

Baz la dévisage. Il se passe la langue sur les lèvres.

— Ce ne serait pas le Mage ?

— *L'assassin*, répète Penny d'un air un peu trop ravi, si on songe que l'assassin est toujours en liberté.

— Si c'est vrai, alors nous devons aller voir le Mage, intervient Agatha. Le plus vite possible.

66

PÉNÉLOPE

BON, D'ACCORD. C'ÉTAIT PEUT-ÊTRE UNE ERREUR de venir avec Agatha.

Mais ça durait depuis trop longtemps, cette tension entre elle et Simon. Je n'avais pas envie qu'ils passent l'année comme ça.

Et je croyais qu'une bonne énigme parviendrait peut-être à la distraire de… bah, de tout le reste. J'aurais dû me rappeler qu'Agatha n'aime pas les mystères. Et que c'est la plus grande cafteuse au monde.

— Nous devons tout raconter au Mage, dit-elle en croisant les bras puis les jambes. Vous le savez bien.

Elle prend sur elle pour ne pas regarder les garçons. Ni l'un ni l'autre. J'aurais aussi dû penser à leur trio amoureux bizarre avant d'amener Agatha chez Baz. Mais cette relation est tellement stupide. Pas étonnant que j'aie fait l'impasse.

— On commence tout juste à progresser, Agatha, dis-je.

— Et ça nous mènera où ? On va infiltrer les numptys ?

— On pourrait aller les voir ? propose Simon. Est-ce qu'ils parlent ?

— À peine, répond Baz. Et qu'est-ce qu'on leur dirait ? « Vous avez perdu quelque chose ? »

425

— On peut leur demander qui les a embauchés pour te kidnapper ! dis-je.

— À mon avis, ils ne seront pas très coopératifs. Ma tante en a tué quelques-uns.

Simon a l'air horrifié.

— Ta tante a assassiné des numptys ?

— Légitime défense !

— Ils l'ont attaquée ?

— Légitime défense pour moi. Tu prends leur parti, sérieux ? Ils m'ont gardé en otage pendant six semaines.

— Ta tante aurait dû demander de l'aide !

— Si tu avais été là, Snow, les numptys seraient tous morts.

— Peut-être, mais au moins ça n'aurait pas duré six semaines, lance Simon avec un mouvement du menton.

— Donc nous allons interroger les numptys qui restent, dis-je.

— Non, réplique Agatha. Nous allons tout raconter au Mage et le laisser gérer ça. C'est son boulot. On parle d'enlèvement, là ! Et de meurtres !

— Écoute, Wellbelove, nous n'irons pas voir le Mage, dit Baz. Nous nous sommes déjà mis d'accord.

— Eh bien, moi, je ne suis pas d'accord.

Agatha est furieuse, et elle en a visiblement ras le bol. Et en plus, à mon avis, elle est censée être chez elle depuis déjà deux heures.

Simon pose la main sur son épaule.

— Elle a raison, Baz. Beaucoup de choses ont changé. Nous savons pour Nicodemus, à présent, et nous avons fait un lien entre le meurtre de ta mère et ton enlèvement…

— Non, je proteste. Nous n'irons pas voir le Mage.

Simon a l'air surpris.

— Voyons, Penny, pourquoi pas ?

— Parce que Baz a raison, Simon. Le Mage n'est pas d'humeur à aider les Pitch, en ce moment. Et c'est vrai que nous nous étions mis d'accord pour ne pas impliquer le Mage.

Agatha pousse un soupir d'exaspération.

— Pas toi, je sais, Agatha, dis-je. Mais tu n'es pas non plus obligée de participer à tout ça.

Elle soupire de nouveau.

— En tout cas, à partir de maintenant, tu n'es plus obligée. Je suis désolée de t'avoir entraînée ici.

— Je dois aller chez moi, dit-elle. C'est le réveillon.

Je regarde ma montre.

— Aïe. Ma mère va piquer une crise. On doit filer. On se retrouve le lendemain de Noël, d'accord ?

Les garçons hochent la tête, les yeux rivés au sol.

Baz part chercher nos manteaux. Je suis déçue de ne pas avoir pu visiter la maison ni explorer davantage la bibliothèque. Je suis allée deux fois dans la salle de bains, mais c'est au bout du couloir et ça semble être une extension récente. (Il y a des toilettes japonaises, avec de la musique douce, et le siège est chauffant.)

Agatha met un bonnet blanc et une écharpe assortie.

— Tu n'as pas pris de manteau, Simon ? demande-t-elle.

Il est encore assis sur un des canapés, en train de penser à quelque chose. Tuer des numptys, probablement. Il lève les yeux.

— Comment ?

— Viens, dit Agatha. Il faut qu'on y aille.

— Aller où ?

— Nous sommes venues te chercher, répond-elle.

Il a l'air perdu.

— Pour me ramener à Watford ?

Elle fronce les sourcils. (Elle ne va pas tarder à avoir la ride du lion, si elle continue, et ça me fera bien rire.)

— Viens, c'est tout, dit-elle. C'est le réveillon de Noël. Mes parents seront contents de te voir.

Simon sourit comme un enfant à qui on viendrait de donner un énorme cadeau. Baz fait la grimace. (L'insupportable trio amoureux.) Simon a raison : parfois on peut vraiment voir ses canines à travers ses joues.

Baz tousse pour s'éclaircir la gorge. Simon se retourne pour le regarder.

— Je…, bafouille-t-il. En fait, je crois que je devrais plutôt continuer à travailler sur cette affaire de numptys.

Par Morgane, est-ce que Simon est vraiment en train de comprendre que se remettre avec Agatha serait une très mauvaise idée ?

— Simon.

Agatha le fixe intensément, mais je ne suis pas sûre de savoir ce qu'elle pense. À mon avis, elle ne tient pas non plus à revenir avec lui. Elle est peut-être juste fatiguée de leur méfiance réciproque ?

Peut-être qu'elle se sent mal de le laisser dans la demeure des Pitch pour le soir de Noël ? Moi, c'est le cas. Les vibrations, ici, c'est un peu genre : « On tue une vierge et on écrit un super album façon Led Zeppelin. » Même si la bibliothèque est très belle et que la belle-mère de Baz a l'air très gentille. (Je me demande si Simon est toujours puceau… Sûrement pas. Peut-être ?)

— Mais je croyais…, dit Simon.

— Allez, viens, insiste Agatha. Si tu n'es pas là, qui va manger les restes et regarder *Docteur Who* avec moi ?

Simon lance un nouveau coup d'œil à Baz, qui a l'air très énervé. Je me demande s'il y a une clause « Agatha » dans l'accord de leur trêve. C'est peut-être une zone interdite. Ça ne serait pas juste : elle n'est pas seulement son ex-copine pas du tout faite pour lui, elle est aussi une de ses seules amies. Et elle le restera après la trêve.

— Allez, viens, Simon, dis-je. On se retrouve tous après Noël.

— D'accord…, lâche-t-il en se tournant vers moi. Bon, je vais prendre mon manteau.

67

BAZ

JE TIENS MON VIOLON CALÉ ENTRE MON MENTON et mon épaule, sans en jouer, quand mon père fait irruption dans la bibliothèque.

— Les apprentis mages sont partis ?

Je hoche la tête. Il s'installe sur le canapé en poil de cheval, sur lequel Simon a passé presque tout l'après-midi. Mon père s'est habillé pour le dîner ; le dimanche, et pendant les vacances, nous nous habillons pour le dîner. Ce soir, il porte un costume noir moiré de rouge. Ses cheveux ont blanchi à la mort de ma mère, mais ils sont comme les miens : épais, un peu ondulés, avec une implantation en pointe sur le front. Ça me rassure de voir que je ne vais probablement pas trop me dégarnir.

Tout le monde dit que je ressemble à ma mère – nous appartenons à la branche égyptienne de la famille Pitch – mais j'imite volontairement les manières de mon père. Cette façon qu'il a de ne jamais montrer ce qui se passe dans sa tête. Pour ça, je m'entraîne devant le miroir. (Bien sûr que je peux me voir dans un miroir ! Simon Snow est stupide.)

Pour l'instant, je fais comme si je me foutais que Snow soit parti. Comme si je n'avais pas remarqué son absence, même.

Je ne sais pas pourquoi ce départ m'a étonné : ces dernières vingt-quatre heures, je n'ai pas cessé de lui rappeler que nous n'étions pas amis, malgré nos baisers. Je n'aurais donc pas dû être surpris ni consterné par le fait qu'il s'en aille avec ses deux vraies amies. Avec celle qu'il a toujours convoitée, depuis que je le connais.

Mon père s'éclaircit la gorge et croise les jambes, décontracté.

— Est-ce que tu te sens dépassé par la situation, Basilton ?

Personne ne m'appelle Tyrannus. Ma mère insistait pour utiliser ce prénom qui est une tradition familiale, mais mon père le déteste.

— Non, dis-je.

— Est-ce qu'il s'agit encore d'un plan délirant de ta tante ? insiste-t-il d'un air ennuyé en jouant avec le pli de son pantalon.

— Non. C'est un projet pour l'école. Pour une fois, j'ai décidé de jouer le jeu, pour voir où ça me mène.

Il hausse un sourcil. Un tel silence règne dans la bibliothèque que j'entends le tic-tac de sa montre.

— Ça n'est vraiment pas le moment d'agir dans son coin, prévient-il. Les Familles ont leur stratégie.

— Et j'en fais partie ?

— Pas encore. Je veux d'abord que tu finisses l'école. Et que tu reprennes des forces. J'en ai discuté avec ta mère et elle pense que tu aimerais peut-être parler avec quelqu'un… de ta situation.

Il appelle Daphné ma mère. Ça m'est égal.

— Un médecin ?

— Plutôt un conseiller.

— Un *psychologue* ?

J'ai lâché ça d'un ton trop vif. Je me ressaisis et tousse légèrement pour éclaircir ma gorge.

— Dans ma situation, Papa, je ne vois pas ce que je peux évoquer avec un thérapeute normal.

— Ta mère a fait allusion au fait que tu as pris l'habitude de parler de toi d'une certaine manière. Comme si tu évitais certains aspects.

— Je vais bien, dis-je.

— Ta mère…

— Je vais y réfléchir.

Il se lève. Avec élégance. Tire sur ses manches.

— Le dîner sera bientôt prêt, annonce-t-il. Tu devrais aller te changer.

— D'accord, Papa.

Daphné m'a acheté un costume gris pour les vacances, mais c'est la couleur que je porte tout le temps à l'école ; et je suis assez gris comme ça. Donc je décide d'en mettre un vert foncé que j'ai choisi moi-même. Il est noir tirant sur le vert avec des reflets argent. Je suis en train de nouer ma cravate rose vif quand Mordelia ouvre la porte de ma chambre.

— Tu frappes, lui dis-je dans le miroir.

— Ton…

— Tu sors. Et tu frappes. Tant que tu ne l'as pas fait, je ne te répondrai pas.

Elle pousse un grognement et quitte la pièce en claquant la porte. Puis elle cogne très fort. Si elle était une Pitch, je serais désespéré. Cela dit, elle ne se conduit pas non plus comme si elle avait du sang Grimm. Le sang de ma belle-mère est aussi liquide que de la purée.

— Entre, dis-je.

Elle ouvre la porte et penche la tête.

— Ton ami est revenu.

Je me tourne aussi sec vers elle.

— Comment ça ?

— L'Élu.

— Simon ?

Elle hoche la tête. Je marmonne :

— Ne l'appelle pas comme ça.

Je la bouscule pour sortir et dévale l'escalier quatre à quatre. S'il est là, c'est que quelque chose a dû arriver. Peut-être ont-ils été attaqués sur la route ? Je ralentis en traversant la salle à manger.

Simon est dans l'entrée, couvert de neige et de boue. Une fois de plus.

J'enfonce mes mains dans mes poches.

— J'ai comme une impression de déjà-vu, Simon.

Il se passe la main dans les cheveux, y laisse une traînée de boue.

— Le chemin pour venir de la route à chez toi est toujours aussi mauvais.

— Et tu n'as toujours pas réussi à mémoriser un simple sortilège de nettoyage. Où sont les filles ?

— À mi-chemin entre ici et Londres, à l'heure qu'il est.

— Pourquoi n'es-tu pas avec elles ?

Il hausse les épaules.

Je sors ma baguette magique. Il lève la main.

— Si ça ne t'ennuie pas, je préfère prendre une douche et me changer.

— Pourquoi es-tu revenu ? je chuchote, pour le cas où Mordelia traînerait dans les parages.

— Je peux repartir si je ne suis pas le bienvenu.

— Ça n'est pas ce que j'ai voulu dire.

— Je pensais que tu serais content que je revienne.

Je fais un pas vers lui et lâche d'une voix presque menaçante :

— Pourquoi ? Pour qu'on puisse se peloter dans les coins et faire semblant d'être des amoureux heureux ?

Il secoue la tête, excédé, puis lève les yeux au ciel.

— Ouais… Un truc comme ça, pourquoi pas ? Oui, on dit ça, OK ?

Je croise les bras.

— Enlève tes chaussures. Je vais te trouver quelque chose à mettre. À cause de toi, on va être en retard pour le dîner.

Simon est sensationnel dans ce costume gris.

SIMON

Je suis revenu car j'avais peur de ce qui pouvait arriver.

Baz allait peut-être faire comme si rien ne s'était passé entre nous. Comme si j'avais rêvé tout le truc, que j'étais un idiot doublé d'un hystérique de m'être imaginé qu'il pouvait éprouver un sentiment pour moi.

Dans la voiture, avec Penny et Agatha, j'avais déjà l'impression d'être un idiot et un hystérique. Agatha était en furie. C'est hyper rare qu'elle soit dans un état pareil. (Ça la prend habituellement quand on est perdus, ou kidnappés, ou coincés au fond d'un puits qui se remplit d'eau à toute allure.) Là, elle en avait clairement ras le bol de Baz et moi.

— Qu'est-ce que tu as dans le crâne ? s'est-elle énervée. On parle des Pitch, là. Et lui est un vampire.

— Ça ne t'a pas empêchée de te retrouver seule avec lui dans les bois, a lancé Penny.

— Une seule fois, a répliqué Agatha. Et c'était un coup de foudre d'ado.

— Vraiment ? ai-je dit.

— Je n'étais pas en train de comploter contre le Mage ! J'espérais juste un baiser !

— Ah oui ?

Je ne parvenais pas à savoir à qui je destinais ma jalousie, dans cette affaire. Aux deux, sans doute.

— Mais nous ne sommes pas en train de comploter contre le Mage ! s'est récriée Penny. Nous réfléchissons… sans lui.

— D'après ce que je vois, vous ne savez vraiment pas ce que vous faites, a lâché Agatha.

J'avais bien peur qu'elle ne vise juste.

L'ordre des choses était sens dessus dessous, c'était n'importe quoi : coopérer avec Baz, avoir des secrets pour le Mage. Et encore, Agatha ne savait rien de nos baisers. Sinon... (« Tu n'es même pas gay, Simon. »)

Je me suis frotté les yeux.

— La prophétie ne dit pas que Simon doit obéir au Mage, a poursuivi Penny. Elle dit qu'il est ici pour le Monde des Mages. Ce qui inclut la mère de Baz.

Elle a jeté un coup d'œil vers moi.

— Ça va, Simon ?

— Mal à la tête, ai-je répondu.

(« Tu n'es même pas gay, et il n'est même pas vivant », dirait Agatha.)

— Tu veux que j'essaie d'atténuer la douleur ? a proposé Penny en se penchant vers la banquette arrière.

— Pas Merlin, non ! Ça va aller.

(« Tu n'es même pas gay, et il n'est même pas vivant, mais le pire, dans cette histoire, c'est : que va dire le Mage ? »)

— Ça n'est pas à vous d'élucider les meurtres, a dit Agatha. Vous n'êtes pas la police.

— Voilà un concept intéressant, a commenté Penny. La police de la magie. J'aimerais bien aussi des programmes sociaux de la magie. Et un ministère pour la santé et le bien-être.

— Les Hommes du Mage sont des policiers, a répondu Agatha.

— Plutôt une armée personnelle, oui.

— Tu parles de ton frère, là ! a crié Agatha, penchée sur le volant.

— Je sais ! a hurlé Penny à son tour. Nous avons absolument besoin de réformes !

— Mais le Mage est le Grand Réformateur !

— N'importe qui peut s'autoproclamer ainsi. Et je sais, Agatha, que tu considères que le Mage est une espèce de phénomène amoureux des impôts qui veut régler son compte à l'aristocratie. Je t'ai entendue le dire.

— C'est ce que pense ma mère. Mais c'est quand même le Mage.

— Stop, ai-je lancé. Gare-toi.

Penny s'est tournée vers moi.

— Ça va ? Tu as envie de vomir ?

— Non, j'ai juste besoin de sortir. S'il te plaît.

Agatha a pilé sur le bord de la route avant de se retourner vers moi.

— Qu'est-ce qui ne va pas, Simon ?

— Je dois retourner là-bas.

— Pourquoi ?

J'ai posé ma main sur la poignée de la portière.

— Je… j'ai oublié quelque chose.

— Ça peut sûrement attendre, a-t-elle observé.

— Non, impossible.

— Alors je te raccompagne.

— Non.

— Simon, a demandé Penny d'un ton sérieux, c'est quoi le problème ?

J'ai ouvert la portière.

— Je dois aller chez Baz pour m'assurer qu'il va bien.

— Il va très bien, a asséné Agatha tandis que je descendais de la voiture.

— Non ! Je te rappelle qu'on vient de découvrir qu'il a passé six semaines dans un cercueil.

Toutes deux se sont penchées pour crier par la portière.

Penny : « Mais maintenant il va bien ! »

Agatha : « Remonte dans la voiture ! »

Je me suis appuyé sur la carrosserie pour les voir.

— Il ne devrait pas rester seul pour l'instant.

— Mais il ne l'est pas ! ont-elles répondu ensemble.

— Je dois garder un œil sur lui, ai-je conclu en me redressant.

— Nous allons te ramener, a insisté Agatha.

— Non, vous serez en retard pour le dîner de Noël. Allez-y.

J'ai claqué la portière, fait demi-tour et je me suis mis à courir.

Je ne savais pas que les riches mangeaient vraiment comme ça. Assis autour d'une longue table recouverte de tissu rouge et or. Avec d'épaisses serviettes décorées de feuilles de poinsettia et des plats sous de lourdes cloches en argent.

Si les Pitch en font autant pour le réveillon, qu'est-ce que ça sera demain ?

— Désolé, nous sommes en retard, Mère, dit Baz en tirant une chaise.

— Quelle bonne surprise, monsieur Snow, lâche son père.

La manière dont il sourit me fait regretter d'être revenu.

— Merci, monsieur. J'espère ne pas être importun.

La belle-mère de Baz sourit à son tour.

— Bien sûr que non.

Je n'arrive pas à savoir si elle est sincère ou polie.

— Je l'ai invité, explique Baz à son père. Il n'avait pas vraiment d'autre endroit où passer Noël.

Difficile de déterminer si c'est une méchanceté à mon égard ou s'il fait ça pour le spectacle. Je ne parviens pas à interpréter leurs expressions. Même le bébé a l'air de s'ennuyer.

Je pensais qu'il y aurait de la famille, pour les vacances, un mélange de Grimm et de Pitch. Mais il n'y a que les parents de Baz et sa fratrie : Mordelia, la plus grande ; deux autres petites filles, peut-être des jumelles, dont je ne peux définir l'âge mais qui sont suffisamment grandes pour être assises seules à table et dévorer une cuisse de dinde ; et un bébé – fille ou garçon ? – installé sur une chaise haute en bois sculpté qui tape son hochet sur son plateau.

Les enfants ressemblent tous à la belle-mère de Baz : cheveux bruns, pas noirs comme ceux de Baz, avec de bonnes joues et les dents en avant. Ils n'ont pas l'air assez dangereux pour être les frères et sœurs de Baz, ou les enfants de son père. Penny dit que les Grimm sont moins politiques et moins meurtriers que les Pitch, mais le père de Baz me fait penser à une vipère en costume rayé. Même ses cheveux blancs me font peur.

— Un peu de farce ? demande Baz en me tendant un plat.

Les domestiques doivent avoir congé. (J'en ai compté au moins quatre depuis mon arrivée : Vera, deux femmes de ménage et un homme qui déblaie les allées, dehors.)

Je me sers une bonne part de farce aux marrons et remarque que l'assiette de Baz est presque vide alors que les plats font deux fois le tour de la table et qu'il vient de me les repasser. Je me demande s'il a un trouble du comportement alimentaire.

Je mange pour deux. La nourriture est encore meilleure qu'à Watford.

— Est-ce que tu as jamais cru au père Noël ? demande Baz.

Il étale des couvertures sur son canapé, pour moi. Sa belle-mère les a apportées après que Baz a expliqué que je ne voulais pas dormir dans la chambre d'amis. « Il a peur des spectres », lui a-t-il dit, ce qui a provoqué l'hilarité de ses petites sœurs. Elles avaient hâte de se coucher pour que le père Noël puisse passer. « Tu as dit au père Noël que tu serais là ? m'a demandé Mordelia. Pour qu'il puisse t'apporter aussi des cadeaux. » « Non, j'aurais dû », ai-je répondu.

— Je ne pense pas, dis-je maintenant à Baz. Bien sûr, l'orphelinat faisait parfois venir quelqu'un qui était habillé en père Noël et nous donnait des cadeaux pourris, mais je n'ai pas le souvenir d'avoir marché. Et toi ?

— J'y croyais. Et puis, l'année de la mort de ma mère, il n'est pas venu.

437

Il m'envoie un oreiller et se dirige vers une grande commode en bois.

— J'ai cru que j'avais été vraiment très méchant. Mais maintenant, je pense simplement que mon père était déprimé et qu'il a oublié Noël. Fiona s'est pointée un peu plus tard, ce jour-là, avec un énorme ours Paddington.

Il me tend un pyjama – un des siens. Je le prends. Puis il s'assoit au bout du lit et s'adosse contre un des montants.

— Donc… tu es revenu.

Je m'installe à côté de lui.

— Ouais.

Il a encore son costume vert. Il s'est coiffé les cheveux en arrière pour le dîner. J'aurais aimé qu'il ne le fasse pas. Ça lui va mieux quand il a les cheveux qui tombent et encadrent son visage.

— On peut aller parler aux numptys demain, propose-t-il.

— Le jour de Noël ? Au fait, est-ce qu'ils fêtent Noël ?

— Je ne sais pas.

Il penche la tête.

— Je n'ai pas vraiment eu la possibilité d'apprendre à les connaître. D'après les livres, ils ne font pas grand-chose à part manger et essayer de ne pas avoir froid.

— Qu'est-ce qu'ils mangent ?

— Des gravats. C'est ce qu'on suppose. Peut-être qu'ils les mâchent comme des chewing-gums ?

— Tu penses que Penny a raison ? Que c'est l'assassin de ta mère qui a payé les numptys ?

Il hausse les épaules.

— Ça serait logique. Et Bunce a généralement raison.

— Tu te sens capable de retourner là-bas ?

Il baisse les yeux.

— C'est mieux de parler aux numptys que de retourner voir Nicodemus. Et nous n'avons que ces deux pistes.

— Si seulement nous connaissions le motif, dis-je. Pourquoi quelqu'un voulait faire du mal à ta mère ?

— Je ne suis pas sûr que c'était le but, répond-il. Et si la cible était la crèche, et non ma mère ? Il n'y avait aucun moyen de savoir que c'était elle qui interviendrait. Peut-être que les vampires voulaient prendre les enfants, ou tous nous muter ?

Il frotte sa main contre le haut de sa cuisse. Ses jambes sont plus longues que les miennes. C'est pour ça qu'il est si grand.

— Je ne suis pas un très bon petit ami, dis-je.

Sa main se pose sur son pantalon et tire sur le tissu. Il se redresse pour s'asseoir plus droit.

— Je comprends, Snow. Fais-moi confiance. Je ne suis pas en train de planifier notre prochain week-end. Je n'ai même pas l'intention de parler de nous à qui que ce soit.

— Non, ça n'est pas ça, dis-je en me tournant légèrement vers lui. Je veux dire… Je suis un petit ami nul. C'est pour ça qu'Agatha a rompu avec moi. J'ai toujours fait ce que je croyais qu'elle attendait de moi, sauf que je me suis trompé, et que je ne l'ai jamais fait passer en premier. En trois ans, pas une seule fois j'ai eu l'impression de faire ce qu'il fallait.

— Alors pourquoi vous êtes restés ensemble ?

— Je n'allais pas la quitter. Ça n'était pas sa faute.

Il se passe de nouveau la main sur la jambe. J'aime Baz dans ce costume.

Je me tourne un peu plus vers lui.

— Ce que j'essaie de t'expliquer, c'est que je ne sais pas comment être ton petit ami. Et je ne suis pas certain que ça soit ce que tu veux de moi.

— D'accord, lâche-t-il. J'ai compris.

— Et je sais que tu considères que nous sommes maudits, façon Roméo et Juliette.

— Absolument, répond-il en regardant fixement ses genoux.

— Et je ne crois pas être gay. Enfin, peut-être que je le suis. En partie du moins. Cette partie qui demande de l'attention, là tout de suite…

— Tout le monde s'en fiche que tu sois gay ou pas, réplique Baz froidement.

Son profil me fait face, à présent. Il a les sourcils froncés et les lèvres pincées.

— Ce que je veux dire…

Ma voix s'éteint. Je suis nul pour ça aussi.

— J'aime te regarder.

Il me lance un regard furtif mais ne tourne pas la tête.

— J'aime *ça*. Tout ce qu'on a fait.

Il ne relève pas.

— Je t'apprécie. Et ça m'est égal que tu ne m'apprécies pas, j'ai l'habitude. Je ne saurais pas comment réagir, de toute façon. Mais je t'apprécie vraiment, Baz. J'aime t'aider. Savoir que tu vas bien. Tout ça. Quand tu n'es pas revenu à l'école, cet automne, quand tu avais disparu… j'ai cru devenir fou.

— Tu croyais que je complotais contre toi, précise-t-il.

— N'empêche, tu me manquais.

Il secoue la tête.

— Tu ne tournes pas rond…

— Je sais. Mais j'ai encore envie de ça, si tu me laisses l'avoir.

Il se tourne enfin vers moi pour me regarder.

— Ça quoi, Simon ?

— *Ça*. Je veux être ton petit ami. Ton petit ami nul.

Il hausse un sourcil et me dévisage comme s'il doutait d'avoir jamais assez de temps pour découvrir ce qui ne tourne pas rond chez moi.

On frappe doucement.

Baz se met debout, tire encore sur son costume et se dirige vers la porte. Il l'ouvre et se penche pour prendre un plateau qu'il apporte ensuite sur le lit. Il y a un pichet de lait et une assiette remplie à ras bord de restes du dîner.

— De qui ça vient ? dis-je.

— De ma belle-mère.

— Pourquoi tu n'as pas mangé à table ?

— Je n'aime pas le faire devant des gens.

— Pourquoi ?

— Pourquoi tu poses tant de questions ?

— Tu es anorexique ?

— Non, Snow, je ne suis pas anorexique. Est-ce que tu sais seulement ce que ça signifie, d'ailleurs ?

Il s'assoit à l'autre bout du lit, prend la serviette qui est sur le plateau et la secoue pour la déplier.

— Mes canines sortent, quand je mange. Ça se voit.

Je me rapproche pour m'installer à côté de lui.

— Je ne l'ai pas remarqué, l'autre soir.

— Tu n'es pas très observateur, on dirait.

— Ou alors ça ne se repère pas aussi facilement que tu le crois.

Il lève la tête, ses joues sont plus gonflées que d'habitude. Il sourit, et là, je les aperçois : des canines longues et blanches qui dépassent de ses lèvres.

— Dingue, dis-je en me penchant pour regarder de plus près.

Il me repousse légèrement.

— Ouvre ta bouche encore une fois. Laisse-moi voir.

Il soupire et écarte ses lèvres. Ses canines sont gigantesques. Et sacrément pointues !

— Mais d'où elles sortent ? Où sont-elles quand tu ne t'en sers pas ?

— Je ne sais pas.

Il dit ça comme s'il portait des bagues ou un appareil.

— Je peux les toucher ?

— Non. Elles sont aiguisées. Et toxiques.

— Je ne peux pas croire qu'une partie de ton corps grandit quand tu en as besoin. Tu es comme un mutant.

— Je suis un vampire. Et tu t'entends, franchement ?

Je me recule pour m'asseoir normalement.

— Oui, désolé.

Je m'attends à le voir énervé, et il l'est. Mais il sourit presque, aussi. Avec ses canines.

Je lui tends son assiette : de la dinde, de la farce et du bacon, le tout arrosé de sauce. Il la prend.

— Tu as encore faim, Snow.

— Disons que je pourrais encore manger.

— Alors vas-y.

Il me donne la fourchette. La dinde est tellement tendre qu'il la coupe sans difficulté avec la cuillère. Il prend une énorme bouchée et je vois ses immenses canines.

— Dingue, dis-je de nouveau.

Il secoue la tête.

— Tu es débile, lâche-t-il, la bouche pleine.

Il baisse les yeux sur son assiette.

— Mais tu peux avoir… *ça*. Si tu veux.

Et comment !

68

AGATHA

IL Y A TROIS HEURES DE ROUTE JUSQU'À Londres. Pénélope lance un *Le temps vole !*, mais ni l'une ni l'autre ne trouvons ça drôle, alors ça ne marche pas.

Je suis à deux doigts de filer directement à Watford pour tout raconter au Mage, mais mes parents m'attendent depuis des siècles. En plus, pour être honnête, l'idée de lui parler toute seule ne me tente guère. Il n'est pas facile à approcher. Il est habillé comme Peter Pan et il a son épée avec lui en permanence. Une fois, il s'est pointé chez nous en pleine nuit, son oreille dans la main. Papa a dû la lui recoudre.

Je connaissais le Mage avant d'aller à l'école : mon père et lui étaient ensemble au Conseil depuis toujours. Mais je ne suis pas certaine qu'il se souvienne de mon nom. Je ne l'ai jamais entendu le prononcer. Il ne me parle quasiment jamais.

Penny dit qu'il est sexiste, mais en fait, c'est surtout qu'il adresse à peine la parole à qui que ce soit à Watford. Pas même à Simon. Je ne comprends pas pourquoi il veut être directeur. Est-ce qu'il aime les enfants, au moins ?

C'est peut-être pour ça que Lucy a rompu avec lui ?

Ou peut-être est-il devenu un sombre crétin justement parce qu'elle l'a quitté et qu'il ne s'en est jamais remis ?

J'ai la photo dans mon sac. J'espère que la mère de Penny ne s'est pas rendu compte que je l'avais volée. En tout cas je prie pour qu'elle ne le dise pas à mes parents.

À quatorze ans, j'ai eu une phase kleptomane. Je n'ai pas eu le droit de sortir de la maison pendant tout un été quand mes parents ont découvert mon stock d'eye-liners et de vernis à ongles même pas ouverts.

— Nous t'aurions acheté des produits de beauté, si tu nous avais demandé, a dit mon père.

— Tu n'as pas utilisé la magie ? a interrogé ma mère. Tu les as juste pris ?

Puis elle a ajouté :

— Du vernis à ongles violet, Agatha ? C'est d'un commun…

Au bout de vingt minutes, n'en pouvant plus de mon silence hostile, Penny explose :

— Je pensais que tu serais contente d'être avec nous, Agatha !

— N'importe quoi.

— Je te promets ! Je voyais bien que Simon te manquait, que tu étais triste. Tu ne vas quand même pas me faire croire que tu aurais préféré qu'on te laisse en dehors du coup et qu'on t'ignore jusqu'à la fin de l'année ?

— Non !

— Alors quoi ? Qu'est-ce que tu veux ?

— Je veux qu'on soit amies, dis-je. Mais pas genre « frères d'armes ». Je n'ai pas envie d'avoir des réunions secrètes ; juste de traîner, faire des gâteaux, regarder la télé. Les trucs qu'on fait quand on est amies !

— Tu veux dire qu'on est censées regarder tranquillement la télé pendant que Simon se bat contre le Humdrum et que Baz est kidnappé par les numptys ?

— Non !

Je serre le volant de toutes mes forces, et j'ajoute :

— Dans le scénario que je te décris, rien de tout ça n'arriverait !

— C'est pourtant ce qui se passe.

— Eh bien… dans ce cas, oui, je pense que je préfère rester à la maison. Parce que je ne peux rien faire. Avons-nous une seule fois réussi à aider, Pénélope ? Aider vraiment, je veux dire. Nous sommes de simples spectatrices. Et des otages. Et des futures victimes de dommages collatéraux, probablement. Si nous étions dans un film, Simon assisterait, impuissant, à la mort de l'une d'entre nous. C'est tout ce que nous savons faire.

— Parle pour toi ! hurle-t-elle.

— C'est ce que je vais faire ! ai-je crié à mon tour.

Mais nous n'avons plus prononcé un mot jusqu'à la fin du trajet.

Je dépose Penny devant chez elle. Elle est encore si furieuse qu'elle claque la portière avec force. Je suis super en retard, mais mes parents sont occupés à se préparer pour leur fête : ils me remarquent à peine quand je rentre.

Chaque année, pour le réveillon, ils font une fête itinérante. La soirée démarre dans une maison, se poursuit dans une autre, et encore une autre… jusqu'à ce que tous les invités soient à ce point épuisés qu'ils sont obligés de lancer un sort aux voitures pour qu'elles les ramènent chez eux.

D'habitude, avec Simon, nous descendons dire bonjour aux invités quand ils arrivent. Ensuite, on se planque dans le salon pour regarder la télé en mangeant des hors-d'œuvre, jusqu'à ce qu'on s'endorme près du feu. Sauf une fois, il y a quatre ans, quand on est sortis en cachette le soir du réveillon pour traquer les loups-garous dans Soho. Ils avaient volé une clé, ou un bijou, je ne me rappelle plus. Je n'ai jamais eu aussi froid de ma vie ! On a failli mourir devant le magasin Liberty. En plus, à la fin de la chasse, Penny nous a obligés à rester dehors et à ramasser la fourrure des loups-garous parce qu'elle voulait faire ses talismans grotesques pour les règles douloureuses. J'ai donné la mienne au chat.

Ça y est, je me rappelle : la pierre de lune. C'est ça que les loups-garous avaient pris. N'importe quoi, vraiment. Heureusement, grâce à la magie, nous avons pu rentrer à la maison avant le retour des parents.

(Est-ce que je devrais parler à Maman maintenant ? De ce que Simon prépare ? Non. Simon s'en sortira. Il s'en sort toujours. Et Penny va adorer se la ramener en me racontant leurs aventures avec les numptys. Peut-être que Baz est leur nouveau coéquipier, maintenant. Amuse-toi bien avec ton vampire, Simon ! Tu vas rendre ta vie encore plus stupide et dangereuse, bien joué.)

— Tu vas pouvoir nous accompagner, ce soir, puisque Simon n'est pas là, dit ma mère.

Elle est en train de finir les préparatifs avec Helen, notre gouvernante. Cette année, la première fête se déroule chez nous.

— Maman...

— Arrête de pleurnicher, Agatha, lance mon père en prenant une pince de crabe sur un plateau.

Il est au téléphone avec un patient.

— Oui, oui, je vous écoute, Balthazar, mais tout cela me semble normal. Non, je ne veux pas dire *Normal*, juste normal.

Avec un soupir, je suis ma mère dans la cuisine.

— Mais je ne suis pas habillée pour une fête.

— Va t'habiller, alors.

— Maman... je suis crevée.

Elle ouvre la porte du réfrigérateur.

— Ça va te réveiller, justement. Le second souffle. Est-ce que Simon viendra demain ?

Je fronce les sourcils et me fige, un plateau de crevettes à la main.

— Je ne pense pas...

J'ai pourtant dit à ma mère qu'il passait Noël à Watford, mais je ne sais pas pourquoi, elle s'est mis en tête qu'il ferait un saut ici pour Noël. L'habitude, j'imagine.

Je devrais peut-être me sentir coupable de ne pas l'avoir invité, mais j'ai quand même essayé de rattraper le coup en lui proposant de venir.

Maman porte un gros gâteau à plusieurs étages.

— Je pense que c'est bien qu'il reste avec le Mage pendant les vacances, lâche-t-elle. D'aussi loin que je me souvienne, le Mage est toujours seul à Watford, à Noël. Un jour, il m'a dit que les vacances étaient « sous de trop bons auspices » pour les gâcher en faisant la fête.

— Qu'est-ce qu'il entendait par là ?

— Qui sait ? répond-elle en tendant le gâteau à Helen. J'espère que Simon ne va pas se retrouver en train de jeûner au clair de lune. Il faudra qu'on le gave de bons petits plats, demain.

— Des bons auspices…, dis-je. Pourquoi le Mage est si tordu ?

— Stop, Agatha. Ne sois pas médisante.

— Je dis juste… Il a toujours été comme ça ?

— Je n'en ai pas la moindre idée. Nous n'avons jamais été dans les mêmes cercles. Je ne me souviens même pas de lui à l'école.

Je tends la main pour prendre une crevette, mais Helen enlève le plat.

— Tu te souviens du Dr Bunce, quand il était à l'école ? dis-je.

— Lequel ?

— Les deux.

— Martin et Mitali étaient quelques années après moi.

Elle sort un deuxième gâteau du réfrigérateur : une énorme charlotte.

— Au fait, ils n'ont pas un fils plus âgé que toi ? Ils ont eu des enfants horriblement tôt. C'est l'influence Bunce, à mon avis. À Watford, j'étais avec une flopée de Bunce et pas un seul n'avait suffisamment de pouvoir pour mériter d'être là. Ça arrive dans les grandes familles : la magie se dilue.

Ma mère est obsédée par la puissance : qui en a et qui n'en a pas. Elle-même n'en a pas énormément. Elle en a voulu à sa mère d'avoir fait une mésalliance : « Mon père était incapable d'allumer une allumette sous la pluie. »

Moi, je suis acceptable, magiquement parlant. Je ne suis pas Simon. Ni Baz. Ni Pénélope. Mais je m'en sors bien en cours.

Je sais que mes parents n'ont pas voulu d'autres enfants après moi parce qu'ils ne voulaient pas que ma magie se dilue. Même si Papa prétend que ce sont les vieilles commères qui racontent que les frères et sœurs divisent la magie.

Je sais aussi qu'ils espèrent que je me marierai avec quelqu'un de plus puissant pour remettre la famille dans la course.

Avant de sortir avec Simon, j'avais un petit copain normal, en cachette. Sacha. Si ma mère l'avait découvert, elle m'aurait enfermée dans une tour. (Elle m'aurait sûrement confisqué mon cheval.) Je me demande ce qu'est devenu Sacha…

— Donc tu n'as pas dû connaître leurs amis ? dis-je. Mme Bunce a parlé d'une certaine Lucy. Elle nous a montré une photo.

— Lucy Day ?

— Pas sûr…

— Lucy McKenna ?

— C'était la meilleure amie de Mme Bunce. Blonde, les cheveux longs jusqu'à la taille. Un look bohémien.

— Ma chérie, c'était le cas de tout le monde dans les années 1990, répond ma mère en aidant Helen à démouler la charlotte.

— Elle ressemblait à Baby Spice, mais avec des épaules larges.

— Ah, Lucy Salisbury ! s'exclame ma mère. J'avais oublié son existence.

— Tu la connaissais ?

— J'ai entendu parler d'elle, évidemment. Elle avait cinq ou six ans de moins que moi, mais ses parents allaient au club. Tu connais sa mère, ma chérie : lady Salisbury. Je joue aux cartes avec elle. Elle sera là, ce soir.

Je la connais, en effet. Elle a l'âge d'être ma grand-mère mais elle traîne avec la bande de ma mère. Elle raconte des blagues grivoises et pousse tout le monde à manger plus de gâteaux.

— Elle voudra bien me parler de sa fille ?

— Bien sûr que non, Agatha ! C'est la dernière des choses à lui demander. Tout le monde sait que sa fille avait une terrible réputation. Quel scandale ! Et le fils de lady Salisbury, aussi, quel crétin !

— Quel genre de scandale ?

— Lucy s'est enfuie de Watford quelques années avant de finir. Elle était la fierté des Salisbury et elle est partie avec un homme. On m'a dit que c'était un Normal. Peut-être même un Américain. Ruth – lady Salisbury – a craqué au cours d'une œuvre de bienfaisance, un tournoi de bowling pour des bègues, et a avoué à Natalie Braine qu'elle craignait qu'il n'y ait une histoire d'enfant. Un enfant illégitime. C'est la seule fois que Ruth en a parlé. Et plus personne n'a vu Lucy dans notre royaume depuis l'école.

— Elle a disparu ?

— Pire, répond Maman. Elle a quitté la magie. Tu t'imagines ?

— Oui, dis-je. Enfin, non.

Ma mère se frotte la main, comme pour chasser des miettes invisibles.

— Va te changer, ma chérie. Les invités vont arriver d'un instant à l'autre.

Je m'apprête à quitter la cuisine. Maman me donne une pile de serviettes brodées à la main pour que je les apporte à Helen au passage. Une fois dans la salle à manger, je les tends à notre gouvernante sans rien dire, plongée dans mes pensées.

— J'ai connu Lucy Salisbury, me confie Helen. Nous étions ensemble à l'école.

C'est Helen tout craché : elle attend que ma mère ne soit plus dans les parages pour me parler. Ma mère conserve avec elle une relation plus distante, mais Helen m'a toujours traitée comme quelqu'un de sa famille. (Pas sa famille proche, plutôt comme une nièce. Je crois qu'elle préfère Simon.)

— Elle avait quelques années de plus que moi. Toutes les filles de ma classe sont devenues folles quand on a su qu'elle s'était enfuie. On trouvait ça tellement romantique. Et terrifiant !

— Elle s'est vraiment enfuie ?

— C'est ce qu'on disait. Qu'elle avait rencontré un homme et était partie. En Californie.

— En Californie !

— Je pensais souvent à elle. Je l'imaginais avec ses longs cheveux blonds, allongée sur le sable.

Je m'installe sur mon lit et je sors la photo volée pour la regarder.

Lucy Salisbury a fui la magie.

Elle sortait avec le Mage le plus puissant, le type qui allait régner sur le monde, et elle s'est enfuie.

Mme Bunce a dit que Lucy était une magicienne puissante. Elle aurait pu être la Première Dame de la magie. Ou régner aux côtés du Mage. Et elle s'est échappée.

Y avait-il un bébé ? L'a-t-elle emporté avec elle ?

Peut-être l'élève-t-elle dans le monde normal ? Peut-être est-ce le cadeau qu'elle a fait au bébé, et à elle-même : ne pas grandir avec toute cette merde. Ne pas avoir le Mage comme père et un monde de guerres en héritage.

Ce gamin s'en est sorti.

Et Simon s'est retrouvé coincé à sa place.

69

LUCY

J'ÉTAIS HEUREUSE.

Je l'aimais.

Et il était toujours plus généreux que mauvais. C'est encore le cas, je pense. Cela montre à quel point une personne peut être double.

Nous étions ensemble lorsque nous avons quitté Watford. Davy avait une petite maison qu'il avait héritée de sa grand-mère, et je l'ai suivi là-bas. J'ai menti à mes parents. Ils n'ont jamais aimé Davy.

À cette époque, il passait son temps à lire et à écrire des lettres ou des pamphlets qu'il envoyait aux spécialistes de la magie.

Voir des amis ou sortir ne l'intéressait pas vraiment. Je me souviens qu'un jour nous sommes allés à Londres dîner avec Mitali et Martin pour faire la connaissance de leur petit garçon. Je portais une longue jupe à volants et j'avais mis des fleurs dans mes cheveux. J'étais tellement heureuse de les retrouver. De revoir Mitali.

Au début, tout s'est bien passé. Nous buvions du vin rouge, j'étais confortablement installée dans un fauteuil rond très douillet. Davy a commencé à parler du Conseil avec Mitali : elle postulait un siège.

— Tu ne changeras rien, a-t-il dit. Aucun changement n'est possible.

— Je sais que c'est ce que tu penses, a-t-elle répondu. J'ai lu tes articles.

— Ah oui ? a-t-il aussitôt réagi.

Il s'est penché vers elle en coinçant son verre de vin entre ses genoux.

— Tu as donc compris que la seule solution, c'est la révolution.

— Je sais que les choses ne s'arrangeront que si les gens bien se battent pour ce qui est important.

— Et tu crois que le Conseil se soucie des gens bien et de ce qui est important ? Tu penses vraiment que ton idéalisme compte pour Natasha Grimm-Pitch ?

— Non. Mais si je rentre au Conseil, j'aurai autant de voix qu'elle.

Davy a ri.

— Les noms au sein du Conseil n'ont pas changé en deux cents ans. Seulement les visages. Ils pourraient aussi bien graver « Pitch » sur le fauteuil du directeur de Watford. La seule chose qui les préoccupe, tous autant qu'ils sont, c'est de protéger leur propre pouvoir.

Ça n'a pas déconcerté Mitali. Avec son jean à pattes d'éléphant, sa veste en velours grenat et ses boucles noires qui tombaient en cascade sur ses épaules, c'était elle qui semblait la plus radicale.

— Ils protègent notre pouvoir à tous, a-t-elle dit. Celui du Monde des Mages.

— Vraiment ? a lancé Davy. Interroge Natasha Grimm-Pitch sur le nombre de suicides chez les magiciens peu puissants. Demande au Conseil comment il compte s'y prendre pour combattre les épidémies chez les lutins et les autres maladies magiques qui ne touchent pas leurs propres enfants.

— Et c'est une révolution qui va aider les lutins ? s'est énervée Mitali. Comment l'élimination de siècles de tradition et de savoir peut aider chacun de nous ?

— Nous construirons de meilleures traditions ! a crié Davy. Je crois qu'il ne se rendait même pas compte qu'il hurlait.

— Nous écrirons de nouvelles règles avec du sang ?

— S'il le faut, oui ! Oui, Mitali ! Cela te fait peur ?

Nous sommes partis peu de temps après, j'ai prétexté une migraine.

Davy avait le visage empourpré à cause du vin, mais il a refusé de me laisser le volant. Il ne m'a pas vue lancer un *Suis la route !* de mon siège.

Nous ne sommes plus jamais retournés à Londres après cet épisode.

Nous quittions rarement la petite maison, où nous n'avions ni téléphone ni télévision. J'achetais des poules au fermier au bout de la route et leur jetais un sort pour qu'elles ne s'échappent pas. J'écrivais de longues lettres à ma mère. Que des histoires inventées. Davy restait enfermé avec ses livres la plupart du temps.

Je dis ses livres, mais en réalité, il les avait tous volés à Watford. Il y retournait pour en prendre d'autres quand il en avait besoin. Il était tellement puissant qu'il pouvait se rendre presque invisible.

Parfois, il partait quelques jours pour retrouver d'autres activistes magiciens. Mais il revenait encore plus démoralisé.

Il avait abandonné l'idée de révolution. Personne ne lisait ses articles.

Il avait renoncé à tout, sauf à être le Mage Suprême. D'après moi, il aurait été le plus exceptionnel Mage Suprême de l'histoire de la magie. Il connaissait toutes les prophéties par cœur.

Il les gravait dans les murs de pierre de notre petite maison et faisait des diagrammes à partir des formules.

Quand je lui apportais ses repas, il me demandait parfois mon avis. Que pouvait signifier telle métaphore, selon moi ? Avais-je déjà réfléchi à telle interprétation ?

Je me rappelle un matin où je l'avais interrompu pour lui donner ses œufs et son porridge. Par Crowley, qu'est-ce qu'on mangeait comme porridge ! Même les poules, je les nourrissais avec de l'avoine. Avec la magie, on peut augmenter les quantités de nourriture, en fabriquer à partir de bougies ou d'oreillers, faire venir des oiseaux du ciel ou des biches des forêts... Mais parfois, il n'y a absolument rien.

C'était le cas chez nous : de temps en temps, il n'y avait rien.

— Lucy, a-t-il dit ce matin-là, les yeux brillants car il ne s'était pas couché de la nuit.

— Bonjour, Davy. Mange quelque chose.

— Je crois que j'ai réussi, Lucy.

Il a passé son bras autour de ma taille et m'a attirée contre lui, j'aimais quand il était comme ça.

— Et si les oracles avaient toujours eu les mêmes visions parce qu'il n'y avait pas de prophéties ? Si c'était des instructions, et non des prophéties, Lucy ? Pour nous guider dans le changement et non pour prédire l'avenir ? Et nous, nous sommes là, à attendre d'être sauvés, alors que les prophéties nous disent comment nous sauver nous-mêmes !

— Comment ?

— Avec le Mage Suprême.

Il est de nouveau parti. Il est revenu avec d'autres livres. Et aussi des pots d'huile et de sang qui n'était pas rouge. Je ne sais pas quand il dormait ; pas avec moi, en tout cas.

Je faisais de longues promenades à travers champs. J'ai envisagé d'écrire à Mitali, mais je savais que si je lui disais la vérité, elle volerait jusqu'ici sur un balai. Et je n'étais pas prête à partir.

Pas une seconde, je n'ai voulu quitter Davy.

Presque tout est sa faute, je veux que tu sois en colère contre lui. Je n'ai pas souhaité partir. Et je ne lui ai pas demandé de me laisser m'en aller. Jamais.

Je croyais que... quelle que soit la suite des événements, c'était mieux d'être là, avec lui. Je pensais que ça l'aiderait, d'être proche de moi, lié à moi. Comme un cerf-volant avec une ficelle. Je me disais que, tant que je serais là, il ne perdrait pas complètement les pédales.

Il a tué mes deux poules.

Un soir, il s'est glissé dans le lit en sentant la boue et le plastique brûlé et il a soulevé mes cheveux pour m'embrasser dans la nuque.

— Lucy.

J'ai roulé sur le côté pour le voir. Il souriait. Son visage semblait jeune, comme si toute son amertume avait été effacée d'un coup d'éponge.

— J'ai trouvé, a-t-il dit en m'embrassant sur les joues, puis sur le front. Le Mage Suprême, Lucy : c'est à nous de l'amener.

J'ai ri. Le voir content m'emplissait de bonheur. Et j'étais heureuse d'avoir son attention.

— Comment, Davy ?

— Juste comme ça.

J'ai secoué la tête. Je ne comprenais pas.

Il m'a poussée doucement pour que je m'étende sur le dos en continuant de m'embrasser dans le cou.

— Tous les deux. C'est nous qui allons le faire.

Ses baisers descendaient sur ma poitrine.

— Tu parles d'un bébé, Davy ?

Il a levé la tête et m'a souri.

— Qui mieux que nous peut élever notre sauveur ?

LIVRE QUATRE

70

NICODEMUS

ELLE VA PAS ME PARLER. ELLE L'A PAS FAIT, TOUT ce temps-là. Parce que c'est contraire au règlement.

Avant, quand on était enfants, elle s'en souciait pas autant. On décidait de nos propres règles. On était de telles brutes, qui aurait osé nous arrêter ?

J'oublierai jamais la fois où Ebeneza a jeté un sort pour abaisser le pont-levis pour qu'on puisse tous les trois filer en ville se bourrer la gueule. La tête de la directrice quand elle a chopé sa propre sœur complètement torchée ! (Fiona ne tient pas du tout l'alcool, même pas le cidre.) Mme Pitch était rouge de colère, debout sur la pelouse, en cloque de neuf mois, avec sa chemise de nuit.

Ebb a eu sa baguette et tout son matos confisqués pendant une semaine : c'est elle qui nous avait entraînés. Du coup, la nuit d'après, c'est avec *ma* baguette qu'Ebb a fait descendre le pont-levis. (On pouvait toujours utiliser les trucs l'un de l'autre.) Elle avait un putain de cran.

Évidemment, on s'est encore fait gauler.

Le problème, c'était pas qu'on fasse le mur. C'était qu'on était jeunes, et libres, et gonflés à bloc avec la magie. Qu'est-ce que Mme Pitch allait bien pouvoir faire ? Virer sa sœur et les deux magiciens les plus balèzes de Watford ?

Impossible de renvoyer Ebeneza : ils avaient trop la trouille qu'elle se retourne contre eux, ensuite. Qu'elle comprenne qu'avec toute sa magie elle pouvait faire plus que s'amuser à coller les bureaux au plafond ou attirer tous les caniches du coin comme le joueur de flûte.

Moi, j'avais pigé. Ce qu'Ebb pouvait faire. Et ce que moi, je pouvais faire.

J'arrive dans notre rue et je coupe par l'allée pour entrer dans le jardin de derrière. Le portail grince. J'ai quelques minutes d'avance, mais Ebb sera à l'intérieur, de toute façon. Je m'approche du sapin et m'assois sur le banc de Maman.

Je me grillerais bien une clope.

J'ai arrêté de fumer quand je suis passé de l'autre côté, il y a presque vingt ans. Mais ce petit enfoiré de Pitch m'a soufflé sa fumée au visage et ça m'a redonné envie.

Fio et moi, on se les roulait, avec du papier mentholé.

Ebeneza voulait pas y toucher. Elle disait que le tabac encrassait sa magie.

— Ta sœur, elle veut rester pure, me disait Fiona pour se moquer. Comme une athlète. Comme Lady Di.

On arrêtait pas de la charrier, Ebb, parce qu'elle était vierge. Je parie qu'elle l'est encore, c'est sûr. (Ça compte, avec des filles ?)

La porte arrière s'ouvre. Je regarde. C'est pas Ebb. Juste quelqu'un qui va fumer. Je connais pas. Je ferme les yeux et je respire la fumée. Ce nez de vampire, au moins, il sert à quelque chose.

Ebb va pas tarder à sortir. Elle traversera le jardin et s'appuiera contre le portail. Et elle m'adressera pas la parole. C'est ça le deal. La règle.

Elle parlera, c'est tout.

Elle racontera au vent comment elle s'en sort. Elle mettra au parfum la lune de Noël sur toutes les histoires de famille.

Parfois, elle fait un peu de magie. Pas pour moi. Juste pour le plaisir. Tout ce qui vit, dans le coin, vient dire bonjour à Ebb. Même en plein hiver, quand il fait un froid de gueux. L'an dernier, un cerf s'est pointé au bout de l'allée, tranquille, et est venu poser sa tête sur la main d'Ebeneza. Dès qu'elle est partie, j'ai sorti mon couteau et je l'ai éventré pour me taper son sang. Elle se doutait que j'allais le faire, à tous les coups. Peut-être même que c'était son cadeau.

En tout cas, après, j'ai dû traîner le cadavre du cerf pendant une plombe avant de trouver une poubelle assez grande.

Ebb va bientôt arriver. Et elle parlera. Et moi, j'écouterai. Je dirai pas un mot : je crois qu'Ebb, elle aimerait pas trop. Ça serait un peu comme une conversation. On risquerait de plus respecter la règle.

Et puis, qu'est-ce que je pourrais dire, en plus ? J'ai rien à lui raconter qu'elle ait envie d'entendre. Que des nouvelles qui lui donneraient la nausée. Tout ce qu'elle veut savoir, Ebeneza, c'est que je suis toujours là. Fidèle à moi-même.

La plupart du temps, ma sœur parle de l'école. Des terrains. Des chèvres. Des gamins. De la dryade à laquelle elle arrête pas de penser depuis six ans. Rien sur le Mage. Ebb a jamais été politique. J'imagine qu'elle l'évite, même si un jour elle a raconté qu'ils avaient eu une méga-engueulade parce qu'un des loups-sirènes du Mage avait mangé une de ses chèvres.

J'ai jamais vu les loups-sirènes. J'en ai juste entendu parler par Ebb. Je crois bien que c'est le seul animal qu'elle aime pas. Elle dit qu'ils se jettent contre le pont-levis pour essayer de monter. Même que le pont tremble quand les enfants et les chèvres passent dessus. Une fois, y en a un qui a réussi. Après il s'est traîné sur la pelouse en grognant, jusqu'à ce qu'Ebb se ramène et lui jette un sort pour le renvoyer dans l'eau. « Maintenant, quand le pont est abaissé, je les endors avec un sortilège. Ils coulent au fond des douves. »

Celui – ou celle – qui est sorti se griller une clope vient de la terminer et rentre en claquant la porte derrière lui.

J'étais en avance, mais là, c'est Ebeneza qui est en retard. Carrément, même.

Le bruit a cessé, dans la maison. Les gamins doivent être au lit. Ebb dit que tous nos frères et notre petite sœur ont des chatons, en ce moment. Avant de passer de l'autre côté, j'ai jamais pensé à avoir des mioches. Maintenant, si. Moi et Fio. Quelques mômes. Si elle s'était mise avec moi, dans sa famille, ils auraient eu une attaque. Je parie qu'elle a jamais eu personne… Je sais où elle est, Fio, maintenant. Nos routes vont se croiser, si je laisse faire. Je crois pas non plus qu'elle ait trop envie de m'entendre.

Ebb est en retard.

Elle a peut-être oublié.

Ça lui ressemble pas, pourtant. Ça lui est jamais arrivé.

Je peux pas l'appeler. Je sais même pas si elle a un portable.

Je me lève et je fais quelques pas sous l'arbre. En général, Ebb lance un sort pour que personne me voie.

Je commence à flipper. Je m'approche de la maison, discrètement. Si quelqu'un se pointe, je devrais l'entendre. Il fait noir dans la maison. Une des vitres de la cuisine est fendue, mais je sens rien. Ebb est censée aider Maman à préparer le dîner. Un jambon fumé, il paraît. Et un pudding. D'habitude, Ebb m'apporte une assiette dehors.

Je monte les marches et je regarde à l'intérieur par la porte vitrée. La cuisine est vide. J'entends rien.

Je tourne la poignée sans trop y croire, mais la porte s'ouvre. J'avance d'un pas en faisant gaffe : je suis pas sûr d'avoir le droit. Apparemment, la maison m'accepte et je reste là un moment, mal à l'aise de me retrouver sur le seuil de la cuisine de ma mère.

Je sens la gamine avant de la voir…

Elle est cachée derrière la porte et me regarde.

— C'est toi, Tata ?

— Tata ? dis-je. J'ai l'air d'une tata ?

— Je croyais que c'était Tata Ebb. Tu lui ressembles.

C'est une petite blonde, dans une chemise de nuit rouge. Elle doit être à ma sœur Lavinia. La dernière fois que je l'ai vue, Vinnie devait avoir à peu près cet âge.

— Je suis un parent, dis-je. Je voulais parler à Ebb. Tu peux aller la chercher pour moi ? Elle ne sera pas fâchée.

Pas contre la petite, en tout cas.

— Tata Ebb est partie, lâche la mioche. Avec le Mage. Mamie pleure encore. On ne peut même pas fêter Noël.

— Le Mage ?

— Oui, le Mage, répète la gamine. J'ai entendu tout le monde le dire. Maman dit que Tata Ebb a été arrêtée.

— Arrêtée ! Pourquoi ?

— Je ne sais pas. J'imagine qu'elle n'a pas respecté le règlement.

Je dévisage la mioche. Elle aussi me dévisage. Puis je fais demi-tour.

— Où tu vas ? crie-t-elle dans mon dos.

— Chercher ta tata.

71

SIMON

QUAND J'OUVRE LES YEUX, J'AI FAIM.

Mais avant même d'être vraiment réveillé, je me rends compte que ça n'est pas *moi* qui ai faim.

L'air est sec. Et irritant. La peau me tire, comme si des aiguilles me piquaient.

Je me redresse et je secoue la tête. La sensation ne part pas. Je prends une profonde inspiration. Maintenant ça me picote aussi dans les poumons. Comme du sable. Ou du verre pilé.

Le Humdrum.

Je lance un coup d'œil au lit de Baz. Il est défait, les couvertures et les draps sont rejetés sur le côté. Il n'est pas là. Je me lève d'un bond et me précipite hors de la chambre. Dans le couloir noir comme de l'encre, je murmure : « Baz. »

Personne ne répond.

Je suis à la trace la sensation désagréable : je descends l'escalier, me retrouve devant la porte d'entrée de la demeure. Dans la nuit, le ciel et la neige sont si éclatants qu'ils projettent une lumière dans le hall. J'ouvre la porte et me rue dehors, dans la neige.

La sensation est encore plus forte. Pire. J'ai l'impression de me trouver dans une des zones mortes du Humdrum. Mais quand je convoque ma magie, elle est là : elle parcourt ma peau et frémit jusqu'au bout de mes doigts. Elle se concentre dans ma bouche.

J'essaie de l'atténuer.

Je continue de suivre le picotement qui est dans l'air. (Je devrais retourner à l'intérieur. Mettre des chaussures.) Je me mets à courir vers la forêt des Pitch qui encercle leur demeure comme un rideau.

Je porte le pyjama rayé à rayures rouges et or de Baz, trempé contre mes cuisses. La sensation de faim est plus puissante à chaque pas. Elle m'aspire. Je sens ma magie qui glisse, qui coule sur ma peau. Une branche d'arbre me fouette et s'enflamme.

J'avance encore.

Je ne sais pas où je vais. Jamais je n'ai été dans cette forêt. Elle est très dense. Je ne suis pas sur un chemin, il n'y a pas de clairière.

Quand je l'entends rire, je m'arrête si brusquement que ma magie est projetée en avant et s'éparpille autour de moi.

Il est juste là, appuyé contre un arbre.

Le perfide Humdrum.

Moi.

— Bonjour, dit-il en lançant sa balle rouge en l'air.

Il la rattrape, fronce un instant les sourcils dans ma direction, la glisse dans la poche de son jean.

— Tu peux parler, dis-je.

— Je peux, maintenant ; je peux faire toutes sortes de choses.

Il tend la main vers une fine branche. La branche passe au travers. Il fait une grimace et réessaie. Cette fois, ses doigts se referment autour de la tige et il l'arrache. Il me dévisage et me sourit, comme s'il attendait que je sois fier de lui.

— Pourquoi tu me ressembles ? je crie.

Ça reste la question la plus importante.

— Je ressemble à ça, c'est tout, rit-il. Pourquoi je ne devrais pas te ressembler ?

— Parce que tu n'es pas moi.

— Non, répond le Humdrum en fronçant de nouveau les sourcils. Regarde-toi. Chaque fois que je te vois, tu es différent. Et pourtant, je te ressemble toujours.

Il a encore la branche à la main. Il la casse en deux puis la jette et avance vers moi.

— Tu peux faire plein de choses que je ne peux pas faire.

Je recule dans un enchevêtrement de branches.

— Pourquoi es-tu ici ? Que me veux-tu ?

— Rien, lâche-t-il. Rien de rien. Mais lui, qu'est-ce qu'il te veut ? C'est la vraie question.

J'entends quelqu'un grogner. Quelque chose bouge dans les arbres. J'aimerais voir mieux. Dès l'instant où je me formule ce souhait, ma magie devient plus brillante, je rayonne. Le Humdrum rit de nouveau.

— Simon ? lance quelqu'un.

Je crois que c'est Baz, mais quelque chose ne va pas. Comme s'il était à bout de souffle, ou qu'il avait mal.

— Baz ? Tu vas bien ?

— Non... Simon !

Puis je l'aperçois, devant moi, à quelques mètres, appuyé contre un arbre. Le Humdrum est au-dessus de nous, assis sur une branche basse ; il nous observe. Baz a la tête qui pend.

Je me précipite.

— Baz !

Il relève la tête, et là encore, quelque chose cloche. Elle est déformée. Ses yeux sont dilatés et noirs et sa bouche est remplie de couteaux blancs, ses lèvres se sont rétractées pour leur laisser la place.

Je devrais reculer, m'en aller ; à la place, je me faufile entre les arbres pour essayer de le rejoindre. Mais Baz s'éloigne.

— C'est bizarre, dit-il. J'ai faim.

— Tu as tout le temps faim, Baz.

— Non. C'est différent.

Il secoue la tête et les épaules comme un animal.

— Je t'ai vu dans la forêt, ajoute-t-il. À l'instant. Mais tu étais jeune, tu étais comme la première fois que je t'ai vu.

Il articule mal. Comme s'il parlait entre ses dents.

— J'ai cru pendant une minute que tu étais mort. J'ai pensé que c'était une Visite.

— Ça n'était pas moi.

Je fais un pas vers lui.

— Tu as vu le Humdrum.

— Tu m'as touché, continue-t-il. Je me suis penché et tu as posé tes mains sur mon visage.

— Ça n'était pas moi, dis-je.

— Et ensuite tu as envoyé quelque chose en moi.

Il recule encore, se maintient à quelques pas de moi.

— Sauf que ça n'était pas de la magie, cette fois, Simon. C'était du vide. Tu as introduit du vide en moi et tout est parti pour faire de la place.

— Arrête, Baz. Laisse-moi t'aider.

Il continue à secouer la tête. Pendant une fraction de seconde, il me rappelle le dragon rouge qui balançait sa tête d'avant en arrière.

— C'est facile avec les créatures, lance le Humdrum.

Il se trouve derrière Baz, à présent. Il tend le bras et pose sa main sur son dos voûté.

— Je me contente de prendre ce que j'ai pour le leur donner.

Baz pousse un gémissement et se redresse jusqu'à ce que son dos soit droit comme un I.

— Et qu'est-ce que tu leur donnes ? je demande.

Le Humdrum hausse les épaules.

— Rien. Je leur transmets un peu de mon rien.

Baz lève la tête vers moi : des pupilles immenses et des canines impressionnantes. Il avance d'un pas.

— Va-t'en, Simon ! J'ai faim !

— Je leur transmets un peu de mon *rien*, répète le Humdrum. Et ils sont ensuite projetés vers le grand *tout* : toi. Puis tu me donnes de nouveau du rien. C'est un super jeu.

Baz continue de s'approcher de moi. Je ne bouge pas.

— Va-t'en, Simon ! J'ai faim !

— Faim de quoi, Baz ?

— De toi ! crie-t-il. De magie, de sang, de tout. *De toi. De magie.*

Il secoue la tête si fort que tout se brouille.

Il y a un arbre entre nous. Baz l'arrache et le lance sur le côté.

— Génial, dit le Humdrum. Je n'avais jamais essayé avec un de ceux-là.

Baz se jette sur moi comme un fauve. Je brandis mes bras en avant et nous tombons par terre. Il est bien plus fort que moi, mais la magie m'habite, donc il ne m'écrase pas. Nous roulons sur le sol. Je tiens sa tête entre mes mains et écarte le plus possible sa mâchoire.

— J'ai tellement faim, gémit-il. Et tu es plein de bonnes choses.

— Tu peux les avoir, dis-je en cherchant son regard. Tu sais que tu peux les avoir, Baz.

J'appuie sur son menton, j'attrape ses cheveux pour le tirer en arrière, et je laisse s'échapper ma magie. Je l'envoie vers lui par tous les pores de ma peau. Baz pousse un gémissement et s'arrête net de se battre. C'est comme si je remplissais d'eau un puits asséché.

Ça coule.

Encore et encore.

Le corps de Baz s'affaisse contre le mien.

— Waouh…, lâche le Humdrum. C'est encore mieux que la bagarre.

Il a l'air tout près. Je lève les yeux. Il est debout, devant nous, solide comme un roc dans la lumière du clair de lune.

— Quand as-tu appris à faire ça ? C'est comme si tu avais ouvert un robinet !

— Tu lui as pris sa magie ? je hurle.

— Si je lui ai pris sa magie ? répète-t-il comme si c'était une question hilarante. Non. Je ne prends rien. Je ne suis que ce qui reste quand tu as terminé.

Il sourit, on dirait un chat qui regarde une souris. Je n'ai jamais vu une telle expression sur mon propre visage.

— Simon ! crie Baz.

Je baisse les yeux sur lui : il rayonne, à présent. Ses canines ont disparu, mais il semble toujours souffrir. Il serre mon bras.

— Ça suffit !

Je le lâche et roule sur le côté. Mais la magie continue de circuler, de sortir. Comme un robinet, exactement. Je me concentre pour le fermer. Quand j'ai l'impression que la magie est contenue en moi – je ne rayonne plus –, je me relève lentement et je reste à genoux.

— Baz ?

— Ici, dit-il.

Je me dirige à sa voix.

— Tout va bien ?

— Je crois.

Il est étendu sur le sol.

— Je me sens juste un peu… brûlé à l'intérieur.

Je regarde autour de moi : pas de Humdrum en vue. Je ne l'entends pas, non plus. Et je ne le sens pas qui aspire mon souffle.

— Il est parti ? demande Baz.

— Je pense que oui.

Je me laisse tomber à côté de lui.

— Et toi, ça va ? souffle-t-il.

— Oui, tout va bien.

Il pose un bras sur mes épaules et m'attire contre lui. Je me rapproche et laisse aller ma tête sur sa poitrine.

— Ça va ? questionne-t-il de nouveau.

— Oui. Et toi ?

— Je crois.

Il tousse. J'enfouis mon visage contre son torse.

— Qu'est-ce que c'était que ça ? interroge-t-il.

— Le Humdrum.

— Simon… est-ce que tu *es* le perfide Humdrum ?

— Non.

— Tu en es sûr ?

BAZ

Je me sens cramé.

Carbonisé.

Ce gamin – c'était bien Simon – m'a littéralement vidé. Comme s'il avait expulsé ma magie hors de moi.

Et puis Simon m'a rempli de feu.

Au plus profond de moi, j'ai alors senti le phénix renaître de ses cendres.

Simon cache son visage contre ma poitrine, je le serre contre moi.

C'était Simon. Comme la première fois. Avec son jean pourri et son tee-shirt sale. Sa peau rugueuse et cette lueur affamée dans les yeux. Quand je l'ai vu surgir entre les arbres, ce soir, j'ai eu envie de lui donner un coup de pied dans les tibias. C'était Simon, aucun doute.

Simon – l'adulte – tremble. Je l'entoure de mes bras. Ils me semblent creux, mais Simon paraît solide, plein.

Simon Snow est le Humdrum.

Ou… le Humdrum est Simon Snow.

SIMON

« Si je lui ai pris sa magie ? Non. Je ne prends rien. Je ne suis que ce qui reste quand tu as terminé. »

Je suis allongé sur Baz, ses bras m'enveloppent. Je m'évertue à chasser le visage du Humdrum de ma tête. (Chasser mon visage de sa tête.)

« Je leur transmets un peu de mon *rien…* et puis tu me donnes de nouveau du rien. »

Je m'assois et me frotte les yeux.

— Tu dois encore chasser ?

— Non, répond Baz. Je venais de finir quand il m'a trouvé.

Je m'accroupis un instant, puis je me lève et lui tends la main.

— Est-ce qu'il a dit quelque chose avant de t'attaquer ?

Baz me prend la main et se met debout. Il ne lâche pas ma main.

— Il a dit : « Tu le feras. »

Je ferme les yeux et baisse la tête.

— Il s'est servi de toi. Il t'a utilisé contre moi.

— Tout le monde le fait, dit doucement Baz.

Je sens son bras qui se glisse lentement autour de ma taille. Je m'appuie contre lui.

— Je suis désolé.

BAZ

Si Simon Snow est le Humdrum, cela fait de lui un méchant. Un super-vilain.

Est-ce que je peux être amoureux d'un super-vilain ?

SIMON

Baz tremble. Peut-être même pleure-t-il. Quoi d'étonnant après ce qui vient de se passer ? J'ouvre les yeux et je relève la tête.

Il ne pleure pas : il rit. Si fort qu'il me tombe dessus.

— Qu'est-ce qui t'arrive ? C'est le choc ?

— Tu es le Humdrum.

— Non, dis-je en essayant de le repousser.

— Je suis mort, pas aveugle, Snow. C'est toi le Humdrum.

— Ça n'était pas moi ! Pourquoi tu ris ?

Il continue de rire, mais il m'adresse aussi un sourire narquois.

— Je ris parce que tu es l'Élu, mais tu es aussi la plus grande menace pour la magie. Tu es un sale type !

— Baz, je te le jure : ça n'était pas moi.

— Il te ressemblait. Parlait comme toi. Lançait en l'air cette balle rouge infernale, comme toi.

Il me serre plus fort.

— Si j'étais le perfide Humdrum, je le saurais, je pense.

— Je ne te suivrai pas sur ce point, Simon. Tu es extrêmement dense. Et terriblement beau. Je te l'ai déjà dit ?

— Non.

Il se penche vers moi, comme pour me mordre. Sauf qu'il m'embrasse.

C'est si bon.

Chaque fois délicieux.

Je m'écarte.

— Je ne suis pas le Humdrum ! Mais pourquoi le fait de le croire te donne envie de m'embrasser ?

— Tout me donne envie de t'embrasser. Tu ne t'en étais pas encore rendu compte ? Par Crowley, tu es si dense…

Il m'embrasse de nouveau. Et rit encore.

— Je ne suis pas le Humdrum, je répète dès qu'il m'en laisse la possibilité. Je le saurais, si c'était le cas.

— Tu es une catastrophe ambulante, Simon Snow. Tu ne pourrais pas faire pire.

Il essaie de m'embrasser, mais je l'en empêche.

— Et tu aimes ça ?

— J'adore, répond-il.

— Pourquoi ?

— Parce que nous sommes assortis.

Nous rebroussons chemin pour sortir de la forêt. Baz sait par où passer. Il connaît la route par cœur.

Les bois sont remplis de cerfs, pour sa consommation personnelle. Cela ne m'effraie pas. Visiblement, je peux m'habituer à tout.

Lui aussi, apparemment.

— Cette chose n'était pas moi.

— C'est peut-être toi avant ? suggère-t-il. Tu voyages peut-être dans le temps ?

— Mais je m'en souviendrais, non, s'il est moi quand j'étais enfant ?

— Je ne sais pas comment ça marche, le voyage dans le temps. Ça n'est pas magique.

— Tu ne boites plus, dis-je.

Il baisse les yeux et remue la jambe.

— Elle va mieux. Par Crowley, tu m'as guéri. Je me demande si je suis encore un vampire…

Je hausse les sourcils, il éclate de rire.

— Rassure-toi, petit génie, j'en suis un : tu sens toujours le bacon et les petits pains à la cannelle faits maison.

— Comment je peux sentir à la fois le bacon et les petits pains à la cannelle ?

— Tu as juste l'odeur de quelque chose que je mangerais avec plaisir.

Baz s'arrête et tend le bras devant moi.

— Attends. Tu n'as pas une impression étrange ?

Je m'arrête aussi. C'est subtil, mais réel. Une sensation de sécheresse. Un picotement dans le fond de ma gorge.

— Le Humdrum, dit Baz. Il est de nouveau là ?

On entend des cris, devant nous. Quelqu'un appelle Baz.

Je porte ma main à ma hanche pour convoquer mon épée. Elle ne vient pas. Je ne sens pas un gramme de magie en moi.

Baz a sa baguette magique dans son pyjama (évidemment). Il la brandit et tente de lancer un sort. Rien ne se passe. Il réessaie.

— C'est une zone morte, dis-je tout bas. Une des zones mortes du Humdrum.

— Basilton !

La belle-mère de Baz hurle en courant vers nous. Elle est en chemise de nuit et ses cheveux sont détachés.

— Malcolm, viens, il est ici !

— Le Humdrum…, lâche Baz en me lançant un coup d'œil, plus pâle que jamais, le visage gris et blanc dans le clair de lune. Cours, Snow.

— Quoi ?

— Pars, rugit-il. C'est toi qui as fait ça.

72

SIMON

JE POURRAIS MARCHER JUSQU'À LONDRES.

Si j'avais des chaussures. Et s'il n'y avait pas autant de neige…

Quand Baz m'a dit de partir, qu'il m'a reproché la zone morte, j'ai voulu protester. Mais ses parents couraient vers nous, paniqués, et j'étais incapable de comprendre ce qui se passait. Le trou avait-il englouti leur maison ? La propriété entière ?

J'ai fait demi-tour pour m'enfuir dans la forêt, mais elle était en feu. À cause de moi. De ma magie. Et je ne pouvais rien faire pour arrêter ça, car je n'en avais plus la moindre particule.

— Pars ! a répété Baz.

J'ai obéi. J'ai couru.

Je me suis dirigé vers l'allée. Mes pieds devenaient insensibles, à cause du froid, mais j'ai continué à courir. J'ai suivi l'interminable allée. Jusqu'à la route. Loin de lui.

Et je cours toujours.

Ma magie revient d'un coup et me projette à terre, tremblant. Je n'ai toujours pas de baguette. Ni de portable…

Je pourrais faire du stop. Est-ce que quelqu'un me prendrait ? Qui pourrait passer sur cette route, au fin fond du Hampshire, en pleine nuit ? Un soir de Noël ? (Le père Noël n'est pas réel, la Petite Souris si.)

Je suis à genoux, dans la neige, sur le bord de la route. Je peux le faire, me dis-je. Je l'ai déjà fait. Il suffit de le vouloir. D'en avoir besoin.

Je me concentre. Partir. Retrouver Penny. Songer à la magie qui me remplit et jaillit par mes épaules. Et là, je les sens qui transpercent le pyjama de Baz.

De grandes ailes.

Sans plumes, cette fois. Le dragon a dû me traverser l'esprit. Ces ailes-là sont rouges, avec des taches noires aux articulations. Elles se déploient dès que je pense à elles et m'arrachent à la neige.

J'enlève ce qui reste de ma veste de pyjama en flanelle. Je ne réfléchis pas à comment voler, seulement à où je veux aller – *En haut ! Loin !* –, et je décolle. Il fait plus froid, là-haut, alors je pense à la chaleur et aussitôt une onde brûlante parcourt ma peau.

La maison de Baz se trouve en dessous de moi, au loin. Le feu que j'ai déclenché est toujours actif. Je regarde la fumée qui s'élève de la forêt et j'essaie de m'approcher. Impossible. Je suis constitué de magie, et là-bas, il n'y en a plus.

Je plane dans le ciel.

Je songe à éteindre le feu. Les nuages sont gorgés de pluie glaciale, alors je pense à les envoyer au-dessus de la forêt, et c'est ce qu'ils font.

Puis je me rappelle Baz me disant de partir.

Je m'éloigne.

Et j'arrête de penser.

73

PÉNÉLOPE

C'EST MA PETITE SŒUR, PRIYA, QUI EST ALLÉE À LA porte. Elle guettait le père Noël. Avec une sacrée détermination : elle a tenu jusqu'à quatre heures du matin. Mes parents dormaient déjà depuis longtemps.

Elle a entendu frapper et a cru que c'était le père Noël en personne. Comme il n'y a pas de cheminée chez nous, elle a dû penser qu'il entrerait par la porte.

Quand elle a ouvert, Simon s'est écroulé à l'intérieur. Elle a poussé un hurlement à réveiller un mort. Je la comprends, on aurait dit Satan incarné, avec ses grandes ailes rouge et noir et sa queue avec une fourche au bout. Il avait dû se jeter un drôle de sort, il brillait d'un jaune-orangé, était couvert de neige et de saleté et portait un bas de pyjama chic mais répugnant.

Maman et Papa ont entendu Priya hurler et ils ont descendu l'escalier à toute allure. Maman s'est mise à crier à son tour, Papa aussi, et il a dû empêcher Maman de lancer des malédictions. Elle croyait que Simon était possédé, ou qu'il s'était transformé en Lucifer.

Moi et les autres, nous nous sommes également précipités dans l'entrée (sauf Premal, qui n'est même pas revenu à la

481

maison pour Noël). Quand j'ai vu Simon, j'ai couru vers lui. Je n'ai pas eu peur un quart de seconde.

Ça a aussitôt calmé Maman et Papa.

Elle a commencé à envoyer des sorts pour réchauffer Simon et Papa a apporté un bol d'eau et une serviette pour le laver un peu. On a fini par l'emmener dans la salle de bains. Il tenait à peine debout, tant il était épuisé. Il n'arrivait même pas à nous dire d'où il venait. Je suppose qu'il était retourné chez Baz, mais je ne voulais pas que mes parents sachent qu'on l'avait laissé sur la route, au milieu de nulle part, le soir de Noël.

J'ai aidé mes parents à lui donner une douche. On s'en fichait que je le voie nu. Ensuite, Maman lui a mis un genre de pantalon à elle en essayant de ranger sa queue le long de sa jambe.

Je n'arrêtais pas de lancer ***Bêtises !***, jusqu'à ce que Maman m'ordonne de me taire.

— Ça ne marche pas, Penny.

— Pourtant ça a marché, la dernière fois.

— Peut-être que ça n'est pas un sortilège, mais qu'il a changé, a dit Papa.

— Ou bien il a évolué, comme un Pokémon, a ajouté Priya, à la porte de la salle de bains.

— Va te coucher, a lancé Papa.

— J'attends le père Noël !

— Va au lit immédiatement ! a crié Maman.

Elle aussi, elle jetait des sorts : ***Tel que tu étais !*** et ***Retour à la case départ !***.

— Fais attention, Mitali, a conseillé Papa. Tu vas le transformer en bébé.

Mais aucun des sorts de Maman n'atteignait Simon. Elle a même essayé en hindi. (Elle ne parle pas le hindi, mais mon arrière-grand-mère le parlait.) Aucun résultat.

Ils l'ont installé dans mon lit et Papa a suggéré qu'on prévienne le Mage, mais Maman a déclaré qu'il valait mieux attendre de savoir ce que Simon préférait.

(Il paraissait conscient, mais il ne prononçait pas un mot et on ne pouvait pas croiser son regard.)

Ils ont continué d'en discuter après avoir quitté la chambre et fermé la porte.

— Va te coucher, Priya ! s'est énervé mon père.

Je me suis étendue à côté de Simon et j'ai posé ma main avec la bague sur son aile rouge.

— *Bêtises !* ai-je murmuré. *Bêtises !*

74

SIMON

JE ME RÉVEILLE LE MATIN DE NOËL DANS LE LIT DE
Pénélope.

Elle est assise à côté de moi et m'observe.

— Qu'est-ce qu'il y a ? dis-je.

— Ouf ! Merci la magie ! J'avais peur que tu ne reparles
plus jamais.

— Pourquoi ?

— Parce que tu n'as pas prononcé un mot, cette nuit. La
vache, Simon, qu'est-ce qui t'est arrivé ?

Je suis allongé sur le ventre. J'essaie de rouler sur le dos.
Impossible. Les ailes doivent encore être là. Le simple fait d'y
penser et hop ! elles se déploient de nouveau, cognant Penny.

— Simon !

— Désolé !

J'essaie de les replier.

Penny attrape le bout d'une aile entre le pouce et l'index.

— C'est censé être permanent ? demande-t-elle.

— Je ne sais pas. Ça n'est pas volontaire, en tout cas.

— Nous avons essayé des tonnes de sorts, hier, mais aucun
n'a marché.

— Qui ça « nous » ?

— Mes parents et moi. Tu te souviens au moins d'être arrivé jusqu'ici ?

— Vaguement… Je me rappelle que je volais. D'en haut, je ne me repérais pas dans Londres. Alors j'ai dû aller jusqu'à la grande roue, et survoler les rues à partir de là pour trouver ta maison. J'étais toujours venu chez toi en métro.

— Je me demande si quelqu'un t'a vu.

— Je ne sais pas. J'ai essayé de penser à être invisible…

— Comment ça ?

Je ferme les yeux et je me concentre sur les ailes, maintenant. Je songe au fait que je n'en ai plus besoin. Je sens la magie monter en moi. (Ces derniers temps, c'est toujours comme ça : elle vient du fond de ma gorge.) Je me répète à plusieurs reprises que je n'ai plus envie de voler et j'imagine les ailes qui rentrent dans mon dos.

Quand je rouvre les yeux, Penny me regarde fixement, le pouce et l'index en l'air, à l'endroit où se trouvait l'aile. Visiblement flippée.

— Qu'est-ce que tu viens de faire ?

— Me débarrasser des ailes.

— Et la queue ?

Je tends la main et touche la peau visqueuse d'une queue.

— Quelle horreur !

Je me la représente en train de disparaître et elle me file entre les doigts pour retourner en moi, égratignant ma paume au passage.

— Pourquoi tu avais une queue ? questionne Penny.

— Aucune idée, dis-je en m'asseyant. Je devais avoir le dragon en tête.

— Simon…

Elle secoue la tête.

— Que s'est-il passé, hier soir ?

— Le Humdrum. Il m'a attaqué chez Baz. Il a essayé de se servir de lui contre moi.

— Il a créé le plus grand trou qui existe en Grande-Bretagne.

— Comment ça ?

— Mon père a été prévenu ce matin. Tout le Hampshire est parti.

— Quoi ?!

— Papa et ses assistants sont sur place, à présent, mais les Pitch leur ont interdit de venir sur leur propriété. Ils disent que c'est un acte de guerre.

— De la part du Humdrum ?

— Non, du Mage. Ils prétendent qu'il contrôle le Humdrum ; que peut-être, même, le Mage *est* le Humdrum. Les Anciennes Familles ont convoqué un conseil de guerre, personne ne sait où il se tient. Maman dit que le Mage te cherche mais elle refuse de lui révéler que tu es ici. Sauf si tu le souhaites. Tu veux qu'elle le lui dise ?

— Je ne sais pas... Peut-être que oui... Mais pourquoi les Pitch considèrent que c'est la faute du Mage ?

Penny se mord la lèvre et baisse les yeux.

— À cause de toi, je crois, Simon. Tout le monde raconte que tu es allé chez les Pitch le soir de Noël et que tu as organisé un genre de cérémonie de magie noire pour faire disparaître leur magie.

— Je me suis battu contre le Humdrum ! Enfin, j'ai essayé... Il a fait quelque chose à Baz : il l'a envoyé contre moi, comme il le fait avec les créatures maléfiques.

— Et tu t'es battu contre Baz ?

— Non ! Je lui ai transmis ma magie pour qu'il puisse repousser le Humdrum. C'était comme un sortilège. Le Humdrum était là, Penny, et il me ressemblait, de nouveau. Mais cette fois, il m'a parlé. Avec la même voix que moi. Il nous regardait. Et puis... il a disparu. Et s'il avait volé la magie de la maison de Baz pour se venger ? Parce que je l'ai battu ?

Penny continue de se mordre la lèvre.

— Je ne comprends toujours pas pourquoi tu avais une queue.

— Je... je devais m'enfuir de cet endroit.

Je me prends la tête entre les mains. J'essaie de me rappeler précisément comment se sont déroulées les choses.

— Quand Baz est redevenu lui-même et que nous sommes sortis de la forêt, nous sommes arrivés en plein dans une zone morte. Ses parents étaient paniqués et Baz m'a dit de partir. Et c'est ce que j'ai fait. Il n'y avait pas trente-six moyens de venir ici.

— Donc tu as volé.

— Ouais.

Elle a l'air presque plus inquiète que lorsque nous avons été kidnappés.

— Tu as utilisé quel sortilège, Simon ?

— Ça s'est passé comme la dernière fois, Penny. Je n'ai pas lancé de sort. J'ai... j'ai simplement fait ce qu'il fallait.

Elle se frotte les cuisses avec les mains, les yeux dans le vague.

— Penny ?

— Ouais, répond-elle sans lever la tête.

— Qu'est-ce que je dois faire ?

Elle soupire.

— Je ne sais pas, Simon. Peut-être qu'Agatha a raison.

Elle croise enfin mon regard.

— Il est peut-être temps de parler au Mage.

Penny décide que nous devons d'abord déjeuner. Un déjeuner tardif car j'ai pioncé une bonne partie de la matinée.

Ses parents sont partis et il n'y a rien d'autre dans le frigo qu'une dinde crue. Comme Penny ne se fait pas confiance pour lui lancer un sort de cuisson, nous nous contentons de céréales, de pain grillé et de bonbons.

Sa petite sœur débarque.

— C'est à cause de toi que le père Noël n'est pas venu, me lance-t-elle. Tu lui as fait peur.

— Il va venir, Priya, dit Penny.

Ils sont cinq enfants : Premal, Penny, Pacey, Priya et Pip. (Penny dit que sa mère devrait être poursuivie pour cruauté envers des enfants et son père pour négligence.)

— Le père Noël, c'est un mensonge, crie Pacey depuis le salon. Comme Dieu.

Je ne connais pas très bien Pacey. Il est à Watford, en cinquième année, mais Penny et lui ne s'entendent pas. Ses frères et sœurs et elle se disputent en permanence. Je crois qu'ils ne savent pas communiquer autrement.

Je me sens encore trempé et gelé, alors que je suis tout ce qu'il y a de plus sec, avec des vêtements de Pacey. (Je me suis réveillé avec une espèce de survêtement de fille.) Et même si je ne sentais pas cette étrange queue de dragon quand je l'avais, maintenant qu'elle est partie, ça me fait mal. Mes céréales passent difficilement, j'ai du mal à les avaler.

J'essaie de ne pas m'inquiéter pour la suite. Penny a raison, nous irons voir le Mage. Il nous dira.

Quand quelqu'un frappe à la porte, aussitôt je pense à lui. Priya s'élance pour ouvrir, mais Penny la devance. Je bondis et convoque mon épée, par sécurité.

C'est Baz.

Debout sur le pas de la porte, il porte de nouveau son costume vert foncé et sent vaguement la fumée. La main dans la poche, les sourcils froncés, il lève le menton.

— Laisse-moi entrer, Bunce. C'est pas le moment de plaisanter.

— Est-ce que je t'ai invité ? répond-elle.

Il ricane et elle s'écarte en faisant une révérence avec un geste de la main.

— Je t'en prie.

Il passe devant elle et parcourt le salon du regard.

— Où est le bureau de ton père ?

— Mon père n'est pas là, il est chez toi. Qu'est-ce qui te fait croire que je te laisserai entrer dans son bureau ? Et qu'est-ce que tu fais là, d'ailleurs ?

— Je suis ici parce que nous avons un accord, lâche-t-il en me dévisageant de la tête aux pieds.

Penny avance d'un pas pour s'interposer.

— Si tu tentes quoi que ce soit sur Simon dans ma maison, je massacre toute ta famille, Basilton. Ça sera tellement violent qu'ils ne seront même pas capables de trouver le Voile. Simon n'est pour rien dans tout ça.

Il ricane de nouveau.

— C'est là que tu te trompes. Montre-moi le bureau de ton père. Il y a des cartes ? Je suppose que oui.

Nous le regardons tous les deux. Moi, parce que je ne peux pas m'en empêcher ; Penny, parce qu'elle est choquée.

— C'est toujours la trêve ! lance-t-il. Allez, dépêchez-vous !

Je hoche la tête.

— C'est bon, Penny. Montre-nous où c'est.

Elle soupire.

— D'accord, mais vous ne touchez à rien. Ni l'un ni l'autre.

Nous montons l'escalier derrière elle. Baz me donne un coup de coude.

— Ça va, Snow ? demande-t-il doucement.

— Ouais. Et toi ?

— Bien.

— Et ta magie ? dis-je.

— Ça va.

Il m'effleure le dos, si légèrement que je me demande s'il l'a vraiment fait.

Nous arrivons dans le grenier, là où travaille le père de Penny. C'est la première fois que j'y mets les pieds. La pièce est tapissée de cartes. Celles qui sont affichées aux murs sont couvertes d'épingles et de fils tendus. D'autres, étalées sur les tables hautes, sont maintenues en place à l'aide de pots à crayons. Un pan de mur entier sert de tableau noir, sur lequel sont alignés des colonnes de chiffres et des bouts de phrases.

— Charmant, lâche Baz.

Il fait le tour de la pièce, jusqu'à ce qu'il trouve ce qu'il cherche.

— Voilà, dit-il. Déjà étiqueté.

Je viens derrière lui. C'est une carte du Sud-Est avec un fil rouge autour du Hampshire. Au milieu est planté un petit drapeau, sur lequel est inscrit *Réveillon de Noël 2015*.

— Hier soir, le Humdrum a attaqué Simon et le plus grand trou de l'Angleterre est apparu.

Il se retourne et nous regarde.

— Quand est-ce que le dragon a attaqué Watford ? Quel jour ?

Je hausse les épaules.

— C'était après notre examen de Formules magiques, dit Penny. À la mi-novembre.

— C'est ça…

Baz parcourt la pièce en lisant les inscriptions sur les drapeaux. Il s'arrête devant une carte de l'Écosse.

— C'est là, 15 novembre. L'île de Skye.

— Tu es en train de dire que le Humdrum est lié aux trous ? demande Penny. Ça, on le sait déjà.

— Patience, Bunce… Maintenant, quand sont apparus les premiers trous ?

— On doit vraiment utiliser la méthode socratique ?

Baz la dévisage en fronçant les sourcils. Elle soupire.

— Personne ne sait vraiment. Nous n'avons pas fait de recherches sur les trous avant 1998, mais à l'époque, il en existait déjà des petits partout dans le pays.

Il hoche la tête et l'interrompt.

— Et quand es-tu né, Simon ? Je ne le sais pas. Je ne t'ai jamais vu fêter ton anniversaire.

Je hausse de nouveau les épaules.

— Je ne sais pas. Personne ne le sait. Ils ont juste une idée de quand on m'a trouvé.

— Mais tu dois bien avoir dix-huit ans, maintenant. Peut-être même dix-neuf ?

— Sur mes papiers, ils ont mis 1997.

Baz hoche la tête.

— Bien. 1997 : peu de temps avant que les trous ne soient découverts. Et quand t'es-tu rendu compte que tu étais un magicien ?

Penny écoute attentivement. Nous n'avons jamais évoqué ça, tous les deux. Je n'aime pas en parler.

— Je ne m'en suis pas rendu compte. C'est le Mage qui me l'a dit.

Baz me cloue littéralement au mur avec son regard.

— Et comment le Mage était-il au courant ? Comment t'a-t-il trouvé ?

Je tousse légèrement.

— J'ai explosé.

Tous deux savent ce que cela signifie. Mais à onze ans, je n'en avais aucune idée. Je me suis réveillé en pleine nuit, à cause d'un sale cauchemar. J'avais faim en me couchant et j'ai rêvé que mon estomac était en feu. Je me suis réveillé, haletant, et la magie coulait de moi. Jaillissait, même. L'orphelinat avait entièrement brûlé et tous ceux qui y étaient se retrouvaient à des centaines de mètres de là. Indemnes, mais quand même, à des centaines de mètres ! (Une fois, j'ai vu une émission sur les tornades en Amérique qui montrait comment des meubles étaient emportés et déposés dans une cour quelques kilomètres plus loin, intacts. C'était la même chose.)

— Tu illumines l'atmosphère magique comme un sapin de Noël, raille Baz.

— Comme un bombardement intensif, même, renchérit Penny. Ma mère a failli vomir quand c'est arrivé.

— Donc ? répète Baz. Quand as-tu explosé la première fois ?

— En août, dis-je, mais il le sait déjà. L'année où je suis rentré à l'école.

— Août 2008, lâche Baz.

Il circule à travers la pièce.

— C'est là, indique-t-il en montrant une zone morte. Et là.

Nous regardons la carte, Penny et moi. Elle avance d'un pas. Elle brandit son index en direction d'un fil qui dessine un cercle.

— Et dans le Newcastle…, ajoute-t-elle doucement. Et plein d'autres petits, sur la côte. Les trous ont changé cette année-là. Mon père dit qu'ils ont métastasé.

— Mais… mais je n'étais dans aucun de ces endroits ! je proteste. Je ne me suis jamais trouvé sur le lieu d'une nouvelle zone morte jusqu'à hier soir.

Baz se tourne vers moi.

— Je ne pense pas que tu aies besoin d'y être pour que cela se produise.

— Quand as-tu explosé avec la chimère, Simon ? demande Penny.

— En cinquième année, répond Baz. Printemps 2013.

— Là, lance Penny en indiquant un drapeau. Et c'est un gros.

— Vous êtes en train de dire que je suis le Humdrum ?

Je m'écarte d'eux.

— Je ne suis pas le Humdrum !

Baz croise mon regard.

— Je sais. Mais rappelle-toi, Simon : le Humdrum nous a expliqué qu'il ne prenait pas la magie, qu'il n'était que « ce qui reste quand tu as terminé ».

— Je ne comprends même pas ce que ça veut dire, Baz !

J'ai l'impression d'être sur le point d'exploser. Je sens des picotements au bout des doigts.

— Ça signifie que le Humdrum ne prend pas la magie, Simon. C'est toi qui la prends.

Penny fait un drôle de bruit.

— Simon… La première fois que tu as explosé, tu avais onze ans…

— Exactement, intervient Baz. À cette époque, tu devais avoir un tee-shirt pourri, un jean immonde et t'amuser à lancer cette foutue balle rouge…

Ils se dévisagent l'un l'autre, à présent.

— Simon a explosé, poursuit Penny. Et il a aspiré tellement de magie…

Baz hoche la tête vigoureusement.

— … qu'il a fait un trou dans l'atmosphère magique ! conclut-elle.

— Un trou en forme de Simon…, complète Baz.

Je me prends la tête dans les mains. Tout cela n'est pas logique.

— Vous voulez dire que j'ai créé un jumeau diabolique ?

— J'en ai bien l'impression, répond Baz.

— C'est comme un écho, ajoute Penny, encore abasourdie.

Baz se lance dans une explication :

— En fait, tu produis tellement de magie, chaque fois, que c'est comme si tu laissais des empreintes digitales… Des empreintes de ton être.

— Mais…, je commence.

— Mais…, me coupe Penny en secouant la tête, pourquoi l'atmosphère magique ne s'adapte pas à Simon, comme elle le fait avec les magiciens puissants ? C'est un système équilibré, normalement.

— Comme la Terre, précise Baz. Mais si tu rases une forêt, l'écosystème ne se rétablit pas immédiatement.

— C'est absurde ! je m'exclame. Même si j'ai engendré un trou qui a la même forme que moi, comment est-il devenu vivant ? Et pourquoi est-ce un monstre ?

— Est-il vraiment vivant ? questionne Penny.

— Et est-ce vraiment un monstre ? continue Baz.

— On parle du perfide Humdrum, quand même ! je crie.

— On parle d'un trou, réplique Baz calmement. Réfléchis. Que veulent les trous ?

— Être remplis ? dis-je.

J'ai du mal à suivre.

— Par Crowley, non ! s'exclame Baz. Ils cherchent à grandir. Comme tout. Si tu étais un trou, tu ne rêverais que d'une chose : être plus grand.

— C'est ça, Baz ! s'écrie Penny en le prenant dans ses bras. Tu es un génie !

Il attend une seconde avant de la repousser.

— Attention. Je suis aussi un vampire.

Je m'affale contre un des murs. Quelques épingles tombent par terre.

— Je ne pige toujours pas.

— Tu es trop puissant, Simon, explique Penny. Tu utilises trop de magie à la fois. L'atmosphère magique ne le supporte pas : quand tu exploses, elle se déchire.

— En théorie, précise Baz.

— En théorie, en effet, accorde-t-elle.

— Mais…, dis-je.

Il y a forcément encore des « mais ».

— Pourquoi le Humdrum continue de vouloir me tuer ? Pourquoi il envoie toutes les créatures maléfiques de Grande-Bretagne à ma poursuite ?

— Il ne cherche pas à te tuer, indique Baz. Il essaie de te forcer à exploser.

— Et à utiliser plus de magie, enchaîne Penny.

Baz lève la main et montre les cartes, derrière lui.

— Pour faire un plus grand trou.

Je les regarde.

Ils me regardent.

Ils ont l'air si contents d'eux, et tellement excités, comme s'ils n'étaient pas en train de dévisager la plus grande menace qu'ait jamais connue le monde magique.

— On doit raconter ça au Mage, dis-je.

Baz se décompose.

— Pour ça, vous devrez me passer sur le corps.

75

BAZ

— SI TOUT ÇA EST VRAI, NE SERAIT-CE QU'EN partie, alors on ne peut pas garder ça pour nous, déclare Snow. Nous devons aller voir le Mage.

Je savais que ça arriverait.

Que ça serait sa proposition, sa solution aux problèmes.

Depuis le début, je me doutais que Simon courrait voir le Mage quand les choses deviendraient sérieuses.

— Plutôt crever, dis-je. Ce que nous devons faire, c'est aller chez les numptys.

— Les numptys ? répète Simon, incrédule. Tu viens de me démontrer que je détruis le Monde des Mages, et maintenant tu veux chasser les numptys ?

— Nous avons un accord, je te rappelle, dis-je pour lui mettre la pression.

Snow me regarde d'un drôle d'air. Il semble croire que je fais allusion au fait que nous sortons ensemble. Comme si ça comptait, en ce moment...

Je pousse un soupir.

— Je ne te parle pas de cet accord-là, imbécile. Tu m'as promis de m'aider à identifier l'assassin de ma mère.

— Je t'aiderai une fois que nous aurons trouvé le moyen

497

d'arrêter ça, réplique Snow. Enfin… si je suis encore en vie. Si le Mage ne décrète pas que la meilleure solution c'est d'en finir avec moi.

— Simon ! s'énerve Bunce.

— Il ne va pas être le seul à vouloir ta peau. Quand ma famille découvrira ce qui se passe, et aussi le Monde des Mages, ils vont se mettre sur les rangs. Les Anciennes Familles croient déjà que le Mage et toi vous projetez de leur prendre leur magie. Celui qui t'éliminera aura une couronne, c'est sûr.

— Baz ! s'exclame Penny.

Snow plisse les yeux.

— Et tu t'imagines que ça sera toi, évidemment, lance-t-il.

— Nous faisons une trêve, dis-je en élevant la voix. La situation est déjà cata, on ne peut plus y faire grand-chose. Donc si on n'élucide pas le meurtre de ma mère maintenant, on ne le fera jamais. Et tu as promis, Simon.

— On a des choses plus importantes et urgentes à régler pour l'instant ! hurle Snow.

— Rien n'est plus important que ma mère.

76

BAZ

JE ME RAPPELLE OÙ VIVENT LES NUMPTYS GRÂCE à ce qu'a dit Fiona en me ramenant à sa voiture : « Mais quel bazar, et juste en dessous du Blackfriars Bridge ! Cette ville fonce droit vers l'enfer. »

Nous n'avons pas mis longtemps pour aller de Hounslow à Blackfriars. C'est Noël, les rues sont désertes, la circulation est fluide. Je gare la voiture et marche dans la neige pour rejoindre le pont.

Je sens l'angoisse monter.

Je n'aurais pas dû venir seul, je le sais. Mais ceux à qui j'aurais pu demander de l'aide m'auraient rappelé sans hésiter que la situation est très préoccupante en ce moment, que nous risquons la pénurie de magie. Même Fiona ne m'aurait pas écouté.

Simon et Penny sont obsédés par l'idée de sauver le Monde des Mages. Ou le détruire. Les deux, peut-être. C'est bon, je suis habitué. J'ai toujours su où je me situais, avec Simon : en dessous du reste du monde. Et loin, très loin du Mage.

Compris. Pas de problème.

J'ai peur, mais c'est normal. C'est dur de retourner là où on a été enfermé dans un cercueil si longtemps qu'on avait oublié ce qu'était la lumière.

Mais là, je suis en bien meilleure position. Je suis conscient. J'ai ma baguette magique. Et tous mes esprits.

La porte qui mène à la tanière des numptys est facile à trouver : c'est juste un trou dans un des piliers. Je glisse dans la boue, l'odeur me retourne l'estomac. Papiers humides et détritus. Je suis au bon endroit.

Même pour moi, il fait trop sombre là-dedans pour voir quoi que ce soit. Je lève la main et allume une flamme dans ma paume. Dans le cercle de lumière, je n'aperçois rien de particulier. J'augmente la flamme. Même spectacle. La pièce est remplie de décombres. Des tas de pavés et de larges pierres. Je ne reconnais rien. Quand on m'a amené ici, j'étais inconscient, et pratiquement dans le même état quand j'en suis reparti. Je ne sais même pas à quoi ressemblent les numptys.

Je me racle la gorge. Rien ne se passe.

Je tousse de nouveau.

— Je m'appelle Basilton Pitch, dis-je d'une voix forte. Je suis venu vous poser une question.

Un des gros machins en pierre commence à trembler. Je dirige la flamme par là-bas. Et aussi ma baguette.

Le rocher s'ouvre comme un Transformer et un rocher encore plus gros apparaît, qui porte une espèce de gigantesque pull beigeasse.

— Toi, gronde-t-il d'une voix de marteau piqueur.

Le grognement m'est familier. Je sens les murs se rapprocher de moi et j'ai un goût de sang séché dans la bouche. (Le sang devient plus épais en séchant ; il coagule.)

— Toi, répète la chose. Tu as tué des nôtres.

— Vous m'aviez kidnappé, dis-je. Tu te rappelles ?

— On t'a pas tué.

Il y a de plus en plus de ces choses qui s'entrechoquent autour de moi. Je ne vois pas d'où elles viennent mais il y a moins de décombres par terre. J'essaie de distinguer leurs visages ; c'est difficile, ils sont tous dans des teintes gris-jaune. On dirait des tas de ciment humide.

— Vous aviez l'air décidés à le faire, pourtant. Mais ça n'est pas pour ça que je suis là. Je suis venu vous parler.

Ils m'entourent, à présent. J'ai l'impression d'être au milieu d'un rond de pierres.

— On n'aime pas causer, lâche l'un d'eux.

C'est peut-être celui avec le pull. Ou celui-là, à côté de moi, qui porte une couverture électrique – la prise traîne derrière lui.

— Trop froid pour parler, grogne un autre. Faut se reposer.

J'avais oublié : les numptys hibernent. J'ai dû les réveiller.

— Je vais vous laisser dormir, ne vous inquiétez pas. Dites-moi seulement une chose…

Ils se serrent les uns contre les autres dans un grondement de pierre.

— Qui vous a envoyés à ma poursuite ?

Ils ne répondent pas. Même si je ne les discerne pas, je les sens se rapprocher de moi, de plus en plus.

— Qui vous a dit de m'enlever ? je crie.

Je brandis ma baguette. Je devrais peut-être lancer des sorts ? Mais ça n'est pas en les tuant que j'aurai une réponse. Et s'ils se défendaient en m'attaquant ?

N'est-ce pas déjà le cas ?

Je me rends soudain compte que je suis enfermé entre des murs de pierre. Il s'approchent, entourent mon bras gauche, encerclent le feu dans ma main… Le feu.

— Si vous m'écrasez, mon feu va s'éteindre ! je hurle.

Le grondement s'arrête. Je crois qu'ils se sont immobilisés. Ils forment des tas désordonnés autour de moi, de ma main. Combien de temps croient-ils que je peux rester comme ça ? (Et pourquoi ne vont-ils pas s'installer quelque part sous les tropiques ?)

— Dites-le-moi ! Qui vous a envoyés ?

— Dira pas, répond l'un d'eux.

— Pourquoi ?

Le mur derrière moi s'avance un peu plus.

— Ont dit de pas parler.

Je me raidis.

— Et moi je vous demande de le faire.

— Nous ont réchauffés, lâche le plus grand.

— Vous ne semblez pas franchement avoir chaud.

— Nous ont réchauffés un moment.

— Ont dit de pas parler, grogne un autre.

— Aime pas parler.

Je laisse le feu s'éteindre et un bruit retentit, comme si dix mille dents grinçaient en même temps.

— Encore du feu. Encore feuuuu.

— Je vous en redonnerai quand vous aurez répondu à ma question !

Ils vibrent. Impossible de savoir si c'est de colère, d'impatience, ou d'autre chose.

— Qui vous a envoyés ? Qui vous a payés pour me kidnapper ?

— Nous ont réchauffés, entends-je.

— Qui ?

— L'un des tiens.

— Un magique.

— Lequel d'entre nous ? C'était un homme ? À quoi ressemblait-il ?

— Comme un homme. Doux.

— Chaud.

— Tache humide sur le trottoir.

— Vert.

— Vert ? je relève.

Le plus gros des numptys se déplie, puis se réduit en un tas, juste devant moi, obligeant les autres à s'écarter.

— Ta pierre tombale !

— L'un des tiens.

— Chaud.

— « Prenez ce sale vampire, gardez-le dans le noir, donnez-lui du sang », ajoute le grand numpty.

— « Tenez-le jusqu'à ce qu'il devienne froid. »

— Feu. Chaud. Tu as promis.

Ils se pressent de nouveau contre moi.

— Tu as promis.

Je rallume le feu dans ma main, mais au lieu de s'écarter, ils s'approchent encore plus. Je ne vois même plus mon poignet.

— Reculez ! je lance.

J'ai l'impression qu'on m'arrache mon bras gauche tandis que celui qui a la baguette est plaqué contre mon oreille. ***Bas les pattes !***

— Lance ***La feuille bat la pierre !***, hurle quelqu'un.

Pas un numpty. Un homme !

— Quoi ?

— ***La feuille bat la pierre !***, vas-y.

J'appelle ***La feuille bat la pierre !***. Et là, survient un chaos surprenant.

Quelqu'un saute au-dessus des numptys et les enveloppe avec de grandes feuilles de journal, comme s'il jouait au jeu de la taupe. Ils essaient de s'échapper, mais quand il les attrape, ils se figent. Pétrifiés.

La pression autour de moi se relâche.

Je lève les yeux, et je vois Nicodemus en personne, debout sur le plus grand des numptys, qui reprend sa respiration.

— Mais qu'est-ce que tu fous là ? dis-je, stupéfait.

Il ricane.

— Je suis venu te sauver des numptys.

— Je rêve ou tu viens de les endormir avec *The Guardian* ?

— Exactement. Pourquoi tu ne l'as pas fait ?

Il porte une veste de mauvaise qualité, un tee-shirt blanc, un jean noir avec une chaîne et des vieilles Doc Martens au bout en métal. Je comprends mieux ce que ma chère tante a vu en ce voyou.

Il me prend le poignet pour pointer ma baguette vers le mur de pierre dans lequel est enfermé mon autre bras.

— **Faites une pause, prenez un KitKat !** dit-il.

— Quoi ?

— Dis-le.

— Pourquoi ?

Il me pince le poignet.

Je lance : **Faites une pause, prenez un KitKat !** et les pierres s'écroulent et libèrent mon bras.

— Ça ne devrait pas marcher, je m'étonne en secouant ma main.

Les numptys ne se réveillent pas, alors que je viens d'en faire des petits cailloux.

— Arrête de te plaindre et suis-moi, lâche Nicodemus. Les journaux ne vont pas les retenir éternellement.

Il me propose son bras et je le prends, même s'il sent le sang aigre et le cidre. Il me tire jusqu'à ce que je me retrouve à mon tour au-dessus des numptys. Nous sautons ensuite de l'un à l'autre, puis sur le sol.

— Par ici, lance Nicodemus en allumant une grosse torche.

Je le suis sur le chemin boueux, jusqu'à la lumière du jour. Dès que nous sommes sortis, je le pousse loin de moi.

— Eh, du calme ! s'exclame-t-il. Je viens de te sauver la vie !

— Tu viens surtout de tout gâcher, ils étaient sur le point de me révéler qui m'a kidnappé !

— Ils te l'ont déjà dit, ricane-t-il. C'était le Mage !

Le Mage. L'homme vert. La pierre tombale. Le *Mage* ?

Nicodemus a un petit rictus. Il retrousse les lèvres et je vois sa canine manquante.

— C'est le Mage qui t'a enlevé, répète-t-il.

Il continue d'avancer et moi de reculer.

— C'est aussi lui qui a laissé entrer les vampires à Watford.

— Comment ça ?

Je trébuche dans la neige et me rattrape de justesse.

— Il a passé un accord avec eux, explique Nicodemus, son visage à quelques centimètres du mien. S'ils attaquaient Watford et flanquaient la trouille à tout le monde, il les laisserait vivre tranquillement à Londres. Il m'a proposé le deal, mais j'ai refusé, alors il a trouvé quelqu'un d'autre.

— Le Mage a envoyé des vampires pour tuer ma mère ?

— J'ai essayé de la mettre en garde, mais elle ne voulait pas croire au serment de Merlin venant de moi.

Il hausse les épaules avant d'ajouter :

— Je ne sais pas ce que ça vaut, mais je ne crois pas que le Mage voulait que ta mère meure. Même si, à mon avis, il s'en fichait un peu. Ça rendait tout plus simple, non ?

Je recule encore d'un pas.

— Pourquoi tu me racontes ça maintenant ? Pourquoi pas avant ? Et pourquoi tu es là, d'ailleurs ? Tu m'as suivi ?

Je tourne la tête pour voir s'il y a d'autres vampires. Est-ce un piège ?

— Je ne pouvais pas te le dire, répond Nicodemus. Il m'aurait tué ! Mais maintenant, peu m'importe ce qu'il fait. Il a arrêté ma sœur, non ? Ton Mage. Il détient Ebeneza à présent. Et j'ai besoin de ton aide pour la récupérer.

Le Mage. C'est lui qui était derrière tout ça.

J'ai toujours pensé que c'était lui, sans vraiment y croire. Comment est-ce possible ? C'est le Mage. Comment a-t-il pu… ?

J'émets un drôle de bruit, le même que Snow. Un grondement qui part de mon ventre et fait sortir mes canines. Je fais demi-tour et cours vers ma voiture. Nicodemus se précipite derrière moi. Il m'attrape le bras.

— Attends ! Je viens avec toi !

— Sûrement pas.

— Je t'ai dit : il détient ma sœur !

— Qu'est-ce que ça peut me faire ?

— Je vais t'aider à te battre.

— Je n'en veux pas, de ton aide, espèce de monstre !

— Dommage, lance-t-il en m'agrippant le bras. Tu l'auras quand même !

Nous sommes interrompus par un hurlement. Un Normal est en train de promener son chien, un king-charles qui louche et qui nous aboie dessus comme un fou.

— Viens, Della.

Le Normal tire sur la laisse et le chien manque de s'étrangler en nous sautant dessus. Ouah ! Ouah !

J'ai l'impression de l'entendre crier « Baz ! Baz ! ».

Je regarde le king-charles.

— Est-ce que tu es en train de dire mon nom ?

— Baz ! aboie le chien. Merci la magie ! C'est moi, Pénélope !

— Bunce ?

On dirait sa voix, en effet. En mode chien.

— Qui t'a transformée en chien ?

— Je suis un chien ? jappe-t-elle. Ce sortilège n'a jamais marché comme ça avant. Viens me chercher, Baz !

Le Normal se penche pour prendre son chien comme si j'étais une menace pour lui. C'est le cas. J'attrape l'animal et le soulève pour l'examiner.

— Hé, ça suffit ! lance le Normal.

Nicodemus lui siffle à la figure et l'homme lâche la laisse.

— Qu'est-ce que tu racontes, Bunce ?

— On ne peut pas laisser Simon affronter seul le Mage, Baz. J'ai un très mauvais pressentiment. Il faut que tu viennes me chercher.

Simon. Seul avec le Mage. Avec l'assassin de ma mère.

— J'arrive !

Je coince le chien sous mon bras et jette un regard au Normal.

— Je dois vous emprunter votre chien.

— Mais vous ne pouvez pas…

Je brandis ma baguette. ***Circulez, il n'y a rien à voir !*** Le Normal nous dévisage, puis il observe ses mains, avant de sortir un paquet de cigarettes de sa poche.

Je m'élance vers ma voiture.

Nicodemus est sur mes talons.

— Je viens avec toi !

Je continue à courir. Il me saisit de nouveau le bras. Je fais volte-face et j'allume un feu dans ma main. Il recule d'un bond.

Le chien-Pénélope jappe vers lui.

— Je dois voir ma sœur, dit Nicodemus. Et je peux t'aider. Tu sais bien que je ne peux pas entrer tout seul.

Je le fixe un instant.

— Tu pourras m'aider, oui. Et si ce que tu dis est vrai, Ebb aussi. Mais j'irais en enfer plutôt que de laisser un vampire entrer à Watford. Même un vampire castré.

77

AGATHA

— OUF, MERCI LA MAGIE, DIT MAMAN.

Elle se tient sur le seuil de ma porte, en chemise de nuit.

Je soulève ma tête de l'oreiller.

— Comment ?

Je me suis endormie sur les couvertures, tout habillée. Je n'ai aucune idée de l'heure qu'il est.

— Mitali Bunce vient d'appeler. Simon et Pénélope se sont enfuis Dieu sait où et j'ai cru que tu étais avec eux.

— Non... Comment ça, ils se sont enfuis ?

— C'est ce qu'elle espère. Et qu'ils n'ont pas été kidnappés.

La voix de Maman se brise.

— Après ce qui est arrivé la nuit dernière.

— Qu'est-ce qui se passe, Maman ?

— Il y a eu une nouvelle attaque. Cet horrible Humdrum s'en est pris aux Pitch. Il a tout dévoré. Une catastrophe ! C'était le plus grand domaine de la magie.

— Mais Simon..., dis-je.

— Quoi, ma chérie ? Est-ce qu'il t'a dit quelque chose ?

Ils sont partis chercher les numptys. J'en suis sûre. C'est typiquement le genre de choses qu'ils font. Courir affronter des ogres sans prévenir les parents ni demander de l'aide.

J'hésite à dire à ma mère que Simon était chez les Pitch hier soir. Que lui et Penny – et *Basilton Grimm-Pitch* – tramaient quelque chose.

Mais Maman va me demander pourquoi je ne lui en ai pas parlé avant.

Puis je me dis qu'elle va exiger que je me taise. Que cela ne donnera rien de bon de s'en mêler maintenant, alors que le Monde des Mages est à deux doigts de la guerre, ou déjà dedans.

Papa est à une réunion du Conseil convoquée en urgence, dit Maman. Et le Mage est cloîtré dans sa tour, en train de communiquer avec les étoiles. Un truc du genre.

Je vois bien qu'elle est soulagée que je ne sois pas avec Simon et Penny, mais aussi très inquiète.

— Est-ce que tout va bien avec Simon, Agatha ?
— En dehors du fait qu'il a disparu ?
— Tu sais ce que je veux dire, ma chérie. Entre vous deux.
— Tout va bien, dis-je pour la rassurer.

Je ne me sens pas encore prête à lui avouer que nous avons rompu. Je ne sais même pas si Simon est vivant. Je ne raconterai rien à ma mère de mon avenir foutu avant d'y être obligée.

Je pars récupérer quelques restes de la fête – un Coca light et des toasts à l'artichaut – puis je retourne dans ma chambre. Hier, je me suis endormie avant le début de la soirée de mes parents et ils ne m'ont pas réveillée. Ils ont dû penser que j'avais besoin de me reposer.

J'avale un morceau de pain. Je ne peux rien faire pour tout ça. Je ne sais même pas où est Simon. Parti chasser les numptys, franchement, ça ne m'aide pas. Quelle autre info ? Qu'il est peut-être avec Baz ? Qu'ils sont amis, maintenant ? Ça n'est pas vraiment un indice.

Je n'arrive toujours pas à imaginer qu'ils sont *amis*.

De la part de Simon, je peux le croire. Il est prêt à devenir copain avec n'importe qui. Mais Baz ? Lui qui ne rêve que d'une chose : la mort de Simon ? Il est capable de n'importe quoi pour écarter Simon.

N'importe quoi.

Et si tout cela n'était qu'un piège ?

Peut-être que Baz a voulu attirer Simon chez les numptys ? Comme il l'a fait avec moi, dans le bois de Wavering, cette fameuse nuit.

Enfin… il ne m'a pas exactement attirée. C'est moi qui l'ai suivi. N'empêche.

Baz est un vampire.

Un méchant.

Un Pitch.

Mon portable est sur ma table de nuit. (J'ai le droit d'en avoir un à la maison.) Je le prends et j'envoie un message à Penny.

Ta mère te cherche. Ils sont tous inquiets.

Et :

Tu te bats contre les numptys ? Besoin d'aide ? Je peux en trouver.

Puis :

Tu es avec Baz ? Je me dis que c'est peut-être un piège. Qu'il essaie de faire du mal à Simon.

Enfin :

Tu aurais pu au moins laisser un mot. C'est la moindre des choses.

Je jette mon portable sur le lit et j'ouvre ma canette de Coca. La photo de Lucy et Davy est sous mon oreiller. Je la sors.

Qu'est-ce que cette courageuse Lucy Salisbury ferait dans une situation aussi désespérée ?

Elle filerait en Californie comme n'importe quel être humain, apparemment. En laissant les héros se débrouiller.

Si Baz a muté Simon, je ne peux pas être d'une grande aide…

Mais je ne peux pas rester ici sans rien faire, merde ! (Qu'il aille se faire foutre, lui.) (Qu'ils aillent tous se faire foutre.) Même si je ne suis pas concernée par leur histoire stupide, je suis quand même impliquée. J'ai mon rôle à jouer.

Typiquement le rôle où je hurle pour qu'on vienne m'aider.

Lorsque je me glisse hors de ma chambre, ma mère est au téléphone. Je prends la Volvo.

78

BAZ

ÇA M'A PRIS UN MOMENT POUR COMPRENDRE que le chien était possédé par Bunce, qu'elle n'était pas piégée à l'intérieur de l'animal. Je n'avais jamais entendu parler d'un truc pareil. Je ne suis pas sûr que ça soit légal.

La vraie Bunce, la terrible magicienne, est cachée derrière une haie à Hounslow. Elle m'attend.

Je suis en route pour aller la chercher.

— Si tu n'étais pas aussi cachottier avec ton numéro de portable, je n'en serais pas là ! aboie-t-elle sur la banquette arrière.

PÉNÉLOPE

Je suis planquée dans le jardin des voisins. Je ne peux pas rentrer chez moi : si ma mère est là, elle ne m'autorisera pas à ressortir. Et je dois partir. Je ne peux pas laisser Simon affronter seul le Mage. Il est peut-être déjà à Watford.

J'ai vraiment foiré, avec Simon.

Il était prêt à accepter que je l'accompagne, je crois, quand Baz a claqué la porte. Mais j'ai essayé de le calmer, de le raisonner.

— Peut-être que Baz a raison, ai-je alors dit.

Simon arpentait ma chambre en maniant son épée, il s'est arrêté pour me lancer un regard méprisant.

— Sérieux, Penny ? Les numptys ?

— Non, pas pour les numptys. Mais réfléchis, Simon : que va-t-on faire quand les gens sauront, pour toi ?

— Je m'en fiche, des gens, a-t-il grogné.

Je lui ai fait signe de se taire. Mes frères et sœurs étaient en bas.

— Tu ne te fiches pas du Mage, ai-je rappelé. Que va-t-il arriver quand il apprendra que tu voles la magie ?

— Je ne la *vole* pas ! a-t-il sifflé.

— Peu importe ce que tu fais avec ! ai-je chuchoté. Que va-t-il se passer ?

— Je ne sais pas ! Le Mage décidera.

C'est là que j'aurais dû lâcher l'affaire. Au lieu de ça, je me suis plantée devant lui et lui ai pris la main. Il m'a laissée faire.

— On devrait peut-être juste *partir*, Simon, ai-je dit.

Il a eu l'air perdu. Il a serré son épée avec son autre main.

— C'est ce que je te répète, Penny. On doit y aller.

— Non.

Je me suis rapprochée et j'ai pressé sa main.

— Je pense que c'est notre seule chance de… de partir, ai-je précisé.

Il m'a dévisagée comme si j'étais folle. Je ne me suis pas démontée.

— Tout le monde a déjà fait le lien entre toi et le Humdrum. Quand ils se rendront compte de ce qui est en train d'arriver, même ceux qui tiennent à toi… Tu représentes une menace, Simon. Pour tout notre monde. Quand ils comprendront… C'est peut-être notre dernière chance. On pourrait juste… partir.

Il a secoué la tête.

— Pour aller où, Penny ?

— N'importe où, ai-je dit. Ailleurs.

SIMON

Ailleurs. Il n'y a pas d'ailleurs.

Il n'y a qu'ici et les Normaux. Pénélope a-t-elle vraiment imaginé que ça serait une solution pour moi, de fuir la magie ?

Je ne crois même pas que ça soit possible. Je *suis* la magie. Et ça n'est pas en m'échappant que ça s'arrêtera.

— Je dois arranger ça, ai-je répondu. C'est mon boulot.

— Je ne pense pas que tu en sois capable.

J'ai lâché sa main.

— Je dois le faire. C'est pour ça que je suis ici.

Mais peut-être que non. Peut-être ne suis-je là que pour tout foutre en l'air…

Ça ne change rien à ce que je dois faire.

PÉNÉLOPE

— Je vais aller parler au Mage, a-t-il annoncé.

— Non, Simon, s'il te plaît, ai-je supplié.

Mais il ne m'écoutait déjà plus. Les ailes rouges sont sorties de ses épaules et la queue en forme de flèche est apparue derrière ses cuisses.

Il m'a lancé un regard, les mâchoires serrées. Et puis il s'est envolé.

C'est là que j'ai appelé Baz.

Il est en train de se garer, dans une voiture de sport bordeaux. Je sors des fourrés et il se penche pour ouvrir la portière.

Sur la banquette arrière, il y a un petit chien qui louche. Je romps le sortilège de possession et il se met à japper.

79

LUCY

ON S'EST INTRODUITS DANS WATFORD À l'équinoxe d'automne.

— Il naîtra le jour du solstice, a dit Davy en m'aidant à me hisser par la trappe dans le parquet de la vieille chambre de l'oracle, tout en haut de la chapelle Blanche.

— Comment faisait l'oracle pour monter ici ?

— Il y avait une échelle, avant.

La pièce était ronde, avec des baies vitrées arrondies et un dôme sur lequel était peint une fresque. On y voyait des hommes et des femmes qui formaient une ronde et contemplaient un champ d'étoiles brillantes. Des phrases étaient écrites, en noir. Je n'arrivais à en déchiffrer que quelques bribes. *Dans la matrice du temps.* Shakespeare.

— Comment as-tu trouvé cet endroit ?

Davy a haussé les épaules.

— En explorant.

Il connaissait Watford mieux que quiconque. Pendant que les autres élèves travaillaient et s'amusaient, il en arpentait chaque centimètre carré.

Je l'ai regardé dessiner un motif par terre avec du sel, de l'huile et du sang bleu foncé. Pas un pentagramme, autre chose.

Je me suis assise sur le sol froid et me suis enveloppée dans mon châle. Nous n'avions rien emporté avec nous. Ni couvertures ni oreillers.

Davy avait un paquet de notes qu'il relisait avec attention.

— Tu as tout vérifié ? ai-je demandé pour la vingtième fois de la semaine.

Depuis que j'avais accepté, il était plus indulgent avec moi. Car j'avais accepté.

Je croyais que Davy pourrait le faire sans moi. Qu'il trouverait un moyen.

Je m'imaginais que, tant que je serais là, je saurais l'empêcher d'aller trop loin.

Et je pensais… que Davy voulait un enfant. Nous en parlions. Il me demandait d'avoir un enfant de lui. De changer nos vies.

Je voulais ça.

— Certain, a-t-il dit. J'ai comparé la cérémonie et les formules des trois sources. Les trois concordaient et n'avaient que peu de différences.

— Pourquoi personne n'a jamais essayé ça ?

— Oh, je pense que si. Mais tu l'as dit toi-même : personne n'a étudié ces cérémonies autant que moi. Aucun de ces spécialistes n'avait accès aux notes des autres.

Il avait partagé avec moi quelques-uns des sortilèges. *Beowulf.* La Bible. J'ai serré mon châle autour de mes épaules.

— Donc il n'y a pas de risque…

— Il y a toujours un risque. C'est la création. La vie.

— C'est un enfant, ai-je répliqué.

Il s'est levé et a sauté par-dessus son dessin pour s'accroupir devant moi.

— Notre enfant, Lucy. Le magicien le plus puissant que le Monde des Mages ait jamais connu.

Sept bougies éclairaient la chambre.

Et Davy a chanté chaque sortilège sept fois.

Pourquoi toujours sept ? me suis-je demandé, étendue sur le parquet froid.

J'aurais aimé avoir de la musique. On entendait des chansons, dehors : les élèves étaient autour du feu de camp, sur la grande pelouse, pour célébrer l'équinoxe.

La nuit devenait plus solennelle que ce à quoi je m'attendais. Entrer dans Watford et trouver la pièce cachée avait été un jeu d'enfant. Mais Davy était calme et concentré, à présent.

Je m'interrogeais : comment savoir si le rituel marcherait ou pas ? Si notre bébé était le plus puissant magicien du monde, aurait-il l'air différent ? Ses yeux rayonneraient-ils ?

Davy m'avait prévenue que nous ne pourrions pas prononcer un mot durant la cérémonie, je me contentais donc de plonger mon regard dans le sien. Il paraissait heureux et excité.

Parce que enfin il accomplit quelque chose, ai-je songé. Pas seulement crier vers le ciel.

Je restais allongée, immobile, silencieuse.

Et à la seconde où ça s'est produit, j'ai senti que la magie et la chance étaient avec nous. Au plus profond de mon ventre, une contraction intense. Comme si une étoile avait explosé en moi. Autour de nous, tout est devenu blanc et ma magie s'est concentrée en une petite boule dans mon bassin.

Quand de nouveau j'ai pu voir, je n'ai rien distingué d'autre que le visage lumineux de Davy, au-dessus de moi. Jamais je ne l'avais vu aussi radieux.

80

AGATHA

EN ARRIVANT À WATFORD, JE VOIS QUE LE portail est ouvert et qu'il y a des traces de pneus dans la neige. Parfait : ça signifie que le Mage est là. Je suis les traces et gare la Volvo dans la cour principale, à côté de la Jeep du Mage. Je n'aurai pas d'ennuis, c'est un cas d'urgence.

Je ne suis pas bonne pour gérer les urgences. Je n'ai qu'une hâte : trouver le Mage et me décharger sur lui de tout ça. Je lui raconterai ce que je sais et ensuite je partirai le plus loin possible de ce bazar.

Peut-être que j'irai chez Minty. Et on regardera *Lolita malgré moi*. Sa mère nous préparera des mojitos sans alcool. On se fera une manucure. Minty a une machine pour ça.

Minty se fiche de la magie. Elle ne lit même pas de fantasy. « Je n'arrive pas à m'y intéresser. Tout est tellement faux », dit-elle.

(Une fois, j'ai essayé de faire une manucure avec Pénélope, mais elle était trop distraite, elle voulait juste trouver un sortilège pour le faire à notre place.)

Je cours dans la neige jusqu'à la Tour qui pleure et je monte l'escalier quatre à quatre jusqu'au bureau du Mage. Au moins mille marches, c'est un cauchemar. Il y a des ascenseurs, mais je ne connais pas les sorts pour les faire fonctionner.

Je redoute de devoir frapper à sa porte, mais elle est grande ouverte. J'entre. C'est une catastrophe. Comme si Penny était passée par là : des tas de livres jonchent le sol. Certaines pages sont déchirées et collées sur un mur. (Pas collées, plaquées là par un sort.) (C'est exactement le genre de truc qui me rend malade. Pourquoi ne pas utiliser du scotch ? Pourquoi se servir d'un sort pour mettre un papier sur le mur ? Du scotch. C'est fait pour ça.) Bref. Le Mage n'est pas là. J'envisage de lui laisser un mot, mais comment le trouverait-il ? Et s'il ne revenait pas à temps ? Franchement, il devrait avoir une assistante pour déléguer certaines tâches. Énervée, je ferme un des livres d'un geste rageur et m'appuie contre le montant d'une fenêtre. J'essaie de réfléchir. Que faire, à présent ?

C'est à ce moment-là que j'aperçois les lumières dans la chapelle Blanche.

SIMON

Je ne suis pas certain de savoir aller à Watford.

Est-ce que je vole encore, d'ailleurs ? Ou suis-je en train de *penser* au fait d'être là-bas ?

Je me demande si la magie que j'utilise en ce moment va créer un nouveau trou ou simplement en agrandir un ancien.

Je m'interroge : se trompent-ils tous à mon sujet ?

AGATHA

Je n'aime pas la chapelle Blanche. Quand nous y allons, après, je n'arrive pas à me débarrasser de l'odeur d'encens dans mes cheveux.

Aujourd'hui, ça sent plus la fumée que l'encens. La fumée et l'utilisation de la magie. Comme une salle de classe après un examen.

Je vais juste trouver le Mage, lui raconter ce que je sais, et partir.

(La maison de Minty ne se trouve peut-être pas assez loin de ce désastre. Peut-être que j'irai à l'université en Écosse. Là où Kate a rencontré William.)

Le hall d'entrée de la chapelle est vide. J'avance vers le fond en suivant l'odeur de fumée. Un réflexe stupide, à la Simon, mais c'est probablement la meilleure façon de repérer le Mage.

Je continue mon chemin, j'ouvre des portes, je m'enfonce de plus en plus dans le bâtiment. C'est encore plus enfumé, par là. Et plus sombre. Je crois distinguer le Mage qui chante. Je risque de l'interrompre en pleine cérémonie. Peut-être cherche-t-il Simon ?

— Monsieur ? dis-je d'une voix forte.

Je ne sais pas comment je dois l'appeler, je n'ai jamais entendu qui que ce soit dire « le Mage » devant lui.

Un craquement résonne. Un bruit de bois qui heurte du bois. Je n'arrive pas à savoir d'où ça vient et je ne vois rien. Je cherche un interrupteur. Certains vieux bâtiments de Watford n'en ont pas, il faut allumer la lumière avec la magie. Mais ma baguette est dans la voiture, sur le siège avant. Elle ne rentrait pas dans la poche de mon manteau.

Nouveau craquement. Je me fige et tends l'oreille.

Un cliquètement métallique. Quelqu'un qui crie. Des pas qui viennent vers moi, en courant. Un halètement.

Quelqu'un me percute, m'écarte brutalement et repart aussi vite. Puis quelqu'un d'autre m'attrape et me plaque contre le mur.

— Je t'ai dit de ne pas courir ! gronde l'individu.

— Non, je proteste. Tu ne me l'as pas dit.

Il me tient si violemment par les bras que je me demande s'il ne va pas me les casser. ***Que la lumière soit !*** lance-t-il.

Et tout s'éclaire.

Je regarde fixement le Mage dans les yeux. Quand il se rend compte que c'est moi, il me lâche.

— Par où est-elle allée ? questionne-t-il.

— Qui, monsieur ?

Il agite sa baguette autour de lui. ***Sors de là, sors de là, où que tu sois !*** On voit ses dents.

— Tu sais bien que je n'ai pas le temps pour ça. L'heure approche !

Il donne des coups avec sa baguette. ***S'il te plaît !*** (Coup.) ***S'il te plaît !*** (Coup.) ***S'il te plaît !*** (Coup.) ***Laisse-moi, laisse-moi, laisse-moi !***

Je ne suis pas sûre de comprendre ce qu'il veut, mais un des sorts m'atteint et je tombe en avant.

— Tu…, dit le Mage en remarquant de nouveau ma présence.

Sa tunique est ouverte, il transpire abondamment. Quelque chose de bleu est étalé sur son torse.

— Que fais-tu ici, jeune fille ?

— Je suis venue vous parler de Simon, monsieur.

— Simon ! s'exclame-t-il avec sauvagerie. Où est Simon ?

Il lève la main.

— Attends…

Il tend l'oreille, on dirait qu'il s'apprête à s'enfuir. Je fais un pas de côté, mais il m'attrape par le bras.

— Où est Simon ?

— Je ne sais pas, monsieur, dis-je. Mais je voulais vous prévenir : il était avec Basilton Pitch, hier soir. Ils m'ont dit qu'ils partaient chez les numptys. Je pense que c'est un piège ! Vous devez l'aider !

Les mots se bousculent dans ma bouche. Ceux que je me suis répétés dans la voiture.

Le Mage pousse un grognement et redresse la tête. Il se met à arpenter la pièce de long en large. La lumière de ses sortilèges continue de flotter dans l'air. J'avance d'un pas vers la porte.

— Les numptys, à présent. Des vampires. Des *enfants*. Je n'ai pas le temps pour ça !

Il grogne de nouveau et un bruit sourd résonne quelque part. Comme une étagère qui se renverse. Ça l'a peut-être distrait : je profite de l'occasion pour m'élancer hors de la pièce. Mais le Mage me rattrape et me retient fermement par le bras.

— Tu vas devoir le faire, lance-t-il.

Mes jambes se dérobent, il me tire.

— Tu n'as pas beaucoup à offrir, ajoute-t-il. Mais je prends.

BAZ

Bunce se ronge les ongles. Elle continue à lancer des sorts sur la voiture, mais je conduis déjà super vite, difficile de faire mieux. Elle a peur que le Mage ne tue Simon quand il se rendra compte qu'il a créé le Humdrum.

Moi, ce qui m'inquiète, c'est qu'elle comprenne que je veux avant tout tuer le Mage.

PÉNÉLOPE

Je n'ai pas confiance en Baz.

Je l'ai appelé à la rescousse uniquement parce qu'il a une voiture.

J'adorerais pouvoir lui faire confiance – c'est un magicien brillant et il est de bonne compagnie – mais c'est impossible.

Il n'y a que quatre personnes en qui j'ai confiance : mes parents, Micah et Simon. Et s'il devait y avoir une personne de plus, ça ne serait certainement pas Tyrannus Basilton Grimm-Pitch. Il est cynique, manipulateur et impitoyable. La seule chose qui le préoccupe, c'est d'obtenir ce qu'il veut et protéger les siens.

En plus, il a une drôle de manière de regarder Simon…

Je ne pense pas qu'il ait mis de côté ces sept années d'hostilité. Une lueur de folie brille dans ses yeux quand il est question de Simon. À mon avis, dès qu'il pourra, il lui plantera un couteau dans le dos.

Je dois éloigner Simon du Mage.

Puis l'éloigner tout court.

AGATHA

Je suis terrifiée.

Mais, en même temps, je songe : Merde. C'est comme ça que je vais mourir. Parce que quelqu'un cherche Simon et m'a trouvée à la place. Je vais être assassinée par un maniaque assoiffé de pouvoir et qui ne connaît même pas mon nom.

Je ne me débats pas. À quoi bon ? Mais j'avance en boitant. Et je me mets à pleurer. Le fait de savoir que je mourrai comme ça ne veut pas dire que je me sens prête. J'aurais aimé être plus gentille ce matin avec Maman. Et j'aurais préféré être autrement qu'en legging et bottines fourrées. Je me suis toujours dit que je ferais un beau cadavre.

Le Mage m'entraîne dans une autre pièce. Une trappe est ouverte dans le plafond et une lumière passe au travers.

Il pointe sa baguette vers lui-même : *En haut, et ailleurs !* C'est un sort que nous ne sommes pas censés lancer sur des gens car on risque de leur faire sortir les poumons par les épaules. Mais avec lui ça marche et nous commençons à monter vers la trappe, comme en apesanteur.

Puis un autre sort – *Et nous tombons tous !* – nous projette tous les deux sur le sol. Et aussi celle qui a crié ce sort : je l'entends tomber.

— Non, Davy, dit-elle. Laisse-la partir.

Je crois que c'est Lucy. Qui est ici pour me sauver.

SIMON

J'atterris sur la grande pelouse au coucher du soleil et je traverse le pont-levis. J'aperçois la Jeep du Mage et la Volvo de M. Wellbelove. Je me demande s'ils sont ici ou quelque part ailleurs en train de se battre. Épées brandies, baguettes en l'air. J'ignore où peut se dérouler la guerre en dehors de Watford.

Je me dirige vers le bureau du Mage quand je vois la lumière en haut de la chapelle. C'est un endroit du bâtiment que je n'ai jamais vu éclairé. Je n'avais même pas remarqué les vitraux, là-haut. On dirait une croix, ou un amas d'étoiles.

Tandis que j'observe ces fenêtres, une forte lumière blanche irradie.

AGATHA

Le Mage se redresse en vacillant et se met aussitôt à jeter des sorts. *S'il te plaît, s'il te plaît, s'il te plaît ! Laisse-moi, laisse-moi, laisse-moi !*

L'enfer n'est rien ! crie la femme. Un feu jaillit d'elle et le frappe en pleine poitrine. Je n'ai jamais vu ça, même chez Simon. Les flammes éclairent son visage. C'est Ebb. La gardienne des chèvres.

— Cours, Agatha ! s'écrie-t-elle.

Mais je me trouve en dessous du Mage, il est tombé sur moi.

— Je ne peux pas ! dis-je dans un sanglot.

Le Mage brandit sa baguette pour lancer un sort à Ebb et je frappe sa main de toutes mes forces. Sa baguette s'échappe. Lorsqu'il roule sur lui-même pour la récupérer, il me libère.

— *Cours !* hurle Ebb.

C'est ce que je fais. Je me relève d'un bond et je sors de la pièce comme propulsée par un turbo.

Je traverse la fumée et l'obscurité, jusqu'à ce que je me retrouve dans la lumière et la neige. Je continue de courir. Sans m'arrêter.

81

EBB

IL AURAIT TUÉ CETTE FILLE.

Je n'avais pas le choix, je devais revenir.

LE MAGE

Nous n'avons pas le temps.

Le Humdrum nous dévore.

Aujourd'hui, c'est le jour ou jamais. Ma magie pourrait marcher. Les vacances sont favorables, et c'est le solstice.

Aujourd'hui, c'est le bon jour.

C'est l'heure.

Si seulement Simon était là…

Je pensais qu'on avait réussi – à quel prix ! –, je croyais que nous y étions arrivés, Lucy. Nous avions amené le Mage Suprême.

C'est bien lui le Mage Suprême.

Je l'ai caché parmi les Normaux, pour que personne ne devine. Ni ne pose de questions. Je l'ai mis à l'abri jusqu'à ce qu'il soit prêt et qu'il m'appelle à lui. Comme l'avaient indiqué toutes les prophéties !

Je ne savais pas qu'il était… abîmé. Que c'était un vaisseau endommagé.

Peut-être était-ce trop de pouvoir pour un bébé ? C'est peut-être ça, mon erreur.

S'il était là, je pourrais le réparer, arranger ça. J'ai plusieurs sortilèges, pour cela. (J'ai cherché dans un passé trop lointain, j'aurais dû me rendre compte que le nouveau pouvoir doit venir des psaumes récents.) Maintenant, j'ai la possibilité de le soulager.

Sauf qu'il n'est pas là. Et je ne peux pas l'attendre. Le Humdrum ne patientera pas. Les Pitch sont en route…

Cette femme devra le faire. Elle est la plus brillante étoile du royaume après Simon.

Notre Simon.

Je peux prendre le pouvoir de cette femme.

Je dois simplement la tuer, d'abord.

EBB

Je suppose que je n'ai jamais eu les choix que je pensais avoir.

LE MAGE

Elle est brute de décoffrage et incarne tous les clichés des années 1990.

Je l'ai vue envoyer des sorts sur les chèvres ou sur le domaine de façon très classique. Mais dans une bataille, Ebb ressemble à un canon dans un combat d'épées. Pas étonnant que Simon la suive partout comme un gamin perdu.

J'ai pensé la licencier – Watford n'a pas besoin de chèvres – mais elle est puissante et, quand je ne suis pas là, elle protège l'école.

Si le destin de notre monde n'était pas en jeu, je ne serais pas obligé de la sacrifier aujourd'hui.

EBB

Je manque d'entraînement.

Je n'ai jamais trop pratiqué les sorts de ce type. J'en connais dix pour transformer de l'eau en whisky et je peux ramener les chèvres en un claquement de phrase. Pour le reste, je n'en ai jamais compris l'intérêt.

Même quand j'avais des soucis avec Nicky, en général j'arrangeais les choses avec ***Ne t'en fais pas, sois heureux !*** ou ***Chut, petit bébé !***.

Ma seule chance, à présent, c'est de maîtriser Davy.

Je lance : ***Tête la première !*** et ***À terre !***, des sorts que j'ai appris dans des bagarres au bistrot. Le Mage fait quelque chose que je n'ai jamais vu avant : il obéit aux sorts au lieu de se laisser frapper par eux.

Il a l'air d'un fou. Sa chemise est complètement ouverte, déchirée, et il est couvert de boue. Qui sait quelle magie noire il a prévue ? Il ne m'a pas encore dit ce qu'il me voulait. On se tourne autour comme deux loups.

— Tu ne fais pas le poids contre moi, Ebb, dit-il, puis il crie : ***Rien ne sert de résister !***

J'absorbe le sort. Parfois, je réussis à faire ça, laisser le sort se consumer dans ma magie. ***Plie-toi en quatre !*** je riposte de toutes mes forces, dès que j'en suis capable.

Le Mage se penche en arrière jusqu'à toucher le sol, comme s'il était en caoutchouc, puis il se redresse en soupirant.

LE MAGE

Elle m'a pris au dépourvu, avec celui-là, et j'ai la tête qui tourne.

— Désolé, Ebb. Mais je n'ai pas le temps pour ça. J'ai besoin de ton pouvoir. Le Monde des Mages en a besoin.

— Je ne suis pas une combattante, dit-elle.

— Je sais. Mais moi j'en suis un.

Je m'approche d'elle.

— Tu dois faire ce sacrifice pour ton peuple.

— Qu'est-ce que tu me veux, Davy ?

Elle a peur. Cela me fait de la peine. Une mèche blonde lui couvre un œil.

— Ton pouvoir. J'en ai besoin.

— Je te le donne.

— Ça n'est pas comme ça que ça marche, dis-je. Je dois le prendre.

Elle serre les mâchoires et brandit son bâton de bergère entre nous.

— *Helter skelter*[1] *!* hurle-t-elle, et la pièce est comme prise de folie.

Les lattes du parquet se détachent et dansent autour de nous comme des rubans. Les fenêtres explosent.

C'est un sort d'enfant. Un caprice. Pour renverser les plateaux de jeu de société ou éparpiller les billes.

Le pouvoir de cette femme…

Quel gâchis.

Je vacille au milieu de ce chaos et lui plante ma lame dans la poitrine.

1. Dans les parcs d'attractions, c'est un grand toboggan circulaire.

EBB

Je décide d'accorder ce qu'il veut au Mage, même s'il parle comme un fou.

Je me dis que c'est pour le mieux. Qu'il y a une bonne raison.

J'espère que quelqu'un pensera à ramener les chèvres à la maison.

82

SIMON

AU MOMENT OÙ J'ATTEINS LA PORTE DE LA chapelle Blanche, les vitres explosent. Ça ressemble à la fin du monde. En verre.

J'espère ne pas arriver trop tard pour arrêter ce qui doit l'être, aider ceux qui en ont besoin.

Je me précipite dans la chapelle. Puis je songe au Mage et je me fraie un chemin jusqu'à une pièce, dans le fond, qui a une trappe ouverte dans le plafond. Je m'y propulse, je replie mes ailes, j'attrape les bords et me hisse par la trappe.

C'est une pièce ronde où tout est démoli. Le Mage se tient au centre, à genoux, les yeux fermés, les épaules agitées de spasmes. Quelqu'un est allongé sur le sol, en dessous de lui. L'espace d'une seconde, j'imagine que c'est Baz. Mais Baz est allé voir les numptys. Je le sais.

Quelle que soit la personne étendue par terre, cela signifie que tout a commencé.

Je tousse légèrement et pose ma main sur ma hanche. L'épée apparaît sans même que je prononce la formule. C'est comme si le monde entier réagissait par rapport à moi. Je n'ai même pas besoin de *penser*.

Le Mage a ses mains sur la poitrine de la personne. Un halo

de magie intense flotte autour d'eux tandis qu'il chante. Au bout d'une minute, je reconnais la chanson.

— *Easy come, easy go. Little high, little low*[1].

J'avance doucement. Je ne veux pas l'interrompre au milieu d'une incantation. Surtout s'il essaie de ressusciter quelqu'un.

— *Carry on, carry on*[2], fredonne le Mage.

Un pas de plus, discrètement, et je me rends compte que c'est Ebb qui se trouve là, étendue sous lui. Je lâche un hurlement, c'est plus fort que moi.

Le Mage tourne la tête tout en continuant de murmurer les paroles de Queen.

— Simon ! s'exclame-t-il, si stupéfait qu'il enlève ses mains.

Je tombe à genoux.

— N'arrêtez pas, je supplie. Aidez-la.

— Simon, répète le Mage.

Le sang coule abondamment de la poitrine d'Ebb.

— Aidez-la ! Elle est en train de mourir.

— Je ne peux pas, dit le Mage. Mais tu es là, Simon. Je peux encore t'aider.

Il tend vers moi ses mains couvertes du sang d'Ebb. Et je sais que c'est maintenant que je dois lui dire. Je me relève et m'éloigne de lui.

Le Mage prend son épée, elle aussi pleine de sang, et se met debout à son tour. Il a une entaille profonde sous l'oreille et le sang coule le long de son cou et sur son épaule.

— Vous saignez, monsieur. Je peux faire quelque chose.

Il secoue la tête et regarde au loin, derrière moi. Il doit être effrayé par mes ailes, mais je ne pense pas pouvoir les faire disparaître tout de suite.

— Ça va, Simon, répond-il.

1. Paroles d'une chanson du groupe Queen : « Ça va et ça vient. Avec des hauts et des bas. »
2. « Continue, continue. »

Trop tard : j'ai déjà pensé à comment le soigner. La plaie sous son oreille se rétracte avant de se refermer sur elle-même.

Il porte sa main à sa tête en écarquillant les yeux.

— Simon.

Mon menton se met à trembler ; je serre la poignée de mon épée pour faire disparaître ce tremblement. J'essaie de penser à aider Ebb — je crois que je n'ai pas arrêté d'y songer — mais elle reste étendue au sol et continue à saigner.

Le Mage s'approche de moi comme il le ferait avec un animal.

— Tu es arrivé juste à temps, dit-il doucement.

Il lève la main et me touche le visage. Je sens le sang couler le long de ma joue.

— Je te dois des excuses, lâche-t-il. Je me suis trompé.

Je le regarde dans les yeux. Nous avons la même taille.

— Non, monsieur.

— Pas sur ton pouvoir. Tu es réellement le mage le plus puissant qui ait jamais existé, Simon. Tu es... un miracle.

Il prend mon visage entre ses mains.

— Mais tu n'es pas l'Élu, ajoute-t-il.

Je ne suis pas l'Élu.

Bien sûr que non.

Je ne suis pas l'Élu.

C'est la seule chose sensée que j'aie entendue de la journée. Mais ça ne change rien. Je dois quand même lui parler.

Je m'éclaircis la gorge.

— J'ai quelque chose à vous dire, monsieur. Baz et Pénélope...

— Tout ça ne compte plus, maintenant ! Ni les uns ni les autres. Les Pitch et leur guerre... Comme si la magie tout entière n'était pas au bord du précipice ! Et que le Grand Dévoreur n'était pas à notre porte !

— Monsieur...

— Je pensais pouvoir te sauver, murmure-t-il.

Il se tient tout près de moi et serre entre ses doigts mon visage comme celui d'un bébé. Ou d'un chien.

— Je croyais réussir à tenir ma promesse et prendre soin de toi. J'étais convaincu de trouver le texte nécessaire, la rime manquante. Je pensais pouvoir te *réparer*… Mais tu n'étais pas le bon vaisseau.

Il hoche la tête pour lui-même. Comme s'il regardait au-delà de moi.

— Je me suis trompé, là-dessus, souffle-t-il. Je me suis trompé sur toi.

Je baisse les yeux sur Ebb. Puis je fixe de nouveau le Mage.

— Le Humdrum…, dis-je.

Son visage se crispe.

— Tu ne seras jamais assez fort pour le combattre ! Ça n'est pas ta faute, Simon.

— Si !

Je secoue la tête, il resserre sa prise sur ma mâchoire.

— Monsieur… je crois que mon pouvoir est lié au Humdrum. C'est peut-être moi qui le déclenche !

— C'est absurde !

Ses postillons atterrissent sur mon visage.

— Le Humdrum était prédit : « La plus grande menace que le Monde des Mages ait jamais connue. », lance-t-il. Tout comme le Mage Suprême était annoncé.

— Mais Baz dit que…

— N'écoute pas ce que raconte ce gamin !

Il lâche mon visage et recule d'un pas, puis il lève les bras et agite son épée ensanglantée.

— Il est fait du même bois que sa mère. Personne ne peut prétendre qu'on était mieux à Watford quand elle dirigeait l'établissement. Les couloirs étaient vides ! Seuls les magiciens les plus riches et les plus puissants avaient le droit de recevoir un enseignement. Natasha Grimm-Pitch aimait son pouvoir et sa richesse, elle était bien trop nostalgique du passé pour permettre que Watford change.

Il marche de long en large dans la pièce, tête baissée, et parle au parquet. Je ne l'ai jamais vu comme ça, si agité et si bavard.

— Je devrais pleurer sa mort ? demande-t-il d'une voix trop forte. Alors que toute une génération d'enfants magiciens a pu apprendre à utiliser ses pouvoirs ? Je suis censé être désolé ? Je ne le suis pas !

Il revient vers moi, pose ses mains à la base de mon cou et me regarde droit dans les yeux.

— Je ne suis pas désolé.

Il s'approche plus près encore. Ses cheveux touchent les miens.

— Si je pouvais retourner en arrière, je ne changerais rien. Rien. Sauf toi… Je ne peux rien pour toi, Simon.

Il secoue la tête et grince des dents.

— Mais je peux te soulager. Et je peux réaliser la prophétie.

Je ne sais pas quoi répondre. Alors je me contente de hocher la tête.

Depuis toujours, je sais que je suis un imposteur, et c'est un immense soulagement d'entendre enfin le Mage l'affirmer. Et d'apprendre qu'il a un plan. Je veux simplement qu'il me dise quoi faire.

— Donne-moi ta magie, Simon.

Je fais un pas en arrière, surpris, mais le Mage me tient par le cou. Il appuie sa main droite sur mon cœur.

— Je peux la prendre, j'avais réussi à trouver un moyen. Mais je vois que tu es capable de me la donner de ton plein gré, maintenant, n'est-ce pas ? Comme tu l'as transmise à ce sale gosse de Pitch ?

Je sens chacun de ses doigts sur ma peau.

— Ne m'oblige pas à la prendre, Simon…

Je baisse les yeux sur Ebb. Son sang se répand sur son bras et son épaule. Il vient d'atteindre la racine de ses cheveux blonds.

— Réfléchis-y, murmure le Mage. J'ai le contrôle que tu n'as jamais eu. La sagesse. L'expérience. Avec ton pouvoir, je pourrai éliminer le Humdrum. Et régler les querelles une bonne fois pour toutes. *Je serai en mesure de finir ce que j'ai commencé.*

— Qu'avez-vous commencé ?

— Mes réformes ! siffle-t-il.

Sa tête tombe vers l'avant, comme s'il était épuisé.

— Je croyais que les chasser du pouvoir suffirait. Changer les règles aussi. Mais ils sont comme les cafards, ces gens : ils reviennent au galop dès qu'on éteint la lumière. À cause du Humdrum, je ne peux pas me concentrer sur mes ennemis.

Il penche la tête à droite.

— Et je ne peux pas m'occuper du Humdrum à cause de toutes ces bagarres, ajoute-t-il.

Sa tête part à gauche, maintenant.

— Je n'étais pas censé me comporter ainsi, poursuit-il.

Il me regarde.

— Tu devais être la réponse.

— Je ne suis pas le Mage Suprême, dis-je.

— Tu n'es qu'un enfant, acquiesce-t-il, déçu.

Je ferme les yeux.

Il me pince le cou.

— Donne-la-moi.

— Cela peut vous blesser, monsieur.

Il me prend les mains d'un geste brusque.

— *Maintenant*, Simon.

J'ouvre les yeux et je regarde nos mains. Je pourrais lui donner toute ma magie. Et ensuite, c'est lui qui assécherait le monde de la magie et qui devrait trouver une solution…

Je presse une de ses mains pour lui transmettre un peu de magie. Juste un peu.

Il serre mes doigts, son corps réagit, mais il ne lâche pas.

— Simon ! lance-t-il, les yeux brillants. Je crois que ça peut marcher !

— Ça va marcher, dit ma voix.

Mais ça n'est pas moi qui parle. Le Humdrum est à côté de nous. Au-dessus du corps d'Ebb. Le Mage se fige instantanément, bouche bée. J'avais oublié : il n'a jamais vu le Humdrum.

— Simon, souffle le Mage. C'est toi.

— C'est le Humdrum, dis-je.

— C'est toi, le jour où je t'ai trouvé, déclare-t-il avec un regard plein de douceur. Mon garçon…

— Je ne suis pas lui, intervient le Humdrum. Je ne suis le garçon de personne.

— Tu es mon ombre, dis-je au Humdrum.

Il ne me fait plus peur, maintenant.

— Plutôt une blessure de sortie, répond-il. Ou un chemin de traverse. J'ai eu largement le temps d'y penser.

— Le perfide Humdrum, murmure le Mage.

— C'est un nom pourri, observe le Humdrum en faisant rebondir sa balle rouge. C'est vous qui l'avez trouvé ?

Le Mage se tourne vers moi.

— Maintenant, Simon. Donne-la-moi. Il est juste là.

— Depuis quand tu as des ailes ? demande le Humdrum. Je n'en ai jamais eu. Ni d'épée. Je n'ai même pas de ballon. J'aimerais bien avoir un ballon de foot.

Le Mage me serre les poignets sans quitter le Humdrum des yeux.

— Maintenant, Simon ! Nous en finirons une fois pour toutes.

— Vas-y, m'encourage le Humdrum. Il a raison. Il faut en finir avec la magie. Avec toute la magie.

Il m'envoie la balle et je pousse le Mage pour l'attraper.

— Simon ! s'exclame le Mage.

Je glisse la balle en caoutchouc rouge dans la poche de ma veste – je ne me rappelle pas où j'ai déniché ce costume gris – et je dévisage le Humdrum. C'est la seule façon.

Je prends le garçon par les épaules.

Il rit.

— Qu'est-ce que tu vas faire ? Me frapper ? Exploser ? Je suis presque sûr que ça ne marchera pas.

— Non, dis-je. Je vais en finir. Je suis désolé.

— Tu es *désolé* ?

— Oui, je suis désolé que toutes les bonnes choses me soient arrivées après que je t'ai laissé.

Il a l'air troublé. Je ferme les yeux et je m'imagine déverrouillant les portes, ouvrant les fenêtres, tournant les robinets et déversant tout en lui. Il ne tressaille ni ne s'écarte. Et quand je rouvre les yeux, il continue de me dévisager, mais moins troublé.

Le Humdrum pose ses mains sur les miennes et me fait un bref signe de tête. La mâchoire crispée, le regard acéré. Un petit dur. Même maintenant.

Je hoche la tête à mon tour.

Je la lui donne entièrement.

Je laisse tout partir.

Le Mage essaie de nous séparer. Il me crie dessus, me lance des malédictions, mais je suis connecté au centre de la Terre et ses mains passent au travers du Humdrum. Le garçon disparaît, ça devient plus difficile de garder mes mains sur ses épaules.

Je ne pense pas faire de mal au Humdrum. Il a simplement l'air épuisé.

Il est un trou. Il est ce qui reste quand j'ai terminé.

Il arrive que les trous veuillent devenir plus grands, mais Baz avait tort : parfois, aussi, ils veulent simplement être remplis.

Je lui transmets tout, et puis je le sens qui tire sur moi. Avant, je versais la magie ; à présent, elle est extraite de moi, comme aspirée.

Mes mains passent au travers des épaules du Humdrum, mais ma magie continue de jaillir en lui.

Je tombe à genoux et elle se déverse encore plus rapidement.

Le bout de mes doigts me picote. Je sens le feu. Les étincelles courent sur ma peau.

Ça n'explose pas, me dis-je. Ça sort.

83

BAZ

ON ARRIVE TROP TARD, C'EST SÛR.

Pour couronner le tout, en plus de cet échec lamentable, j'ai tellement soif que je pourrais vider un cheval d'une traite.

J'aurais dû m'enfiler ce king-charles qui n'arrêtait pas de gémir, au moins j'aurais abrégé ses souffrances.

Je devrais peut-être abréger celles de Bunce.

Nous venons de passer une colline et nous apercevons l'école, devant nous. Je m'apprête à franchir le portail, qui est grand ouvert, mais la Jaguar reste coincée dans la neige. Nous sortons de la voiture et traversons la grande pelouse à toute allure.

Quel choc de voir Wellbelove apparaître ! Elle galope vers nous comme un lapin terrorisé.

PÉNÉLOPE

Agatha pleure et halète, et, malgré la neige, elle court comme si elle était Jessica Ennis. Dommage que Watford n'ait pas d'équipe d'athlétisme.

Elle ne s'arrête même pas en nous voyant. Elle m'attrape la main et m'entraîne avec elle.

— Cours, Penny ! lance-t-elle. C'est le Mage !

— Quoi, le Mage ?

Je lui prends l'autre main et elle tourne autour de moi.

— C'est un démon ! dit-elle.

Baz lui attrape l'épaule.

— Simon est là ?

Agatha s'écarte de lui.

— Il vient d'arriver, répond-elle. Mais le Mage est un démon. Il se bat contre la gardienne des chèvres.

— Ebb ? dis-je.

— Et il a essayé de me blesser. Il était sur le point de faire quelque chose, de prendre un truc. Il veut Simon.

— Allez, on y va ! hurle Baz.

— Viens avec nous, dis-je à Agatha. On a besoin de ton aide.

Elle secoue la tête.

— Je ne peux pas. Impossible.

Et elle s'enfuit.

BAZ

Wellbelove part dans une direction, Bunce dans l'autre.

Un bruit résonne. Ça vient de l'école. Comme un coup de tonnerre, ou un ouragan sur un toit de tôle.

Je cours derrière Penny sur le pont-levis. Dès que nous arrivons dans la cour, nous comprenons où se trouve Simon : les vitres de la chapelle Blanche ont toutes explosé. De la fumée se dégage et les murs eux-mêmes semblent trembler, on dirait un halo de chaleur sur la ligne d'horizon.

L'air est dense à cause de la magie de Simon. Cette odeur de bois vert brûlé.

Bunce tousse et trébuche. Je la prends par le bras et me penche vers elle pour la soutenir. Je suis le premier étonné de cette situation. Ça mériterait une photo.

— Ça va, Bunce ?

— Simon, lâche-t-elle.

— Je sais. Tu vas y arriver ?

Elle hoche la tête, s'écarte de moi et secoue sa queue de cheval avec force. Plus nous nous approchons de la chapelle, plus l'atmosphère est saturée de particules. À l'intérieur, il fait très sombre, bien plus que d'habitude, comme s'il manquait autre chose que la lumière. J'ai l'impression de sentir la présence du Humdrum : cette sécheresse et cette sensation d'être aspiré. Mais, dans ma main, ma baguette est toujours vivante.

Quelque chose me traverse, comme une vague qui déferle dans l'air, dans la magie, et Bunce tombe une nouvelle fois. Je la rattrape.

— Nous ne sommes pas obligés de continuer, dis-je.

— Si, nous le sommes. Moi, en tout cas.

Je hoche la tête. Cette fois, je ne la lâche pas. Ensemble, nous avançons vers le pire, probablement à l'arrière de la chapelle. Nous franchissons des portes, suivons des couloirs.

Mon ventre se serre.

Il ne reste plus d'air. Juste Simon.

Bunce pousse une dernière porte et nous levons aussitôt nos bras pour protéger nos yeux. Une lumière éblouissante, aussi vive qu'un feu.

— Là-haut ! crie-t-elle.

J'essaie de regarder dans la direction qu'elle indique. La lumière s'éteint, nous sommes plongés dans le noir, puis elle revient. Elle semble provenir d'une ouverture dans le plafond, au moins six mètres au-dessus de nos têtes.

Bunce lève la main comme pour lancer un sort, mais, à la place, elle s'étreint le ventre.

Je l'entoure de mon bras gauche et pointe ma baguette vers la trappe. ***Sur les ailes légères de l'amour !***

C'est un ancien sort, difficile, qui ne marche qu'à condition de bien comprendre le grand changement vocalique du XVIe siècle, et d'être fou amoureux.

Bunce et moi, nous nous élevons vers l'ouverture. Je n'essaie pas de nous protéger, car il n'y a rien à faire. Nous arrivons dans une pièce atrocement bruyante avec une lumière stroboscopique et tombons à genoux au milieu d'éclats de verre, en tâchant de rester serrés l'un contre l'autre. Bunce vomit.

Durant la fraction de seconde où la lumière est moins forte, j'aperçois Simon, au milieu de la pièce : il se tient au Humdrum, comme s'il était sur le point de lui révéler quelque chose de capital. Il a de nouveau des ailes rouges, elles sont déployées.

Le Mage est également là, accroché à Simon. En pure perte : rien ne peut le faire bouger quand il est comme ça, les épaules voûtées, la mâchoire tombante.

Bunce, à quatre pattes, essaie de lever la tête.

— Qu'est-ce qu'il fait ? demande-t-elle avant d'avoir encore un haut-le-cœur.

— Je ne sais pas, dis-je.

— Devons-nous tenter de l'arrêter ?

— Tu crois que c'est possible ?

La lumière est moins intense. Tout comme l'obscurité.

Je distingue à peine le Humdrum, mais Simon semble encore agrippé à lui dans une curieuse étreinte.

Le bruit change aussi, il devient plus aigu, comme s'il prenait fin, passait d'un vrombissement à un gémissement. Quand il s'arrête, Simon bascule en avant. Un rai de lune qui passe par la fenêtre brisée l'éclaire.

Il tombe. Et ne se relève pas.

PÉNÉLOPE

Pendant quelques instants, le seul son que j'entends, c'est le hurlement de Baz.

Puis le Mage se jette sur le corps de Simon.

— Qu'est-ce que tu as fait ? crie-t-il en secouant Simon et en frappant ses ailes. Donne-la-moi !

Simon lève un bras pour repousser le Mage et il suffit de ce signe de vie pour que Baz réagisse aussitôt. Il se précipite vers eux à la vitesse de l'éclair. L'instant d'après, il tient le Mage par les épaules, ses canines au-dessus de son cou.

Simon s'agrippe à leurs jambes pour se relever.

— Non ! murmure-t-il.

Le Mage brandit sa baguette à pointe d'argent vers Baz, mais Simon la saisit et la plaque contre son cœur.

— Non, dit-il à Baz – ou peut-être au Mage. Stop !

Les trois virevoltent. Le Mage est couvert de sang et la bouche grande ouverte de Baz révèle toutes ses dents.

— Donne-la-moi ! crie le Mage à Simon.

Parle-t-il de sa baguette ?

— Il n'y en a plus ! gémit Simon en se redressant. Tout est parti !

Le Mage appuie sa baguette contre la poitrine de Simon.

— Donne-la-moi !

Baz attrape les cheveux du Mage et le tire d'un coup sec en arrière.

— Stop ! hurle Simon. Il n'y en a plus ! C'est fini !

Personne ne l'écoute.

Je dirige ma bague vers eux en laissant ma magie monter depuis les tréfonds de mon ventre, et je lance plus fort et plus distinctement que jamais : ***Simon a dit !***

Les mots de Simon retentissent alors, saturés de magie : ***Arrêtez ça ! Arrêtez de me faire du mal !***

Le Mage sursaute et s'écroule dans les bras de Baz.

Celui-ci recule, troublé, et laisse tomber le Mage au sol. Puis il tend le bras vers Simon, mais ce dernier s'agenouille au-dessus du Mage et lui agrippe la poitrine.

— Je… je crois qu'il est mort. Penny ! Je l'ai tué. Oh, non…

Il éclate en sanglots.

— Oh, par Merlin. Penny !

Encore tremblante, je m'approche d'eux.

— Ça va, Simon.

— Non, ça ne va pas. Le Mage est mort. Pourquoi est-il mort ?

Je ne le sais pas.

Je ne comprends pas ce qui se passe.

— C'était peut-être la seule manière pour qu'il arrête de te faire du mal, dis-je.

— Mais je ne voulais pas le tuer ! gémit Simon en passant une main sous le dos du Mage pour le soulever.

— Techniquement, c'est Bunce qui l'a tué, déclare Baz d'un ton doux.

Des larmes brillent dans ses yeux.

— Il est mort, dit Simon. Le Mage est mort.

84

LUCY

JE N'AVAIS RIEN REMARQUÉ D'ANORMAL. JE n'avais jamais été enceinte.

Les livres racontent qu'on a l'impression d'avoir des papillons dans le ventre. Comme si tout s'accélérait à l'intérieur. Ce que j'ai éprouvé était bien plus fort.

Je t'ai senti bourdonner en moi. Animé, vibrant. Des vagues qui me traversaient de la tête aux pieds.

Davy ne me quittait pas. Il cuisinait pour moi. Lançait des sorts bienveillants sur nous deux.

Peut-être crois-tu que sa gentillesse faisait partie du rituel, mais je pense qu'il prenait sincèrement soin de moi. Et de toi…

Je pense qu'il nous voulait tous les deux à ses côtés dans l'avenir merveilleux qu'il construisait. Un nouveau Monde des Mages.

Les femmes enceintes sont toujours fatiguées.

Elles ont parfois du mal à garder ce qu'elles mangent. Elles se sentent tendues et ont des vertiges.

Un jour, je suis sortie nourrir nos nouvelles poules, et je n'ai pas réussi à revenir à la maison. Je n'avais pas assez d'énergie pour faire un pas de plus.

Je suis tombée à genoux et me suis penchée en avant, douce-ment. Pour te protéger. J'ai vu des étoiles.

Davy était à l'intérieur en train de faire la sieste. Quand il s'est réveillé, il m'a trouvée là, rouge et déshydratée. Il m'a portée dans la maison en demandant, énervé, ce qui s'était passé et pourquoi je n'avais pas lancé un sort pour obtenir de l'aide. Mais mes pouvoirs avaient diminué, je ne m'en étais pas servie depuis des semaines. Quand j'ai essayé, plus tard, c'était comme frapper dans le vide. Comme si ce qui était là avant avait disparu.

Quand on est enceinte, la magie devient bancale.

Le lendemain matin, je me suis sentie mieux.

Le jour suivant, c'était pire.

Les tiraillements dans mon ventre étaient devenus plus intenses. Comme si quelqu'un tournait une manivelle. Je me sentais incapable de rester dans la maison, mais je ne pouvais même pas atteindre la porte.

— Il a besoin d'air, ai-je dit à Davy, qui n'a pas protesté.

Il m'a emmenée dans le jardin et s'est allongé dans l'herbe avec moi. J'avais besoin de sentir la terre sous moi, ainsi que l'air et le soleil.

— Ça va mieux, ai-je dit à Davy, même si je continuais à sentir les tours de manivelle.

Quand j'étais seule, je te parlais. De ta famille. De tes grands-parents. De la maison. De Watford, où ton père et toi nous nous étions rencontrés.

Je t'ai choisi un nom.

— Simon, ai-je dit à Davy.

À ce moment-là, nous savions que tu étais un garçon.

— D'accord, a répondu Davy. Pourquoi ?

— C'est un bon prénom. Sage.

— Le prénom d'un sauveur ?

— S'il est le Mage Suprême, son prénom ne deviendra-t-il pas automatiquement celui d'un sauveur ? Quel que soit notre choix ?

— Bien vu, a-t-il acquiescé. Simon.

— Simon Snow.

— Comment ça ?

— Son deuxième prénom : Simon *Snow*.

— Et pourquoi ?

— Parce que je trouve ça beau. Tout le monde devrait avoir un deuxième prénom original.

— Quel est le tien ?

— Winifred.

Nous avons ri comme des fous, jusqu'à ce que je demande grâce : mon ventre me tirait trop.

Quand on est enceinte, on se sent fatiguée. Et malade. Et bizarre.

— Comment te sens-tu ? demandait Davy.

— Bien, répondais-je.

— Comment va notre garçon ?

— Il a faim.

Je n'ai jamais dit la vérité à Davy. Qu'aurait-il pu pour moi ? Qu'aurait-il fait si je lui avais dit : « Je me sens comme un couloir désert, Davy. Comme un tunnel où le vent souffle en rafales. Comme si quelque chose en moi me mangeait, intégralement. Manger n'est pas le mot juste, d'ailleurs : me consumait, m'aspirait, me dévorait. Combien de temps faut-il à une étoile pour disparaître ? Combien de milliards d'années ? »

Je ne devrais peut-être pas te raconter tout ça. Je ne suis pas revenue pour ça.

Je ne veux pas que tu penses que c'était ta faute.

Tu es l'enfant que nous aurions eu de toute manière, Simon. Tu étais à nous, complètement. Et tu n'es responsable de rien.

C'est nous qui t'avons fait aussi puissant. C'était comme allumer un feu au milieu d'une forêt. Si tu es aussi affamé, c'est à cause de nous.

À la fin, je voulais simplement te voir.

Et je me disais que, peut-être, quand tu serais né, je retrouverais un peu de ce que j'avais perdu de moi.

J'aurais dû demander à Davy d'aller chercher de l'aide quand le travail a commencé. Mais nous ne pouvions pas courir le risque de révéler à quelqu'un ce que nous avions fait.

Tu es né le jour du solstice. Facilement, comme si tu ne voulais pas me faire souffrir davantage.

Ton père t'a déposé dans mes bras en nous couvrant de baisers. Il était le magicien le plus puissant du monde, avant toi, et il nous a envoyé tous les sortilèges protecteurs qu'il connaissait.

Je t'ai vu.

Je t'ai tenu dans mes bras.

Je t'ai aimé.

C'est pour te dire ça que je suis revenue. Je t'ai aimé avant de te connaître et mille fois plus dès que je t'ai eu dans mes bras. Et je n'avais pas l'intention de te quitter si tôt.

Jamais je ne t'aurais abandonné.

Simon, Simon.

Mon garçon bouton de rose.

85

PÉNÉLOPE

NOUS RESTONS ASSIS ENSEMBLE UN MOMENT. Je ne sais pas combien de temps. Nous sommes au-delà de la tristesse, de l'épuisement et du soulagement.

Puis Simon enlève la veste de son costume – elle est déchirée à l'emplacement des ailes – et en recouvre le haut du corps du Mage. Il recommence à pleurer et Baz le prend dans ses bras. Simon se laisse faire.

— Ça va, Simon, dit Baz. Tout va bien, maintenant.

Il a une main dans son dos pour le tenir contre lui, de l'autre il écarte doucement les cheveux de Simon de son visage.

— Tu as réussi, murmure-t-il. Tu as anéanti le Humdrum. Tu nous as sauvés avec un courage incroyable.

— Je lui ai donné ma magie, Baz. Je n'en ai plus.

— On n'a pas besoin de magie. Je vais te transformer en vampire et tu vivras avec moi pour toujours.

Les épaules de Simon s'affaissent. Baz continue de parler.

— Réfléchis-y, Simon. Une super force. Une vue comme avec des rayons X.

Simon lève la tête.

— Tu ne vois pas comme avec des rayons X.

Baz hausse un sourcil.

— Je l'ai tué, lâche Simon.

— Ça va aller, murmure Baz en l'entourant de ses bras. Tout va bien, mon amour.

Tout s'explique.

ÉPILOGUE

PÉNÉLOPE

J'AI ENVOYÉ UN PETIT OISEAU À MA MÈRE. IL Y en avait des dizaines autour de nous ; ils étaient passés par les fenêtres brisées et voletaient au-dessus du corps du Mage.

Nous étions tous les trois exténués, Simon, Baz et moi. Je me suis endormie sur place. Entre deux cadavres. C'est dire dans quel état j'étais.

Simon a essayé d'aider Ebb, mais son corps était déjà froid. Elle était partie. Il ne lui a lancé aucun sort, pas même pour la recouvrir, et j'ai pensé qu'il était à bout de fatigue, lui aussi. Sans magie, pour la première fois de sa vie. C'est bien plus tard que j'ai compris qu'il l'avait perdue pour de bon.

Baz était épuisé *et* assoiffé. Tout ce sang répandu – celui d'Ebb – le rendait fou. Il s'est finalement rabattu sur celui des oiseaux. C'était un peu perturbant, mais tellement moins que ce qui venait de se dérouler que ni Simon ni moi n'avons essayé de l'arrêter.

Maman a débarqué peu de temps après. Avec Premal... Il l'avait aidée à me chercher. Nous étions endormis quand ils sont arrivés et ils ont d'abord cru qu'on était tous morts. Quand je me suis redressée, Maman était aussi pâle qu'un Visiteur. Je crois qu'elle n'a jamais eu aussi peur pour moi.

Premal a pleuré en voyant le Mage.

Maman lui a juste jeté un coup d'œil et a lancé un sort pour conserver son corps pour l'enquête. Puis elle ne l'a plus regardé une seule fois.

Elle a téléphoné à Papa, à M. Wellbelove et à d'autres membres du Conseil, avant de m'emmener avec Simon et Baz dans leur chambre, en haut de la tourelle. (C'est grâce à Maman que je réussissais à y entrer : elle avait brisé la protection quand Papa vivait dans le pavillon Mummers ; toutes les femmes Bunce peuvent désormais passer.) Premal nous a apporté du thé et des cookies, et nous nous sommes tous les trois aussitôt rendormis.

Dès que je me suis réveillée, j'ai prévenu Maman, à propos d'Agatha. Je pensais qu'elle était peut-être encore dehors, quelque part dans la neige.

Quand Baz a ouvert les yeux, il a appelé ses parents.

Simon, lui, n'a pas décroché un mot. Il s'est contenté de boire tout le thé qu'on lui a donné et de se blottir à nouveau dans les bras de Baz.

Je ne sais pas quelle histoire on racontera sur nous. Dira-t-on que Simon a tué le Mage ? Ou bien moi ?

J'espère qu'on reconnaîtra à Baz le mérite d'avoir mis fin à la guerre.

Quand il est arrivé chez lui, les Anciennes Familles étaient au taquet, même si le Mage était déjà mort et que Simon n'avait plus de pouvoir. Et c'en était fini du Humdrum, mais ça, personne n'était encore au courant.

Maman a pensé que les Grimm et les Pitch allaient sauter sur l'occasion pour prendre le contrôle sur tout.

Mais le Conseil s'est à nouveau réuni, il y a eu des élections, et la guerre n'a jamais eu lieu.

Maman est la directrice, maintenant. Officiellement. Le Conseil l'a désignée.

Elle a essayé de me convaincre de finir les cours à Watford, pour passer mon diplôme. Si Simon avait voulu y aller, j'aurais peut-être fait l'effort. Mais on y avait trop de mauvais souvenirs. Je ne sais pas comment fait Baz.

Agatha dit qu'elle n'y retournera plus jamais.

« Seulement les pieds devant. C'est d'ailleurs comme ça que j'aurais fini si j'étais restée là-bas. »

BAZ

AUJOURD'HUI, C'EST LA CÉRÉMONIE DE FIN d'année. Ma dernière année. Je suis le premier de la classe – il n'y a plus eu de compétition, après que Bunce a abandonné –, c'est donc à moi de prononcer le discours.

J'ai dit à Simon de ne pas venir : c'est un peu dur d'être entouré de magiciens quand tu ne ressens même plus la magie. Je ne voulais pas qu'il soit à Watford, à penser à tout ce qu'il n'est plus. Ni l'héritier du Mage, ni même un mage.

Il reste ce qu'il a toujours été – courageux, honnête, incroyablement sublime (même avec cette saloperie de queue) –, mais je ne crois pas qu'il ait envie d'entendre ça.

Et, pour être franc, je trouve ça difficile à dire.

Ces derniers temps, nous avons parfois du mal à… parler. Je ne lui en veux pas. La vie n'a pas été tendre avec Simon Snow. Il m'arrive de songer que je devrais le provoquer, chercher la bagarre avec lui. Juste pour qu'il retrouve son équilibre.

Quoi qu'il en soit, je ne pense pas qu'il ait envie d'être ici.

Ma mère aussi a fait le discours lors de la cérémonie des diplômes, à son époque. Je l'ai trouvé dans les archives de l'école et je vais en lire un extrait aujourd'hui. Il porte sur la magie, le don de la magie. Et sur la responsabilité. Il parle aussi de Watford. Pourquoi ma mère aimait cette école. Elle a dressé la liste de tout ce qui allait lui manquer. Comme les scones aux griottes et les cours d'Élocution, ou les trèfles de la grande pelouse.

Je ne peux pas dire que j'ai autant aimé Watford que ma mère. Pour moi, ça restera l'endroit qu'on lui a retiré. Et qui me l'a enlevée. C'était comme aller à l'école dans un territoire occupé.

Malgré tout, je savais que je reviendrais y passer le dernier trimestre, même sans Penny et Simon. Pas question d'être le premier Pitch de l'histoire à abandonner Watford.

Les discours ont lieu dans la chapelle Blanche. Les vitraux ont été réparés.

Ma tante Fiona est assise au premier rang. Elle pousse un petit cri d'excitation, quand on me présente, et je vois mon père sursauter.

Je n'ai jamais vu Fiona aussi joyeuse que ces derniers temps. Après la mort du Mage, elle ne savait pas quoi faire. Je pense qu'elle rêvait encore de le tuer. (Et encore.) Puis le Conseil l'a nommée chasseuse de vampires et tout a changé. À présent, elle fait partie d'une sorte d'unité d'élite et elle est en mission secrète à Prague la moitié du temps. Après avoir quitté l'école, j'emménagerai dans son appartement. Mes parents souhaitaient que j'aille avec eux à Oxford – ils habitent là-bas, dans notre pavillon de chasse – mais je ne voulais pas être aussi loin de Simon. Mon père n'est pas encore prêt à accepter que j'ai un petit ami et ça serait trop fatigant de devoir faire semblant de n'être ni un vampire ni un gay.

À la fin de mon discours, Fiona pleure à chaudes larmes et se mouche bruyamment. Mon père, lui, ne pleure pas, mais il est tellement secoué qu'il est incapable de me parler après la cérémonie. Il se contente de me donner de grandes tapes dans le dos en répétant « Bravo ».

— Allez, Basil, lance Fiona. Maintenant, je te ramène à Chelsea pour qu'on se cuite un bon coup. Et que de la bonne qualité, hein.

— Impossible. Il y a le bal pour les diplômés, ce soir. J'ai promis à la directrice d'être là.

— Tu ne peux pas louper cette occasion de te voir en costard, hein ?

— Exactement.

— Bon, d'accord. Dans ce cas, je t'emmène te bourrer la gueule demain. Je viendrai te chercher à l'heure du thé. Attention aux numptys.

C'est sa façon de me dire au revoir, désormais. Je déteste.

Il reste quelques heures avant le bal. J'en profite pour faire un petit tour sur les collines derrière les remparts, et cueillir un bouquet de jonquilles et d'iris. Je reviens en passant par le pont-levis et j'entre dans la chapelle vide.

Je descends dans les catacombes, sans prendre la peine d'allumer une torche. Cela fait des années que je ne me perds plus dans ce dédale. Je ne suis pas pressé, je m'arrête pour attraper chaque rat que je croise et le vider de son sang. Quand je ne serai plus là, l'école va en être infestée.

La tombe de ma mère est dans *le Tombeau des enfants*[1]. C'est un portique en pierre avec une plaque en bronze dans un tunnel jonché de crânes.

J'aurais voulu être enterré là, avec elle, si j'avais pu mourir un jour.

Je m'assois à côté de la porte – il n'y a pas de poignée ni de verrou, c'est juste une immense pierre encastrée dans le mur – et je dépose les fleurs.

1. En français dans le texte.

— Tu en reconnaîtras une partie, dis-je en sortant mon discours. Mais j'ai ajouté quelques babioles.

Dans le coin, un rat m'observe. Je l'ignore.

À la fin du discours, je laisse tomber ma tête en arrière contre la pierre.

— Je sais que tu ne m'entends pas. Je sais que tu n'es pas là… Tu es venue me voir, et je t'ai ratée. Ensuite, j'ai fait ce que tu me demandais de faire, donc tu ne reviendras sûrement pas.

Je ferme les yeux.

— Mais… je voulais simplement te dire que je vais continuer. Tel que je suis. J'y ai beaucoup réfléchi et je crois que tu n'aurais pas souhaité que je poursuive ainsi, ni même permis que je le fasse. Pourtant, je pense que c'est ce que tu aurais fait dans les mêmes circonstances. Tu n'as jamais renoncé. À aucun moment.

Je pousse un long soupir et je me lève.

Puis je me tourne vers la porte et je penche la tête. Je parle doucement, pour qu'aucun autre squelette ne puisse entendre.

— D'habitude, je viens ici pour te dire que je suis désolé. Aujourd'hui, j'ai envie de te dire que tout va bien se passer pour moi. Je ne veux plus faire partie de ce qui t'empêche d'être en paix, Maman. Je vais bien.

J'attends quelques instants… au cas où. Puis je sors des catacombes et j'essuie la poussière sur mon pantalon.

C'est un bal de fin d'année particulièrement maussade. Les rares amis que j'ai encore à Watford sont accompagnés ou m'évitent. Dev et Niall ne m'ont jamais complètement pardonné d'être devenu ami avec Simon. Dev dit que je leur ai gâché leur enfance en complotant contre lui.

— Et qu'est-ce que tu aurais fait de ton enfance, sinon ? ai-je demandé.

Il ne m'a même pas répondu.

Je me suis retrouvé à côté du punch, à parler préfixes latins avec la directrice, Mme Bunce. C'est un sujet passionnant, mais je ne pense pas avoir besoin de mettre une cravate pour en discuter.

Mme Bunce est triste que Pénélope ne soit pas là. Je m'apprêtais à la consoler en lui disant que même si elle était restée à l'école, Pénélope ne serait pas venue au bal, mais la directrice est déjà partie à l'autre bout de la pelouse pour lire ses mails.

— J'espérais qu'il y aurait des sandwiches, marmonne quelqu'un près de moi.

Je ne relève pas. Je ne suis pas là pour me faire de nouveaux amis ou avoir des conversations de salon. Surtout quand je suis sur le point de quitter les lieux.

— Ou un gâteau, au moins.

Je me retourne, et j'aperçois Simon Snow de l'autre côté de la table. En costume, avec une cravate, les cheveux soigneusement peignés.

Auparavant, il n'aurait jamais pu me prendre comme ça de court, mais ces derniers jours, il avait une odeur différente, quelque chose de sucré et de marron. Plus cette odeur de feu de bois vert.

— Alors, cette fête ? demande-t-il.

— Sinistre. Comment tu es arrivé ici ?

— En volant.

J'écarquille les yeux. Il éclate de rire.

— Mais non. Penny m'a accompagné. Elle m'a laissé devant le portail.

— Où sont tes ailes ?

— Je les ai planquées. Quelqu'un m'a déjà marché sur la queue.

— Je t'ai dit de la rentrer à l'intérieur.

— Ça donne une drôle de forme à mon pantalon.

À mon tour de rire.

— Ne te moque pas de moi, dit-il.

— C'est ma seule occasion de rigoler.

Snow lève les yeux au ciel puis lance un regard nerveux vers la chapelle Blanche.

— Tu n'es pas obligé d'être là, dis-je.

— Si, répond-il rapidement.

Il s'éclaircit la gorge avant d'ajouter :

— Surtout, ne pars pas sans moi.

Difficile pour Simon Snow de danser.

Sa queue n'arrange pas les choses. Je l'attrape, l'enroule autour de mon poignet et pose ma main au bas de son dos.

— Nous ne sommes pas forcés de faire ça, dis-je quand nous sortons dans le patio où dansent les gens. Personne n'a besoin de savoir.

— De savoir quoi ? demande doucement Snow. Que je suis obnubilé par toi ? Trop tard.

Je presse ma main gauche qui tient la queue sur son dos et prends sa main avec la droite. Il lève son autre main, puis la laisse retomber, ne sachant pas quoi en faire.

— Mets-la sur mon épaule, dis-je.

Il obéit. Je hausse un sourcil.

— Wellbelove ne t'a jamais appris à danser ?

— Elle a essayé. Mais il paraît que je suis un cas désespéré.

— La vérité sort de la bouche des enfants.

La musique qui passe, elle, n'est pas désespérée. *Into My Arms*, de Nick Cave. Une des chansons préférées de Fiona. Elle est tellement lente que nous bougeons à peine.

Snow porte un costume élégant : pantalon noir, gilet noir et veste en velours bleu foncé avec des revers noirs. Ça doit appartenir à M. Wellbelove. La veste a beau être ajustée aux épaules, je ne vois pas où sont cachées ses ailes. Quelqu'un a dû lui envoyer un **Propre et bien rangé !**. Je me tiens bien droit. Tout le monde nous regarde…

Ceux qui dansent et ceux qui sont éparpillés dans la cour, en train de boire du punch. L'entraîneur, le Minotaure, Mlle Possibelf sont debout, leur verre à la main, figés.

— Ils vont comprendre, dis-je. Et en parler.

— Quoi ?

Il est à des années-lumière. Ces derniers temps, c'est souvent le cas.

— Ils vont savoir que nous sommes gays.

— Adieu mes perspectives de travail, lâche simplement Simon. Que vont dire mes proches ?

Je ne suis pas certain de saisir sa blague.

Il me regarde et pousse un soupir exaspéré.

— Tu es tout ce que j'ai, Baz. Je n'ai rien d'autre à perdre que toi. Alors, tant que tu ne me détestes pas si on fait des trucs de gay en public, franchement, je m'en fiche.

— On ne fait que danser. C'est à peine un truc de gay.

— C'est carrément un truc de gay, réplique-t-il. Même quand ce n'est pas deux mecs ensemble.

Je fronce les sourcils.

— Tu as Bunce, aussi, dis-je.

— Avec qui danser ?

— Non : tu peux perdre Bunce.

Il se décompose.

Je resserre mon étreinte.

— Ce que je veux dire, c'est que tu n'as pas que moi. Tu as aussi Bunce.

— Elle va partir pour l'Amérique.

— Peut-être. Mais peut-être pas. Pas tout de suite, de toute manière. Et en plus, l'Amérique ne rend pas amnésique. Elle sera toujours ton amie. Elle aussi elle n'a que deux amis et demi, je ne pense pas qu'elle va te laisser tomber.

Snow ouvre la bouche pour riposter, puis secoue la tête et baisse les yeux. Quelques boucles tombent sur son front.

— Quoi ? dis-je en lui pressant la main.

Ses mains qui me sont si familières. Sortir avec Simon Snow, ça n'est pas le déchaînement érotique que j'avais toujours imaginé, mais plutôt de longs moments assis en silence et des regards à n'en plus finir. Et toujours en se tenant la main. Il est comme un gamin qui a peur qu'on le perde dans le supermarché.

À son tour, il me presse la main. Mais il ne relève pas la tête.

Je préfère ne pas insister. Il est là. Avec une cravate, en train de danser. C'est déjà énorme.

Quand j'appuie ma tête contre la sienne, il la relève brusquement. Évitant mon nez de justesse. Je m'écarte un peu.

— Par Crowley, Snow !

Il est tout rouge.

— C'est juste que…

Il me serre l'épaule.

— C'est juste que quoi ?

— Vous n'avez pas besoin de faire ça.

— Faire quoi ?

Il fronce les sourcils, ses mâchoires sont crispées. La lumière tamisée de la cour se reflète dans ses cheveux.

— Juste… Vous… Ça n'est pas…

— Termine ta foutue phrase, Simon.

— Vous n'êtes pas obligés de faire ça, Penny et toi. Je ne suis pas… comme vous. Je n'ai jamais été… Je suis une imposture.

— Ça n'est pas vrai.

— Je ne suis pas un mage, Baz.

— Tu as perdu tes pouvoirs, dis-je. Par sacrifice.

Sa queue glisse de ma main. Elle a tendance à s'agiter quand il n'est pas bien.

— Je ne crois pas en avoir jamais eu. Je ne sais pas comment a fait le Mage, mais Penny et toi vous aviez raison depuis le début. Les magiciens n'abandonnent pas leurs enfants. Je suis un Normal.

— Snow…

— J'étais nul en magie parce que je n'étais pas censé en avoir ! Le portail ne s'est même pas ouvert pour moi, ce soir. Penny a dû me faire entrer.

Un couple s'approche de nous et nous écoute : Keris et sa maudite lutine. Je ricane, elles s'éloignent.

Snow me broie l'épaule et la main. Je le laisse faire, pourtant je suis bien plus fort que lui.

— Stop, Simon ! Tu dis n'importe quoi.

— Ah oui, vraiment ? La magie compte plus pour Penny et toi que pour n'importe qui dans le Monde des Mages. C'est ce que tu as vu en moi : le pouvoir. Et il a disparu. Ça n'était pas moi.

— Si ! Tu étais le mage le plus puissant qui ait existé. C'était la réalité.

— J'étais une mauvaise excuse pour un mage. Combien de fois me l'as-tu répété ?

— Je t'ai dit ça parce que j'étais jaloux !

— Eh bien, il n'y a plus de raison d'être jaloux, maintenant ! Je lâche sa main.

— Pourquoi tu dis tout ça ?

Simon serre les poings et rentre la tête dans les épaules, comme un taureau.

— Parce que j'en ai assez d'attendre.

— D'attendre quoi ?

— Que vous arrêtiez tous d'être désolés pour moi !

— Jamais je n'arrêterai !

C'est vrai. Il a perdu sa magie. Ça me brisera toujours le cœur.

— Mais je ne veux pas non plus de ça ! lance-t-il en serrant les dents. Je ne suis plus des vôtres.

Je reprends sa main et passe mon bras autour de sa taille.

— C'est faux. Le Pilori nous a mis ensemble.

— Le Pilori ?

— J'avais onze ans, j'avais perdu ma mère, et mon âme, et le Pilori t'a offert à moi.

— Pour partager une chambre, réplique-t-il.

Je secoue la tête.

— Ça a toujours été plus que ça.

— Nous étions ennemis.

— Tu étais le centre de mon univers, dis-je. Tout tournait autour de toi.

— À cause de ce que j'étais, Baz. De ma magie.

— Non, je riposte, presque aussi agacé que lui. Enfin oui. Par Crowley, Snow : oui, en partie. Te regarder, c'était comme voir le soleil.

— Je ne serai plus jamais ça.

— Non. Et je remercie la magie.

Je pousse un soupir, et j'ajoute :

— Ce que tu étais avant… Je n'ai pas imaginé une seule fois que nous nous en sortirions, Simon Snow. Tu étais le soleil et je me fracassais contre toi. Chaque matin, en me réveillant, je me disais : « Ça va finir dans les flammes. »

— J'ai quand même mis le feu à ta forêt…

— Mais ça ne s'est pas terminé comme ça.

— Baz…

Son visage n'est plus ravagé par la colère, à présent, mais par la douleur.

— Je ne peux pas continuer avec toi. Je suis un Normal.

— Tu as une queue, Simon, je te rappelle.

— Tu sais très bien ce que je veux dire.

— Regarde-moi, dis-je en lui relevant la tête. Je n'ai pas envie de te répéter ça à longueur de temps. C'est le genre de choses qui sont censées être sous-entendues, avec poésie…

Il soutient mon regard.

— Tu es encore Simon Snow. Et toujours le héros de cette histoire.

— Ça n'est pas une histoire !

— Tout cela est une histoire. Tu en es le héros. Tu as tout sacrifié pour moi.

Il a l'air abasourdi, et honteux.

— Je ne l'ai pas exactement fait pour toi…

— D'accord. Pour moi et pour le monde magique.

— Je n'ai fait que nettoyer mon propre désordre, Baz. Personne ne pourrait dire de toi que tu es un héros juste parce que tu as nettoyé ton vomi.

— C'était courageux. Et altruiste. Et intelligent. C'est ce que tu es, Simon. Et je ne risque pas de me lasser de toi.

Il continue de me regarder droit dans les yeux, le menton en avant.

— Je ne suis pas l'Élu, lâche-t-il.

Je soutiens son regard avec un petit rire. Mon bras verrouillé autour de sa taille.

— Moi je t'ai élu, Simon Snow.

Il ne bronche ni ne s'adoucit. Pendant un instant, je pense qu'il va me donner un coup de poing, ou un coup de boule avec sa tête de pioche. Au lieu de ça, il approche son visage du mien et m'embrasse.

Je réponds à son baiser et lâche sa main pour le tenir par le cou. Il se presse contre moi, je ne recule pas d'un millimètre. (Franchement, c'est limite ; et s'il se coupe la lèvre sur mes dents, ça promet d'être un désastre.)

Quand finalement nous nous écartons l'un de l'autre, je le sens frémir. J'appuie mon front contre le sien et je sens s'apaiser la tension dans sa nuque et dans son dos.

— Tu peux changer d'avis, murmure-t-il.

— Sûrement pas, dis-je en remuant la tête.

— Je vaudrai toujours moins que toi, soupire-t-il.

— Je sais. Mon rêve est devenu réalité.

Il a un petit rire.

— N'empêche, répond-il. Tu pourras changer d'avis.

— Nous le pouvons tous les deux. Mais je ne changerai pas d'avis.

J'aurais dû me douter que danser avec Simon Snow déclencherait une scène de ce genre. Combat acharné. Reddition réciproque.

Il passe ses bras autour de mon cou et se colle à moi. Il a oublié, lui aussi, que tout le monde nous regarde. Ou il s'en fiche.

— Baz ?

— Ouais ?

— Tu es toujours ami avec Mme Pritchard ?

— J'imagine.

— C'est juste que… je m'attendais vraiment à ce qu'il y ait des sandwiches.

AGATHA

EN CALIFORNIE, LE SOLEIL BRILLE TOUS LES JOURS.

Je partage un appartement avec deux autres filles de l'école. Quand je rentre, après les cours, je m'installe dans la véranda avec Lucy et on profite du soleil.

Lucy, c'est ma chienne king-charles. Je l'ai trouvée dans la neige, à l'extérieur de Watford. Elle était peut-être morte mais comme je n'avais pas le temps de m'arrêter pour vérifier, je l'ai juste attrapée au passage et j'ai continué à courir.

Je sais que Penny ne me pardonnera jamais de m'être enfuie, ce jour-là, mais j'étais incapable d'y retourner. Impossible. Question de survie. Jamais je n'ai éprouvé une telle certitude.

Je devais courir.

En théorie, si on regarde une carte, le point le plus éloigné de Watford se situe à l'est de la Nouvelle-Zélande, au milieu de l'océan Pacifique. Mais en Californie, on se sent plus loin.

J'ai laissé tous mes vêtements à la maison.

Maintenant, je porte des robes d'été et des sandales avec une bride autour de la cheville.

Ma baguette aussi est restée chez moi. Si ma mère le savait, elle aurait une crise cardiaque. Elle continue de me demander si j'ai rencontré des magiciens. Elle dit que la magie est très populaire, en Californie. Il y a même un club à Palm Springs.

Je m'en fiche. J'habite San Diego. Mes amis travaillent dans des restaurants ou dans des bureaux au milieu de grands centres commerciaux, je sors avec des garçons qui mettent des bonnets noirs même quand il fait chaud. En semaine, le soir, j'étudie, et le week-end, nous allons à la plage. L'argent que mes parents me donnent passe en frais de scolarité et en tacos.

Que des choses normales.

En dehors de mes parents et d'Helen, le seul magicien avec lequel je parle encore, c'est Pénélope. Elle m'envoie des SMS. J'ai essayé de ne pas répondre, mais ça ne marche pas, avec elle.

Elle me donne des nouvelles de Simon. Elle m'a raconté le procès. J'ai cru que je serais obligée de revenir pour témoigner, mais le Conseil m'a autorisée à le faire par écrit.

C'est la seule fois où j'ai dû parler de ce qui s'est passé.

De ce que j'ai vu.

D'Ebb.

Je ne l'ai pas vraiment connue. C'était l'amie de Simon. J'ai toujours pensé qu'elle était un peu dingue. Vivre dans cette grange, passer ses journées avec des chèvres…

Maintenant, j'en sais plus sur elle.

Elle était une magicienne puissante, sauf qu'elle ne faisait pas ce que font généralement les magiciens puissants. Elle ne voulait pas de responsabilités. Ni prendre le pouvoir sur les gens. Ni se battre. Elle voulait simplement vivre à Watford et s'occuper des chèvres.

Ils ont refusé.

Ils ne voulaient pas la laisser tranquille. Elle est morte dans une guerre qui ne la concernait pas. Quitter le Monde des Mages n'est pas une option. Impossible de dire juste : « Non, merci. »

Je ne sais pas pourquoi elle est revenue pour me sauver la vie. Je lui avais à peine parlé.

Penny dit que je devrais lui rendre hommage en aidant à construire un meilleur Monde des Mages…

Mais c'est peut-être un meilleur hommage de tous les envoyer balader, comme elle l'a fait.

Elle m'a dit de *courir*.

J'ai gardé la photo du Mage avec Lucy. Je l'ai collée sur le miroir de la porte de ma chambre. Parfois, quand je m'habille, je pense à elle.

Elle est la seule à être partie.

Je me demande si elle vit toujours ici, en Californie. Si elle a une famille, maintenant. Je la croiserai peut-être au supermarché ? (Je ne lui dirai pas que j'ai appelé mon chien comme elle.)

Je pense que j'enverrai un jour la photo à Simon.

Je ne me sens pas encore capable de lui parler, et je ne crois pas qu'il soit prêt à recevoir une photo du Mage par la poste.

À mon avis, Simon est la seule personne qui ait vraiment aimé le Mage. Et même si c'est lui qui l'a tué, le voir mourir a été pour lui une grande douleur.

SIMON

JE M'ÉPUISE À MONTER SEUL CES CARTONS AU quatrième étage.

— Toi, avec ta superforce, tu ferais deux fois moins de voyages que moi, dis-je à Baz en laissant tomber ma charge sur le canapé.

Il soulève le couvercle de son gobelet Starbucks pour lécher directement la crème Chantilly.

— Sûrement, répond-il. Mais tes voisins normaux se poseraient des questions. Ils s'en posent déjà sur le magnifique jeune homme qui est chez toi jour et nuit.

— Ils ne savent même pas qu'on emménage. Ils sont tous au travail.

— Eh bien ils s'interrogeront quand ils nous verront. On est sympas, mystérieux et largement plus beaux que la moyenne.

Il lève les yeux sur moi et pose son gobelet.

— À propos, approche-toi, Simon. On voit une de tes ailes.

Je pensais qu'après avoir donné ma magie au Humdrum les ailes disparaîtraient. Mais Penny dit que je me suis servi de ma magie pour les créer et que ça n'est pas parce que ma magie n'est plus là que tout ce que j'ai fait avec n'existe plus.

J'ai toujours la queue, aussi. Baz n'arrête pas de s'en moquer.

— Même pas une queue de dragon ! Tu t'es donné une queue de démon de dessin animé.

— Je suis sûr que je pourrais me la faire enlever. Je devrais demander au Dr Wellbelove.

— On va éviter de faire les choses dans la précipitation.

Chaque matin, Penny me lance : **Ce n'est pas le droïde que vous cherchez !** pour que les Normaux ne remarquent pas mes parties *dragon*. Mais le sort ne tient pas toute la journée et j'ai toujours peur que les ailes ou la queue ne jaillissent en plein cours.

— Tu n'as qu'à dire aux gens que tu fais partie d'un spectacle, suggère Baz.

— Quel genre de spectacle ?

— Je ne sais pas. C'est ce que ma tante Fiona m'a toujours conseillé de dire si quelqu'un remarquait mes canines.

Je suis assis en face de Baz, de l'autre côté de la table basse, que j'ai montée tout seul. Quatre étages. Il me tend son gobelet et je bois une gorgée.

— C'est quoi ?

— Un mélange potiron-café. Je l'ai créé moi-même.

— C'est comme si on buvait une barre chocolatée, dis-je. Je pensais qu'on allait prendre le thé.

— Bunce ne t'a pas offert une théière ? Il va falloir que tu apprennes à te débrouiller, Snow. L'indépendance !

Il pointe sa baguette vers mon épaule et donne un coup sur l'aile.

— **Circulez, il n'y a rien à voir !**

— Baz ! Tu sais bien que je déteste ce **Circulez, il n'y a rien à voir !**. Les gens vont encore passer leur temps à me rentrer dedans, aujourd'hui.

— On ne choisit pas toujours. Je ne connais pas le sort automatique de Bunce.

Penny sort de sa chambre.

— Simon, tu as vu ma boule de cristal quelque part ?

— Je devrais ?

— Elle est dans un carton avec marqué « Fragile – Boule en cristal ». Ah, coucou, Baz. Qu'est-ce que tu fais là ?

— J'ai l'intention d'être tout le temps là, Bunce. Je vais hanter les lieux jour et nuit.

— Tu es venu nous aider à déménager ?

Il referme le couvercle de son gobelet.

— Mmmh… Non.

Baz et moi avons évoqué le fait de prendre un appartement ensemble après Watford. Il y est allé pour terminer l'année. Moi, je ne pouvais pas. Enfin si, j'aurais pu : même si j'étais assigné à domicile, la mère de Pénélope m'y aurait autorisé.

Je n'y suis revenu qu'une fois, pour le bal de fin d'études de Baz, au printemps. J'y retournerai peut-être un jour. Quand tout me paraîtra vraiment loin. J'aimerais me rendre sur la tombe d'Ebb, au fond du bois de Wavering.

Agatha, elle, n'a pas remis les pieds à Watford. Ses parents ne pouvaient pas l'y obliger. Elle est dans une école en Californie, maintenant. Penny dit qu'elle a un chien. Je ne lui ai pas parlé. Pendant un bon moment, je n'ai échangé avec personne, en dehors de Baz et Pénélope.

L'enquête sur la mort du Mage a duré trois mois. Pour finir, je n'ai pas été inculpé. Penny non plus. Elle n'avait pas imaginé une seconde que je dirais ce que j'ai dit, après son sort. Et je ne me doutais pas un instant que mes paroles tueraient le Mage.

Je pensais que, lui disparu, le Monde des Mages s'écroulerait. Mais cela fait sept mois, maintenant, et il n'y a pas eu de guerre. Je ne crois pas qu'il y en aura.

Le Mage n'a pas été remplacé.

Le Conseil a décidé que le Monde des Mages n'avait pas besoin de chef, en tout cas pour l'instant. M. Wellbelove a proposé que je me présente pour le siège du Mage et j'ai eu du mal à ne pas rire comme un fou.

Pourtant, je crois que c'est ce que je suis : fou.

Enfin, je devrais l'être.

Je vois quelqu'un, pour en parler. Une psychologue de la magie qui est à Chicago. Il y en a trois dans le monde, à tout casser. Nous faisons les séances sur Skype. J'aimerais bien que Baz discute aussi avec elle, mais chaque fois que j'aborde le sujet, il passe à autre chose.

Toute sa famille s'est installée dans une autre de leurs maisons, dans le Nord.

La magie n'a pas réapparu dans le Hampshire. Ni dans aucune des autres zones mortes. Mais il n'y a pas eu d'autres trous depuis Noël. (Ce jour-là, des dizaines de nouveaux trous ont surgi. Je me sens mal, quand j'y pense : ceux-là, j'aurais pu les éviter.) Le père de Penny continue de me téléphoner pour me rassurer sur la situation, qui reste stable. J'ai même participé à quelques-unes de ses missions de surveillance. Ça ne me pose pas de problème d'aller sur les sites des trous, contrairement aux magiciens. Je n'ai plus de magie à perdre. Enfin, c'est aussi un problème pour moi, mais pas pour les mêmes raisons.

Le père de Penny pense que la magie peut revenir dans les zones mortes. Il m'a montré des études sur des plantes qui poussent à Tchernobyl et sur les condors de Californie. Quand je lui ai annoncé que j'allais à l'université, il m'a conseillé d'étudier l'écologie de la restauration. « Ça pourrait te faire beaucoup de bien, Simon. »

Je ne sais pas. Je vais commencer par les cours généraux et voir ce qui me plaît.

Baz commence la London School of Economics dans quelques semaines. Ses parents sont allés à Oxford, mais il a dit qu'il préférerait être transpercé par un pieu plutôt que quitter Londres.

— Ça marcherait, sur toi ? ai-je demandé.

— Quoi ?

— Un pieu.

— Je crois qu'un pieu planté dans le cœur tuerait n'importe qui, Snow.

Parfois il m'appelle Simon, maintenant ; mais seulement dans les moments de tendresse. (Ce qui continue d'arriver. J'imagine que je suis gay. Ma psy dit que ça ne fait pas partie des cinq choses à régler en priorité.)

Bref. Nous avons donc envisagé d'emménager ensemble, mais nous avons décidé d'un commun accord qu'après sept années dans la même chambre, cela pourrait nous faire du bien, à l'un et à l'autre, d'avoir de nouveaux colocataires. Et Penny et moi avions toujours parlé de prendre un appartement ensemble.

Mais je n'y croyais pas vraiment.

Jamais je n'aurais imaginé me retrouver un jour dans un appartement au quatrième étage, avec deux chambres, une bouilloire et un vampire aux yeux gris assis sur le canapé, en train de jouer avec son nouveau portable.

Je ne pensais pas qu'il existait un chemin qui nous permettrait de survivre tous les deux.

Vu sous cet angle, je n'ai pas eu à renoncer à grand-chose. Juste à ma magie. Pour sauver la vie de Baz. Et la mienne.

Parfois, je rêve que je l'ai encore. Et que j'explose. Et je me réveille, tremblant, ne sachant pas si c'est vrai ou pas. Mais il n'y a jamais de fumée, ma respiration ne me brûle pas, ma peau ne scintille pas et je n'ai pas ce sentiment qu'une étoile va éclore dans ma poitrine.

Je suis juste en nage et en panique, avec le cœur qui bat à cent mille à l'heure. Ma psy, à Chicago, dit que c'est tout ce qu'il y a de plus normal pour quelqu'un comme moi.

— Pour un super-vilain déchu, c'est ça ?

En général, elle esquisse un sourire, distant et pro.

— Pour quelqu'un qui a subi un traumatisme.

Je me sens surtout comme une maison ravagée par un incendie. Ou comme un mort qui continue d'habiter son corps. Ou comme si une *autre* personne était morte, avait tout sacrifié, pour que je puisse avoir une vie normale.

Avec des ailes.

Et une queue.

Et des vampires.

Et des magiciens.

Et un garçon avec moi, au lieu d'une fille.

Et une fin heureuse, même si ça n'est pas la fin dont je rêvais ni même que j'espérais.

Une chance.

— Quelle heure est-il ? demande Penny. Il est encore trop tôt pour le thé ? Il y a des biscuits dans un de ces cartons. Je peux les faire sortir d'un coup de magie.

Baz lève les yeux de son téléphone.

— L'Élu nous prépare un thé façon Normal, lâche-t-il. C'est thérapeutique.

— Je sais déjà faire le thé, pas besoin d'apprendre, dis-je. Et j'aimerais bien que tu arrêtes de m'appeler comme ça.

— Tu étais vraiment l'Élu, réplique Penny. Tu as été choisi pour mettre fin au Monde des Mages. Ça n'est pas parce que tu as raté que tu n'étais pas l'Élu.

— C'est n'importe quoi, cette prophétie, dis-je. « Et viendra celui qui en finira avec nous. Et celui qui provoquera sa chute. » C'est moi qui ai provoqué ma propre chute ?

— Non, répond Baz. C'était moi. Évidemment.

— Et comment as-tu provoqué ma *chute* ? C'est moi qui ai arrêté le Humdrum.

Baz regarde de nouveau son téléphone, l'air las.

— Tu es bien *tombé* amoureux, n'est-ce pas ?

Penny pousse un grognement et Baz éclate de rire.

— Ça suffit, les tourtereaux ! J'ai faim, Simon. Trouve le paquet de biscuits.

Baz sourit. Il se penche en avant et m'embrasse sur la nuque. (J'ai un grain de beauté à cet endroit. Il le prend souvent pour cible.)

— Allez, dit-il. Continue, Simon.

REMERCIEMENTS

Je n'ai jamais rencontré Joy DeLyria, ni même parlé au téléphone avec elle, et il nous est parfois arrivé de rester des mois sans correspondre. Mais chaque fois que j'ai été bloquée ou que je me suis sentie complètement perdue avec ce roman, j'ai reçu un mail de sa part, me disant : « Comment va Simon ? »

Et chaque fois, elle a réussi à relancer la machine.

Merci, Joy, d'avoir soutenu ces personnages avec tant de passion et de m'avoir offert si généreusement tes conseils éclairés.

Merci aussi à Leigh Bardugo et David Levithan d'être des amis et des lecteurs précieux. (Même si l'un de vous a été si dur que j'en ai pleuré… C'était Leigh.)

Je remercie Susie Day, qui a réellement *écouté* les dialogues et a pris le temps de m'en parler ; et Keris Stainton, qui a répondu à un nombre incalculable de questions sur la culture et le mode de vie anglais. S'il reste chez ces personnages quelque chose d'américain – voire pire –, ça n'est pas faute d'avoir abusé de leur patience.

Merci à mon mari, Kai, pour son amour et ses encouragements, et parce qu'il n'est jamais à court de clichés.

À Christopher Schelling, qui a insisté pour augmenter le nombre de morts.

À Sara Goodman, qui m'a donné une incroyable liberté, en tant qu'auteur, et un immense soutien, en tant qu'amie.

Et aux merveilleuses personnes, chez St Martin's Press, dont la créativité et l'enthousiasme continuent de me réjouir.

Et enfin, merci à Nicola Barr, à Rachel Petty et à tous ceux de Macmillan Children's Books, qui m'accueillent si chaleureusement au Royaume-Uni et réalisent des livres magnifiques.

NOTE DE L'AUTEUR

Les lecteurs de mon livre *Fangirl* savent que le personnage de Simon Snow y est né. Un personnage ultra-fictif. Une sorte de croisement et d'héritier de centaines d'autres *Élus* fictifs. Simon y est le héros d'une série de récits d'aventures écrits par Gemma T. Leslie et fait l'objet de nombreuses fanfics écrites par Cath, le personnage principal.

Quand j'ai fini d'écrire *Fangirl*, j'ai laissé partir Cath, son petit ami Levi, et le monde qui était le leur. J'en avais fini avec leur histoire.

Mais je n'ai pas pu me séparer de Simon.

J'avais tellement écrit sur lui à travers les autres voix ; je continuais de me demander ce qui lui arriverait s'il était dans mon histoire, plutôt que dans celle de Cath ou de Gemma.

Que ferais-je de Simon Snow ?

Et de Baz ? Et d'Agatha ? Et de Penny ?

J'avais lu et aimé de si nombreuses histoires d'Élus magiques, pourquoi ne pas écrire la mienne ?

Voilà ce qu'est *Carry On*. Mon interprétation d'un personnage qui ne me sortait pas de la tête. Mon point de vue sur ce genre de personnage, et de voyage.

C'était une manière, pour moi, d'offrir à Simon et à Baz l'histoire que je leur devais et que je n'avais qu'esquissée dans *Fangirl*.

Ouvrage composé par
PCA – 44400 Rezé

Cet ouvrage a été imprimé
en Allemagne par

GGP Media GmbH
à Pößneck

Dépôt légal : janvier 2017

www.pocketjeunesse.fr
PKJ • POCKET JEUNESSE

12, avenue d'Italie - 75627 PARIS Cedex 13